Mick Finlay

ARROWOOD

In den Gassen von London

Roman

Aus dem Englischen von
Kerstin Fricke

HarperCollins®
Band 100128

Harper
Collins

Zum Buch:

Unglücklicherweise ist der letzte bekannte Aufenthaltsort des Gesuchten das »Barrel of Beef«, jener zwielichtige Pub, der das Hauptquartier von Stanley Creams Verbrecherbande ist. Und seit der letzten Auseinandersetzung mit Cream, seines Zeichens mächtigster Verbrecherboss Süd-Londons, ist das »Beef« für Arrowood und seinen treuen Gehilfen Barnett bei Todesandrohung zu verbotenem Terrain erklärt worden. Doch Arrowood wäre nicht Arrowood, wenn Barnett und er nicht doch einen Weg finden würden, dort zu ermitteln ...

Zum Autor:

Mick Finlay wurde in Glasgow geboren und verbrachte seine Kindheit in Kanada und England. Er arbeitete als Marktverkäufer in der Londoner Portobello Road, in einem Wanderzirkus, als Schlachtergehilfe, als Portier und in verschiedenen Positionen im Gesundheits- und Sozialdienst. Mittlerweile lehrt er an einer psychologischen Fakultät und lebt mit seiner Familie in Brighton.

Für Anita, John und Maya

1

Süd-London, 1895

Schon als ich an jenem Morgen hereinkam, konnte ich erkennen, dass Mr. Arrowood wieder einen seiner Anfälle hatte. Sein Gesicht war fahl, seine Augen sahen verquollen aus, sein Haar, jedenfalls das, was auf seinem vernarbten unförmigen Schädel noch übrig war, stand an einem Ohr ab, während es am anderen mit Pomade angeklebt worden war. Er gab wahrlich einen grässlichen Anblick ab. Ich blieb in der Tür stehen, nicht dass er erneut den Wasserkessel nach mir warf. Selbst aus dieser Entfernung konnte ich den Geruch des Gins von letzter Nacht an ihm riechen.

»Der vermaledeite Sherlock Holmes!«, brüllte er und schlug mit einer Faust auf den Beistelltisch. »Wo ich auch hinsehe, überall spricht man über diesen Scharlatan!«

»Verstehe, Sir«, erwiderte ich so demütig wie möglich. Mein Blick folgte seinen Händen, die er mal hierhin, mal dorthin bewegte, da ich wusste, dass sie jederzeit nach einer Tasse, einem Stift oder einem Stück Kohle greifen und mir an den Kopf werfen konnten.

»Würde man uns diese Fälle übertragen, dann lebten wir in Belgravia, Barnett«, erklärte er mit derart rotem Gesicht, dass ich schon befürchtete, er würde gleich platzen. »Dann wären wir Dauergast in einer Suite im Savoy!«

Er ließ sich in seinen Stuhl fallen, als wäre er auf einmal völlig ausgelaugt. Ich hatte auf dem Tisch neben seinem Arm längst den Grund für seinen Wutausbruch erspäht: Dort lag das *The Strand*-Magazin, in dem Dr. Watson seine neuesten Abenteuer schilderte. Aus Furcht davor, er könnte meinen Blick bemerkt haben, wandte ich meine Aufmerksamkeit dem Feuer zu.

»Ich setze den Teekessel auf«, sagte ich. »Haben wir heute Termine?«

Er nickte und schwenkte resigniert einen Arm durch die Luft, während er die Augen schloss.

»Gegen Mittag kommt eine Dame vorbei.«

»In Ordnung, Sir.«

Er rieb sich die Schläfen.

»Bringen Sie mir das Laudanum, Barnett. Und beeilen Sie sich.«

Ich nahm einen bereitstehenden Krug aus dem Regal und spritzte ihm etwas auf den Schädel. Er stöhnte auf und scheuchte mich weg, als hätte ich ein Furunkel aufgestochen.

»Ich bin unpässlich«, jammerte er. »Richten Sie ihr aus, dass ich sie nicht empfangen kann. Sie soll morgen wiederkommen.«

»William«, erwiderte ich und räumte die Teller und Zeitungen vom Tisch. »Wir hatten seit fünf Wochen keinen Fall mehr. Ich muss meine Miete bezahlen. Wenn ich nicht bald Geld nach Hause bringe, bleibt mir nichts anderes übrig, als für Sidney Droschke zu fahren, und Sie wissen ganz genau, dass ich Pferde nicht leiden kann.«

»Sie sind ein Schwächling, Barnett«, stieß er stöhnend aus und sackte auf seinem Stuhl noch weiter in sich zusammen.

»Ich werde hier aufräumen, Sir. Und dann empfangen wir sie heute Mittag.«

Er sagte nichts mehr dazu.

Um Punkt zwölf klopfte Albert an die Tür.

»Hier ist eine Dame für Sie«, meldete er in seiner wie immer sorgenvollen Art.

Ich folgte ihm durch den dunklen Korridor in das Puddinggeschäft vor unseren Räumen. Am Tresen stand eine junge Frau mit einer Haube und weitem Rock. Sie hatte den Teint einer reichen Frau, doch ihre Bündchen waren zerfranst und braun, und die Schönheit ihres Gesichts wurde von einem abgebrochenen Schneidezahn gemindert. Sie schenkte mir ein kurzes, gequältes Lächeln und ließ sich von mir nach hinten geleiten.

Er wurde sofort schwach, als sie durch die Tür kam, blinzelte mehrmals schnell, sprang auf und verbeugte sich, während er ihre kraftlos dargebotene Hand nahm.

»Madam.«

Dann bat er sie, auf dem besten Stuhl Platz zu nehmen, der sauber war und neben dem Fenster stand, sodass man ihre ansehnliche Gestalt bewundern konnte. Sie schien die an den Wänden gestapelten alten Zeitungen, die sich stellenweise mannshoch auftürmten, alsbald zu bemerken.

»Was kann ich für Sie tun?«

»Es geht um meinen Bruder, Mr. Arrowood«, sagte sie. Ihr Akzent ließ erkennen, dass sie vom Kontinent stammte. »Er ist verschwunden, und man hat mir gesagt, Sie könnten ihn finden.«

»Sind Sie Französin, Mademoiselle?«, erkundigte er sich und stellte sich mit dem Rücken zum Kohlefeuer.

»Das bin ich.«

Als er mir einen Blick zuwarf, bemerkte ich, dass es an seinen fleischigen, geröteten Schläfen pulsierte. Das war kein guter Anfang. Man hatte uns vor zwei Jahren in Dieppe eingekerkert, als der dortige Magistrat der Ansicht gewesen war, wir würden zu viele Fragen über seinen Schwager stellen. Nach sieben Tagen bei Wasser und kalter Brühe war von seiner Bewunderung für dieses Land nichts mehr übrig geblieben, und die ganze Sache war dadurch noch schlimmer geworden, dass uns der Klient die Bezahlung verweigert hatte. Seitdem hegte Mr. Arrowood einen Argwohn gegen alle Franzosen.

»Mr. Arrowood und ich sind beide große Bewunderer Ihrer Landsleute«, warf ich ein, bevor er die Gelegenheit bekommen konnte, sie vor den Kopf zu stoßen.

Er warf mir einen finsteren Blick zu. »Wo haben Sie von mir gehört?«

»Ein Freund hat Ihren Namen fallen gelassen. Sie sind Privatdetektiv, richtig?«

»Der beste in London«, bestätigte ich und hoffte, ihn mit dem Lob ein wenig besänftigen zu können.

»Oh«, erwiderte sie. »Ich dachte, Sherlock Holmes …«

Mir entging nicht, wie Mr. Arrowood sich verkrampfte.

»Es heißt, er wäre ein Genie«, fuhr sie fort. »Der beste Detektiv der Welt.«

»Dann sollten Sie vielleicht besser ihn aufsuchen, Mademoiselle«, fauchte Mr. Arrowood.

»Das kann ich mir nicht leisten.«

»Dann bin ich also der zweitbeste?«

»Ich wollte Sie nicht beleidigen, Sir«, murmelte sie, da sie die Entrüstung in seiner Stimme sehr wohl bemerkte.

»Verraten Sie mir eins, Miss …«

»Cousture. Miss Caroline Cousture.«

»Das Äußere kann trügen, Miss Cousture. Holmes ist berühmt, weil sein Assistent Geschichten schreibt und verkauft. Er ist ein Detektiv mit einem eigenen Chronisten. Aber was ist mit den Fällen, von denen wir nie erfahren? Jenen, die nicht für die Öffentlichkeit aufbereitet werden? Was ist mit den Fällen, bei denen Menschen aufgrund seiner tölpelhaften Fehler getötet werden?«

»Getötet?«, wiederholte sie fassungslos.

»Ist Ihnen der Openshaw-Fall bekannt, Miss Cousture?«

Die Frau schüttelte den Kopf.

»Der Fall der fünf Kerne?«

Erneutes Kopfschütteln.

»Ein junger Mann wurde von dem großen Detektiv in den Tod geschickt. Auf der Waterloo Bridge. Und das war nicht sein einziges Opfer. Sie haben doch gewiss vom Fall der tanzenden Männer gehört? Darüber haben sogar die Zeitungen berichtet.«

»Nein, Sir.«

»Mr. Hilton Cubitt?«

»Ich lese keine Zeitungen.«

»Erschossen. Er wurde erschossen, und seine Frau kam auch beinahe ums Leben. Nein, nein, Holmes ist alles andere als perfekt. Wussten Sie, dass er über private Mittel verfügt, Miss? Tja, ich habe gehört, er lehnt ebenso viele Fälle ab, wie er annimmt. Wie kommt es, dass ein Detektiv so viele Fälle ablehnt, frage ich mich? Und bitte glauben Sie jetzt nicht, ich wäre eifersüchtig auf ihn, denn das bin ich nicht. Ich bemitleide ihn. Warum? Weil er mit deduktiven Methoden arbeitet. Er nimmt kleine Hinweise und plustert sie auf. Oftmals irrt er sich dabei, wenn Sie mich fragen. So.« Er warf die Hände in die Luft. »Ich habe es gesagt. Natürlich ist er berühmt, aber ich muss leider hinzufügen, dass er die Menschen nicht versteht. Bei Holmes geht es immer nur um Hinweise: Markie-rungen am Boden, ein zufälliger Ascherest auf dem Tisch, eine bestimmte Lehmart am Boot. Aber was ist mit den Fällen, bei denen es keine Hinweise gibt? So etwas kommt häufiger vor, als Sie denken, Miss Cousture. Dann geht es nämlich um die Menschen. Es geht um Menschenkenntnis.« Bei diesen Wor-ten deutete er auf das Regal, in dem sich seine kleine Bücher-sammlung über die Psychologie und den Geist befand. »Ich arbeite mit Emotionen, nicht mit Deduktionen. Und warum? Weil ich die Menschen wahrnehme. Ich blicke ihnen in die Seele. Ich kann die Wahrheit mit der Nase erschnüffeln.«

Er starrte sie die ganze Zeit über an, und mir fiel auf, dass sie errötete und zu Boden blickte.

»Und manchmal ist der Geruch derart intensiv, dass er sich wie ein Wurm in mich hineinbohrt«, fuhr er fort. »Ich durch-schaue die Menschen. Ich kenne sie so gut, dass es mich quält. So löse ich meine Fälle. Mein Abbild findet sich zwar nicht in der *Daily News*, und ich habe auch keine Haushälterin, keine Zimmer in der Baker Street und keinen Bruder, der für die Regierung arbeitet, aber sollte ich mich entscheiden, Ihren Fall zu übernehmen – und das kann ich Ihnen erst garantieren, wenn ich Sie angehört habe –, sollte ich ihn also übernehmen, dann werden Sie weder an mir noch an meinem Assistenten etwas auszusetzen haben.«

Ich betrachtete ihn voller Bewunderung; wenn Mr. Ar-rowood erst einmal in Fahrt war, konnte er wahrlich beein-drucken. Und seine Worte entsprachen der Wahrheit: Seine Gefühle waren sowohl seine Stärke als auch seine Schwäche. Aus diesem Grund brauchte er mich dringender, als ihm selbst manchmal bewusst war.

»Bitte entschuldigen Sie«, sagte Miss Cousture. »Ich wollte Sie nicht beleidigen. Mit der Arbeit von Detektiven kenne ich mich nicht aus. Ich weiß nur, dass Mr. Holmes in aller Munde ist. Bitte vergeben Sie mir, Sir.«

Er nickte und ließ sich dann schnaufend wieder in seinem Sessel am Feuer nieder.

»Erzählen Sie uns alles. Lassen Sie nichts aus. Wer ist Ihr Bruder, und warum müssen Sie ihn finden?«

Sie verschränkte die Hände im Schoß und sammelte sich kurz.

»Wir stammen aus Rouen, Sir. Ich bin erst vor zwei Jahren aufgrund meiner Arbeit hierhergezogen. Ich bin Photographin. In Frankreich dürfen Frauen diesen Beruf nicht ausüben, daher hat mir mein Onkel geholfen, hier in der Great Dover Street eine Anstellung zu bekommen. Er ist Kunsthändler. Mein Bruder Thierry arbeitete zu Hause für eine Patisserie, hat jedoch Probleme bekommen.«

»Probleme?«, hakte Mr. Arrowood nach. »Was für Probleme?«

Sie zögerte.

»Wenn Sie mir nicht alles erzählen, dann kann ich Ihnen nicht helfen.«

»Sie haben ihn beschuldigt, etwas aus dem Laden gestohlen zu haben«, gab sie zu.

»Und, hat er das getan?«

»Ich glaube schon.«

Sie sah ihn schüchtern an, bevor sie mir einen Blick zuwarf. Obwohl ich seit über fünfzehn Jahren mit der vernünftigsten Frau in ganz Walworth verheiratet war, muss ich zu meiner Schande gestehen, dass dieser Blick etwas in mir hervorrief, was ich schon seit einer ganzen Weile nicht mehr gespürt hatte. Diese junge Frau mit ihrem mandelförmigen Gesicht und dem abgesplitterten Schneidezahn war eine natürliche Schönheit.

»Fahren Sie fort«, bat er sie.

»Er musste Rouen sehr schnell verlassen, daher ist er mir nach London gefolgt. Hier fand er eine Stelle in einem Speisehaus. Vor vier Nächten kam er plötzlich völlig verängstigt von der Arbeit. Er hat mich um Geld gebeten, damit er nach Frankreich zurückkehren könne. Warum er von hier fortwollte, hat er mir nicht verraten, aber ich habe ihn nie zuvor derart verstört gesehen.« Sie hielt kurz inne, um Atem zu holen, und tupfte sich die Augen mit der Ecke eines vergilbten Taschentuchs ab. »Ich habe ihm gesagt, dass ich das nicht zulassen kann. Er darf nicht nach Rouen zurückkehren. Wenn er das tut, bekommt er große Schwierigkeiten, und das möchte ich nicht.«

Sie zögerte erneut, und eine Träne funkelte in ihrem rechten Auge.

»Möglicherweise wollte ich aber auch nur, dass er hier bei mir in London bleibt. Für eine Fremde ist dies eine einsame Stadt, Sir, und für eine Frau noch dazu eine gefährliche.«

»Bitte beruhigen Sie sich, Mademoiselle«, sagte mein Arbeitgeber freundlich. Er beugte sich auf seinem Sessel vor, sodass ihm sein Bauch auf den Knien hing.

»Er ist hinausgestürzt, und seitdem habe ich ihn nicht mehr gesehen. Bei der Arbeit ist er auch nicht gesehen worden.« Nun kamen ihr wirklich die Tränen. »Wo schläft er nur?«

»Aber, aber, meine Liebe«, versuchte Mr. Arrowood sie zu beruhigen. »Sie brauchen uns doch gar nicht. Zweifellos versteckt sich Ihr Bruder nur. Er wird Sie schon wieder aufsuchen, wenn er es für sicher hält.«

Sie hielt sich das Taschentuch vor die Augen, bis sie sich wieder ein wenig beruhigt hatte, und putzte sich dann die Nase.

»Ich kann Sie bezahlen, falls Sie deswegen besorgt sein sollten«, sagte sie schließlich, zog einen kleinen Geldbeutel aus der Manteltasche und holte eine Handvoll Guineen heraus. »Sehen Sie.«

»Stecken Sie das Geld bitte weg, Miss. Wenn er solche Angst hatte, ist er vermutlich nach Frankreich zurückgekehrt.«

Sie schüttelte den Kopf.

»Nein, Sir, er ist nicht in Frankreich. Am Tag, nachdem ich ihm seine Bitte abgeschlagen hatte, kam ich von der Arbeit nach Hause und musste feststellen, dass meine Uhr verschwunden ist, ebenso wie meine Zweitschuhe und ein Kleid, das ich erst letzten Winter gekauft hatte. Meine Vermieterin erzählte mir, dass er nachmittags in meinem Zimmer gewesen sei.«

»Da haben wir es doch! Er hat all das verkauft, um die Überfahrt bezahlen zu können.«

»Nein, Sir. Seine Papiere und seine Kleidung sind noch da. Wie will er denn ohne Papiere in Frankreich einreisen? Ihm muss etwas zugestoßen sein.« Während sie sprach, ließ sie die Münzen wieder in den Geldbeutel fallen und holte einige Scheine heraus. »Bitte, Mr. Arrowood. Er ist alles, was mir noch geblieben ist. Es gibt niemanden, an den ich mich sonst wenden könnte.«

Mr. Arrowood sah zu, wie sie zwei Fünf-Pfund-Scheine auseinanderfaltete. Es war einige Zeit her, dass wir hier Banknoten gesehen hatten.

»Warum gehen Sie nicht zur Polizei?«, wollte er wissen.

»Dort wird man mir genau dasselbe sagen. Ich flehe Sie an, Mr. Arrowood.«

»Miss Cousture, ich könnte Ihr Geld nehmen, wie es vermutlich viele Privatdetektive hier in London ohne zu zögern tun würden. Aber es gehört zu meinen Prinzipien, dass ich kein Geld annehme, wenn ich nicht glaube, dass es einen Fall gibt, und erst recht nicht von einer Person mit begrenzten Mitteln. Ich möchte Sie nicht beleidigen, aber ich gehe davon aus, dass Sie sich dieses Geld entweder mühsam zusammenge-spart oder von jemandem geborgt haben. Ihr Bruder hält sich bestimmt nur irgendwo bei einer Frau auf. Warten Sie noch ein paar Tage. Wenn er dann noch immer nicht zurückgekehrt ist, suchen Sie uns noch einmal auf, einverstanden?«

Ihre blassen Wangen wurden rot. Sie stand auf, trat vor das Kamingitter und hielt die Banknoten über die glühenden Kohlen. »Wenn Sie meinen Fall nicht übernehmen, werfe ich das Geld ins Feuer«, drohte sie entschlossen.

»Seien Sie doch vernünftig, Miss«, beschwichtigte Mr. Ar-rowood sie.

»Das Geld bedeutet mir nichts. Und ich vermute, dass es Ihnen in Ihren Taschen lieber wäre als im Feuer, oder irre ich mich?«

Mr. Arrowood stöhnte und wandte den Blick nicht von den Geldscheinen ab. Er rutschte in seinem Sessel weiter nach vorn.

»Ich werde es tun!«, drohte sie verzweifelt und ließ die Hand ein Stück sinken.

»Halt!«, rief er, als er es nicht mehr länger ertragen konnte.

»Übernehmen Sie meinen Fall?«

Er seufzte. »Ja, ja. Ich schätze schon.«

»Und Sie werden meinen Namen geheim halten?«

»Wenn Sie das wünschen.«

»Wir verlangen zwanzig Schillinge pro Tag, Miss Cousture«, schaltete ich mich ein. »Bei Fällen mit vermissten Personen bekommen wir das Geld für fünf Tage im Voraus.«

Mr. Arrowood wandte sich ab und stopfte seine Pfeife. Ob-wohl er im Allgemeinen unter Geldmangel litt, war es ihm doch stets unangenehm, welches anzunehmen; jemand von seinem Stand gab eben ungern zu, darauf angewiesen zu sein.

Sobald das Geschäftliche erledigt war, drehte er sich wieder zu uns um.

»Nun brauchen wir noch die Details«, teilte er ihr schmauchend mit. »Sein Alter, sein Aussehen. Haben Sie eine Photographie?«

»Er ist dreiundzwanzig. Nicht so groß gewachsen wie Sie, Sir.« Sie sah mich an. »Eher irgendwo in der Mitte zwischen Ihnen und Mr. Arrowood. Sein Haar ist weizenblond, und er hat ein längliches Brandmal seitlich am Ohr. Ich habe leider keine Photographie, aber Sie werden in London nicht viele Personen mit unserem Akzent finden.«

»Wo hat er gearbeitet?«

»Im Barrel of Beef, Sir.«

Mir wurde mit einem Mal ganz anders, und die warme Fünf-Pfund-Note in meiner Hand fühlte sich jetzt eiskalt an. Mr. Arrowood hatte die Hand mit der rauchenden Pfeife sinken lassen. Er starrte ins Feuer, schüttelte den Kopf und sagte nichts mehr.

Miss Cousture runzelte die Stirn.

»Habe ich etwas Falsches gesagt, Sir?«

Ich reichte ihr den Geldschein.

»Nehmen Sie ihn zurück, Miss«, verlangte ich. »Wir können den Fall nicht übernehmen.«

»Aber warum nicht? Wir hatten uns doch geeinigt.«

Ich warf Mr. Arrowood einen Blick zu und wartete darauf, dass er antwortete. Stattdessen drang nur ein tiefes Knurren über seine Lippen. Er nahm den Schürhaken und stocherte damit in den glühenden Kohlen herum. Während ich Miss Cousture das Geld reichte, blickte sie zwischen ihm und mir hin und her.

»Gibt es ein Problem?«

»Wir hatten schon einmal mit dem Barrel of Beef zu tun«, gab ich schließlich zu. »Genauer gesagt mit dem Besitzer Stanley Cream. Sie haben gewiss schon von ihm gehört?«

Sie nickte.

»Vor einigen Jahren hatten wir einige Schwierigkeiten mit ihm«, fuhr ich fort. »Der Fall ging unschön zu Ende. Es gab da einen Mann, der uns geholfen hat, John Spindle. Ein guter Mann. Creams Bande hat ihn totgeschlagen, und wir konnten nichts dagegen tun. Cream schwor, dass er uns ebenfalls töten würde, sollten wir ihm jemals wieder unter die Augen treten.«

Sie schwieg.

»Er ist der gefährlichste Mann in Süd-London, Miss.«

»Dann haben Sie also Angst«, stellte sie verbittert fest.

Auf einmal drehte sich Mr. Arrowood um. Sein Gesicht leuchtete regelrecht, weil er so lange ins Feuer gestarrt hatte.

»Wir übernehmen den Fall, Miss«, erklärte er. »Ich nehme mein Wort nicht wieder zurück.«

Ich musste sehr an mich halten. Wenn Miss Coustures Bruder etwas mit dem Beef zu tun hatte, dann standen die Chancen gut, dass er wirklich in Schwierigkeiten steckte. Möglicherweise war er bereits tot. In diesem Augenblick erschien mir die Stelle als Droschkenkutscher als eine der begehrenswertesten in ganz London.

Nachdem Caroline Cousture gegangen war, ließ sich Mr. Arrowood schwer in seinen Sessel fallen. Er zündete seine Pfeife wieder an und blickte nachdenklich ins Feuer. Schließlich machte er wieder den Mund auf. »Diese Frau ist eine Lügnerin.«

2

Wir hatten gerade die Pastete mit Kartoffeln aufgegessen, die ich zum Mittagessen besorgt hatte, als die Verbindungstür zum Laden aufgerissen wurde. Am Herd stand eine Frau mittleren Alters, in der einen Hand eine Segelstofftasche und in der anderen einen Tubakoffer. Sie war ganz in Grau und Schwarz gekleidet, und ihr Benehmen ließ auf einen vielgereisten Menschen schließen. Mr. Arrowood war augenblicklich wie erstarrt. Ich sprang auf und verbeugte mich, wobei ich mir rasch die fettigen Finger an der Rückseite meiner Hosenbeine abwischte.

Sie nickte mir nur kurz zu und wandte sich dann ihm zu. Sehr lange Zeit sahen sie einander einfach nur an, er überrascht und leicht beschämt, wohingegen sie eher rechtschaffen und überlegen wirkte. Schließlich gelang es ihm, das Kartoffelstück, das er noch im Mund hatte, hinunterzuschlucken.

»Ettie«, sagte er. »Was ...? Du bist ...«

»Wie ich sehe, komme ich genau zur rechten Zeit«, erwiderte sie und ließ ihren erhabenen Blick langsam über die Tablettendöschen und Bierflaschen, die Asche vor dem Kamin und die Zeitungen und Bücher, die sich überall stapelten, entlangwandern. »Dann ist Isabel noch nicht zurück?«

Er schürzte die dicken Lippen und schüttelte den Kopf.

Sie drehte sich zu mir um.

»Und Sie sind?«

»Barnett, Madam. Mr. Arrowoods Angestellter.«

»Freut mich, Sie kennenzulernen, Barnett.«

Sie erwiderte mein Lächeln nicht.

Mr. Arrowood erhob sich aus seinem Sessel und strich sich die Krümel von der Wollweste.

»Ich dachte, du wärst in Afghanistan, Ettie.«

»Anscheinend gibt es bei den Armen dieser Stadt mehr als genug zu tun. Ich habe mich einer Mission in Bermondsey angeschlossen.«

»Was, hier?«, stieß er hervor.

»Ich werde bei dir wohnen. Und nun sag mir bitte, wo ich schlafen soll.«

»Schlafen?« Mr. Arrowood starrte mich mit ängstlicher Miene an. »Schlafen? Du hast doch gewiss ein Zimmer zugewiesen bekommen, oder nicht?«

»Von jetzt an stehe ich im Dienste des Herrn, Bruder. Das ist keine schlechte Sache, wenn ich mich hier so umsehe. Diese Papierberge sehen ja gefährlich aus.« Sie erspähte die kleine Treppe im hinteren Teil des Raumes. »Ah, jetzt weiß ich, wo ich hinmuss. Ich finde den Weg schon allein.«

Sie stellte ihre Tuba auf den Boden und marschierte die Stufen hinauf.

Ich kochte Mr. Arrowood Tee, während er aus dem schmutzigen Fenster starrte und ein Gesicht machte, als hätte er soeben sein Todesurteil vernommen. Als ich ein Stück Toffee aus der Tasche nahm und ihm anbot, stopfte er es sich gierig in den Mund.

»Warum haben Sie Miss Cousture vorhin als Lügnerin bezeichnet?«, wollte ich wissen.

»Sie müssen wirklich genauer hinsehen, Barnett«, erwiderte er und kaute auf dem Toffee herum. »Es gab einen Augenblick während meiner Rede, bei dem sie errötete und mir nicht in die Augen sehen konnte. Nur einen einzigen. Es war der Moment, als ich sagte, ich könnte einem Menschen in die Seele blicken und die Wahrheit riechen. Ist Ihnen das nicht aufgefallen?«

»Haben Sie das mit Absicht getan?«

Er schüttelte den Kopf.

»Aber es ist ein guter Trick, finde ich«, erklärte er. »Vielleicht mache ich das demnächst öfter.«

»Ich bin mir da nicht so sicher. Da, wo ich herkomme, lügt eigentlich jeder.«

»Das ist doch überall so, Barnett.«

»Ich meinte damit, dass die Leute nicht erröten, wenn man sie des Lügens bezichtigt.«

»Aber ich habe sie doch gar nicht beschuldigt. Das ist ja der Trick. Ich habe über mich selbst gesprochen.«

Er bearbeitete das Toffee so emsig, dass ihm etwas Speichel aus dem Mundwinkel rann, den er wegwischte.

»Inwiefern hat sie denn gelogen?«

Er hob einen Finger und schnitt eine Grimasse, als er anscheinend versuchte, ein Stück Toffee vom Backenzahn abzubekommen.

»Das weiß ich nicht«, gab er zu, nachdem ihm das gelungen war. »Und nun muss ich heute Nachmittag hierbleiben und herausfinden, was zum Teufel meine Schwester hier zu suchen hat. Es tut mir leid, Barnett. Sie werden das Barrel of Beef allein aufsuchen müssen.«

Diese Aussicht erfreute mich nicht im Geringsten.

»Vielleicht sollten wir warten, bis Sie mich begleiten können«, schlug ich vor.

»Sie müssen ja nicht hineingehen. Warten Sie auf der anderen Straßenseite, bis ein Arbeiter herauskommt. Ein Tellerwäscher oder eine Kellnerin. Jemand, der nichts gegen einen zusätzlichen Penny einzuwenden hat. Versuchen Sie möglichst viel herauszufinden, aber bringen Sie sich nicht in Gefahr. Und verhindern Sie um jeden Preis, dass Creams Männer Sie entdecken.«

Ich nickte.

»Das ist mein Ernst, Barnett. Ich bezweifle, dass Sie dieses Mal eine zweite Chance bekommen werden.«

»Ich habe nicht vor, auch nur in die Nähe seiner Männer zu kommen«, erwiderte ich bedrückt. »Es wäre mir noch viel lieber, wenn ich überhaupt nicht dorthin müsste.«

»Seien Sie einfach vorsichtig«, ermahnte er mich. »Und kommen Sie wieder her, wenn Sie etwas herausgefunden haben.«

Während ich mich ausgehfertig machte, starrte er zur Decke hinauf, da im Stockwerk über uns Möbel gerückt wurden.

Das Barrel of Beef war ein vierstöckiges Gebäude an der Ecke der Waterloo Road. Abends wurde es größtenteils von jungen Männern besucht, die sich in den zweisitzigen Hansom-Kutschen von der anderen Flussseite herfahren ließen und nach Abwechslung suchten, wenn die Theater und politischen Zusammenkünfte beendet waren. Vorn im Erdgeschoss befand sich ein Pub, einer der größten in Southwark, und darüber auf zwei Etagen Speiseräume. Diese wurden häufig von Tischgesellschaften gemietet, und in Sommernächten, wenn die Fenster offen standen und die Musik spielte, kam es einem häufig so vor, als würde man an einem rauschenden Meer vorbeigehen. Im dritten Stock standen die Spieltische, die sehr exklusiv waren. Das war die angesehene Fassade des Barrel of Beef. Auf der Rückseite befand sich an einer stinkenden Gasse voller Bettler und Prostituierter das Skirt of Beef, ein derart dunkler und verräucherter Schankraum, dass einem direkt nach dem Betreten die Augen tränten.

Bisher war der Juli sehr kalt gewesen, eher wie zu Frühlingsanfang, und ich verfluchte den schneidenden Wind, als ich mir auf der gegenüberliegenden Straßenseite einen Aussichtsposten suchte, an dem ich mich neben dem warmen Wagen eines Kartoffelverkäufers wie ein Landstreicher in einen Hauseingang verkroch, mir die Kappe tief ins Gesicht zog und meinen Körper in einem alten Sack verbarg. Ich wusste nur zu gut, was Creams Leute mit mir anstellen würden, wenn sie herausfanden, dass ich sie erneut überwachte. Dort wartete ich, bis die jungen Männer wieder in ihre Kutschen gestiegen waren und es ruhig auf der Straße wurde. Kurz darauf kam eine Gruppe von mehreren Dienstmädchen aus dem Haus und marschierte in Richtung Osten nach Marshalsea davon. Vier Kellner traten danach auf die Straße, dicht gefolgt von zwei Köchen. Und dann, endlich, der einsame alte Geselle, auf den ich gewartet hatte. Er trug einen langen, zerschlissenen Mantel und Stiefel, die ihm zu groß waren, und hastete und stolperte die Straße entlang, als müsste er dringend einen Abort aufsuchen. Ich folgte ihm durch die dunklen Straßen und gab mir dabei keine große Mühe, unauffällig zu bleiben, da es keinen Grund zu der Annahme gab, dass sich irgendjemand für diesen Mann interessierte. Leichter Regen setzte ein. Schon bald erreichte er das White Eagle, eine Ginstube an der Friar Street, die einzige Wirtschaft, in der man um diese Uhrzeit noch etwas zu trinken bekam.

Ich wartete vor der Tür, bis er ein Glas in der Hand hatte. Dann trat ich ein und stellte mich neben ihn an den Tresen.

»Was darf's sein?«, fragte der fette Wirt.

»Ein Porter.«

Ich hatte Durst und stürzte das halbe Bier auf einen Zug herunter. Der alte Knabe nippte an seinem Gin und seufzte. Seine Finger waren geschwollen und gerötet.

»Probleme?«, erkundigte ich mich.

»Ich kann das Zeug nicht mehr trinken«, moserte er und deutete mit dem Kinn auf mein Bier. »Dadurch stinkt meine Pisse faulig. Aber ich wünschte, es wäre anders. Bier habe ich immer gern getrunken, das können Sie mir glauben.«

Auf einem hohen Stuhl hinter einer Glaswand saß ein Mann, den ich bereits auf der Straße vor dem Beef gesehen hatte. Er trug einen schwarzen Anzug, der an den Ellenbogen dünn und an den Beinen fransig wurde, und hatte kein einziges Haar auf dem Kopf. Sein Streichholzverkauf litt darunter, dass er hin und wieder zusammenzuckte oder sich anderweitig ruckartig bewegte, sodass die Passanten vor ihm zurückschreckten. Nun murmelte er etwas vor sich hin, starrte in sein Ginglas und umklammerte mit einer Hand das andere Handgelenk, als müsste er sich festhalten.

»Veitstanz«, flüsterte der alte Mann mir zu. »Ein Geist hat Besitz von seinen Gliedmaßen ergriffen und lässt sie nicht mehr los – jedenfalls sagt man das.«

Ich hatte aufgrund des Biers Mitgefühl mit ihm, und wir plauderten darüber, wie es war, alt zu werden; ein Thema, zu dem er viel zu sagen hatte. Nach einiger Zeit gab ich ihm noch etwas zu trinken aus, was er dankend annahm, und erkundigte mich nach seinem Beruf.

»Ich bin erster Spüler«, antwortete er. »Sie kennen doch bestimmt das Barrel of Beef?«

»Selbstverständlich. Das ist in der Tat ein gutes Etablissement, Sir. Ein sehr gutes.«

Er setzte sich etwas aufrechter hin und sah plötzlich stolz aus. »Da haben Sie allerdings recht. Ich kenne auch den Besitzer, Mr. Cream. Haben Sie schon von ihm gehört? Ich kenne alle, die dort etwas zu sagen haben. Letztes Weihnachten hat er mir eine Flasche Brandy geschenkt. Er kam einfach zu mir und sagte: ›Ernest, das ist für alles, was du dieses Jahr für mich getan hast‹, und gab mir die Flasche. Mir persönlich. Eine Flasche Brandy. So ist Mr. Cream. Kennen Sie ihn?«

»Ich weiß nur, dass er der Besitzer ist.«

»Und es war eine Flasche mit sehr gutem Brandy. Dem besten sogar. Er schmeckte wie Gold oder Seide oder etwas in der Art.« Der Alte nippte an seinem Gin, zuckte zusammen und schüttelte den Kopf. Seine Augen sahen gelblich und rührselig aus, und die wenigen Zähne, die er noch im Mund hatte, waren schief und braun. »Ich bin jetzt seit etwa zehn Jahren dort. In der ganzen Zeit gab es nie einen Grund, mich über die Arbeit dort zu beschweren. O nein, Mr. Cream behandelt mich gut. Ich kann alles essen, was zu Feierabend übrig ist, solange ich nichts mit nach Hause nehme. Alles, was sie nicht für den nächsten Tag aufbewahren. Steak, Bohnen, Austern, Hammelsuppe. Ich muss fast gar kein Geld mehr für etwas zu essen ausgeben, sondern kann es für die schönen Seiten des Lebens sparen, jawohl.«

Er leerte sein Glas und fing an zu husten. Ich bestellte ihm einen weiteren Gin. Hinter uns stritt sich eine müde aussehende Straßendirne mit zwei Männern in braunen Schürzen. Einer der beiden versuchte, ihren Arm zu nehmen, aber sie schüttelte ihn ab. Ernest warf ihr einen sehnsüchtigen Blick zu, bevor er sich erneut an mich wandte.

»Aber das gilt nicht für die anderen«, fuhr er fort. »Nur für mich, weil ich schon am längsten da bin. Rippchen, Fisch, Gekröse, wenn es sein muss. Ich speise fürstlich, Mister. Das ist eine gute Abmachung. Ich habe gleich auf der anderen Straßenseite ein Zimmer. Kennen Sie die Bäckerei? Penarven? Direkt darüber wohne ich.«

»Zufälligerweise kenne ich jemanden, der ebenfalls dort arbeitet«, warf ich ein. »Ein Franzose namens Thierry. Er ist der Bruder einer Freundin. Sie kennen ihn bestimmt.«

»Meinen Sie Terry? Der die Pasteten gemacht hat? Der arbeitet nicht mehr bei uns. Seit letzter Woche nicht mehr. Er ist gegangen oder wurde rausgeschmissen; ich weiß es nicht genau.«

Er zündete sich eine Pfeife an und hustete wieder.

»Dummerweise muss ich ihn unbedingt sprechen«, sagte ich, nachdem er sich wieder beruhigt hatte. »Sie wissen nicht zufällig, wo ich ihn finden kann?«

»Wieso fragen Sie nicht seine Schwester?«

»Sie ist es ja gerade, die nach ihm sucht.« Ich senkte die Stimme. »Ehrlich gesagt könnte ich davon profitieren, dass ich ihr helfe, wenn Sie verstehen, was ich meine.«

Er kicherte. Ich schlug ihm auf den Rücken, was ihm jedoch gar nicht gefiel und mir einen misstrauischen Blick einbrachte.

»Das ist ein ganz schöner Zufall, was? Dass wir uns hier so rein zufällig unterhalten?«

»Ich bin Ihnen gefolgt.«

Es dauerte eine Minute, bis er meine Worte verdaut hatte.

»So sieht die Sache also aus, ja?«, krächzte er.

»Ja, so sieht sie aus. Wissen Sie, wo ich ihn finden kann?«

Er kratzte sich die Bartstoppeln am Hals und leerte sein Glas.

»Die Austern hier sind wirklich gut«, antwortete er dann.

Ich rief eine Kellnerin heran und bestellte ihm eine Schüssel.

»Alles, was ich weiß, ist, dass er sich mit einer Barfrau namens Martha angefreundet hat, jedenfalls sah es für alle danach aus«, berichtete er. »Sie sind nach Feierabend manchmal zusammen weggegangen. Fragen Sie sie. Lockiges rotes Haar – Sie können sie nicht übersehen. Eine kleine Schönheit, wenn man nichts gegen Katholiken hat.«

»Steckte er in Schwierigkeiten?«

Er leerte sein Glas und schwankte auf einmal so heftig, dass er sich am Tresen festhalten musste.

»Ich halte mich aus allem raus, was dort passiert. Bei den Dingen, die in diesem Gebäude vor sich gehen, kriegt man sonst sehr schnell Probleme.«

Die Austern wurden gebracht, und er starrte sie stirnrunzelnd an.

»Was ist?«, fragte ich.

»Ich dachte nur gerade, dass sie sich mit einem Tropfen viel besser runterspülen lassen würden«, erwiderte er und schniefte.

Ich bestellte ihm noch einen Gin. Als er die Austern fast aufgegessen hatte, fragte ich ihn erneut, ob Thierry in Schwierigkeiten gesteckt hatte.

»Ich weiß nur, dass er am Tag nach dem Besuch des Amerikaners verschwunden ist. Es war ein großer Kerl aus Amerika. Das habe ich bloß mitgekriegt, weil er Mr. Cream angeschrien hat, und das macht sonst keiner. Kein Mensch. Danach ist Terry nicht mehr aufgetaucht.«

»Warum hat der Mann denn geschrien?«

»Das konnte ich nicht verstehen«, erwiderte er und ließ die letzte Austernschale auf den Boden fallen. Er hielt sich am Tresen fest und starrte ihn an, als wüsste er nicht, wie er wieder aufstehen sollte, ohne dabei umzufallen.

»Wissen Sie, wer er war?«

»Ich hatte ihn noch nie zuvor gesehen.«

»Sie müssen doch irgendetwas gehört haben«, bohrte ich weiter.

»Ich rede mit niemandem, und keiner redet mit mir. Ich mache einfach meine Arbeit und gehe wieder nach Hause. So ist es am besten. Diesen Rat würde ich auch meinen Kindern geben, wenn ich welche hätte.«

Er lachte auf und rief der Kellnerin zu: »He, Jeannie, hast du das gehört? Ich sagte, dass ich diesen Rat auch meinen Kindern geben würde, wenn ich welche hätte!«

»Ja, sehr witzig, Ernest«, entgegnete sie. »Jammerschade, dass dir der Schniedel abgefallen ist.«

Seine Miene erschlaffte. Der Wirt und ein Droschkenkutscher am anderen Ende des Tresens lachten laut los.

»Ich könnte dir einige Zeuginnen nennen, die dir versichern, dass mein Schniedel noch dran ist und hervorragend funktioniert«, krächzte er.

Aber die Kellnerin hörte ihm schon nicht mehr zu und unterhielt sich mit dem Droschkenkutscher. Der alte Mann starrte sie einige Augenblicke lang verbittert an, leerte dann sein Glas und klopfte auf seine Manteltaschen. Die Haut unter seinem mit Stoppeln bedeckten Kinn sah schlaff aus, und seine Handgelenke, die aus den Ärmeln seines dicken Mantels herausragten, wirkten dürr wie Besenstiele.

»Ich geh dann mal lieber.«

»Könnten Sie für mich herausfinden, wo er ist, Ernest?«, fragte ich, als wir auf die Straße traten. »Ich würde Sie auch gut bezahlen.«

»Suchen Sie sich einen anderen Dummen, Mister«, nuschelte er. »Ich will nicht mit dem Mund voller Schlamm am Flussufer landen. Ich nicht.«

Er warf mit grimmiger Miene einen Blick durch das Fenster zu der Kellnerin hinüber, die sich prächtig mit dem Droschkenkutscher zu unterhalten schien, drehte sich dann um und stampfte die Straße entlang.

3

Mr. Arrowoods Zimmer sah völlig verändert aus. Es lagen keine Krümel mehr auf dem Boden, alle Flaschen und Teller waren verschwunden, die Decken und Kissen zurechtgerückt. Nur die aufgetürmten Zeitungen an den Wänden schienen unangetastet zu sein. Mr. Arrowood saß mit gekämmtem Haar und sauberem Hemd in seinem Sessel, in den Händen das Buch, das ihn schon die letzten Monate beschäftigt hatte: *Der Ausdruck der Gemütsbewegungen bei dem Menschen und den Tieren* vom berüchtigten Mr. Darwin. Einige Jahre zuvor hatte sich Mrs. Barnett sehr über diesen Mann aufgeregt, der doch glatt behauptete, jedenfalls hatte sie es mir so erzählt, dass sie und ihre Schwestern die Töchter eines großen Affen und nicht die wundervollen Schöpfungen des Allmächtigen seien. Selbstverständlich hatte sie seine Bücher nie gelesen, aber in ihrer Kirche gab es viele, die strikt gegen die Vorstellung waren, die Frau wäre nicht aus einer Rippe und der Mann nicht aus Staub erschaffen worden. Mr. Arrowood, der meines Wissens in dieser Hinsicht noch zu keiner Entscheidung gekommen war, hatte dieses Buch sehr gründlich und langsam gelesen und jeden darüber in Kenntnis gesetzt, dass er das tat. Er schien zu glauben, es enthielte Geheimnisse, die ihm helfen könnten, die Täuschungen, mit denen wir es tagtäglich zu tun bekamen, zu durchschauen. Mir entging jedoch nicht, dass neben ihm auf dem Beistelltisch auch eine weitere von Watsons Geschichten lag.

»Ich habe den ganzen Morgen auf Nachricht gewartet, Barnett«, erklärte er und schien sich überhaupt nicht wohl in seiner Haut zu fühlen. »Das Frühstück ist schon seit Stunden vorbei.«

»Ich war erst gegen zwei Uhr früh zu Hause.«

»Sie hat mich schon früh aus den Federn geholt, da sie das Bett reinigen wollte«, fuhr er entrüstet fort. »Sehr früh. Aber was haben Sie herausgefunden?«

Ich berichtete ihm alles, und er wies mich augenblicklich an, den Jungen aus dem Kaffeehaus auf die Suche nach Neddy zu schicken. Neddy war ein Junge, den Mr. Arrowood vor einigen Jahren ins Herz geschlossen hatte, als seine Familie ein Stück die Straße entlang ein Zimmer bezogen hatte. Sein Vater war schon lange tot, seine Mutter ein recht katastrophales Waschweib. Sie verdiente nicht genug für die Familie und konnte nur mit Mühe und Not die Miete bezahlen, daher verkaufte Neddy auf der Straße Hefeteigbrötchen, um sie und seine beiden kleinen Geschwister zu unterstützen. Er war neun oder zehn Jahre alt, vielleicht auch schon elf.

Der Junge traf kurz darauf ein und hatte seinen Brötchenkorb unter dem Arm. Er hatte dringend einen Haarschnitt nötig, und sein weißes Wams war an einer Schulter eingerissen.

»Hast du noch welche übrig, Junge?«, fragte Mr. Arrowood.

»Nur noch zwei, Sir«, antwortete Neddy und schlug das Tuch zurück. »Das sind die letzten beiden.«

Ich bestaunte den schwarzen Dreck unter seinen Fingernägeln und glaubte, unter seiner braunen Kappe etwas krabbeln zu sehen. Oh, dass dieses Kind nicht sorgenfrei leben konnte!

Mr. Arrowood grunzte und nahm die Brötchen.

»Haben Sie schon gegessen, Barnett?«, erkundigte er sich und biss in eines hinein. Dann gab er Neddy mit vollem Mund Anweisungen. Der Junge sollte an diesem Abend vor dem Beef warten, bis die rothaarige Martha herauskam, ihr dann bis nach Hause folgen und uns die Adresse nennen. Mr. Arrowood ließ sich von dem Jungen versprechen, dass er sehr vorsichtig sein und mit niemandem reden würde.

»Wird erledigt, Sir«, versicherte der Junge ernst.

Mr. Arrowood steckte sich lächelnd das letzte Brötchenstück in den Mund.

»Daran habe ich nicht den geringsten Zweifel, Junge. Aber was hast du nur für ein schmutziges Gesicht?« Er zwinkerte mir zu. »Ist Ihnen ein Junge mit einem sauberen Gesicht nicht auch lieber, Barnett?«

»Ich hab kein schmutziges Gesicht«, protestierte der Junge.

»Dir klebt der Dreck förmlich im Gesicht. Schau doch mal in den Spiegel.«

Neddy starrte sein Spiegelbild mit finsterer Miene an.

»Stimmt doch gar nicht.«

Mr. Arrowood und ich brachen in schallendes Gelächter aus, und er nahm den Jungen in die Arme.

»Und jetzt lauf, Junge«, sagte er und ließ ihn wieder los.

»Wollen Sie ihm die Brötchen nicht bezahlen?«, ermahnte ich ihn.

»Aber natürlich bezahle ich ihn!«, fauchte er mich an und bekam eine ganz rote Stirn. Er zog eine Münze aus der Westentasche und warf sie in Neddys Korb. »Bezahle ich ihn denn nicht immer?«

Der Junge und ich sahen einander grinsend an.

Nachdem Neddy gegangen war und sich Mr. Arrowood die Krümel von der Weste gewischt hatte, ergriff ich erneut das Wort. »Sie hat hier gute Arbeit geleistet, Sir.«

»Hm«, murmelte er und sah sich mürrisch um. »Ich muss zugeben, dass ich bei diesem Fall nicht auf einen guten Ausgang hoffe. Vielmehr befürchte ich, dass diesem Franzosen etwas Schlimmes zugestoßen ist, wenn er Ärger mit Cream bekommen hat.«

»Ich mache mir viel größere Sorgen um uns, falls herauskommen sollte, dass wir Fragen gestellt haben.«

»Wir müssen uns vorsehen, Barnett. Sie dürfen es auf keinen Fall herausfinden.«

»Können wir ihr nicht das Geld zurückgeben?«, fragte ich.

»Ich habe ihr mein Wort gegeben. Jetzt muss ich ein Nickerchen halten. Kommen Sie morgen ganz früh her. Wir haben viel zu erledigen.«

Als ich am nächsten Morgen eintraf, hatte Neddy die Adresse bereits besorgt. Die Pension, in der Martha lebte, lag in der Nähe der Bermondsey Street, und wir waren innerhalb von zwanzig Minuten dort. Es war kein schöner Anblick: Die weiße Farbe an der Tür blätterte ab und sah schmierig aus, die Fenster waren bis ganz nach oben beschlagen, und grässlicher schwarzer Rauch drang aus dem Schornstein. Als drinnen Schreie zu hören waren, zuckte Mr. Arrowood zusammen. Er war ein Gentleman, der eine Aversion gegen Aggressionen hatte.

Die Frau, die die Tür öffnete, schien sich wegen der Störung sehr zu ärgern.

»Zweiter Stock«, teilte sie uns mit rauer Stimme mit, drehte sich um und marschierte zurück in die Küche. »Hinterstes Zimmer.«

Martha war so wunderschön, wie sie mir von dem alten Mann beschrieben worden war. Sie kam in zwei alte Mäntel gewickelt zur Tür und hatte noch Schlaf in den Augen.

»Kenne ich Sie?«, fragte sie. Mr. Arrowood sog die Luft ein; sie sah Isabel, seiner Frau, sehr ähnlich, war nur jünger und größer. Aber sie hatte dieselben langen bronzefarbenen Locken, die gleichen grünen Augen und eine identische Stupsnase. Nur ihr gedehnter irischer Akzent unterschied sich von Isabels trällernder Sprechweise.

»Madam«, erwiderte Mr. Arrowood mit leicht zitternder Stimme, »bitte entschuldigen Sie die Störung. Wir würden uns gern kurz mit Ihnen unterhalten.«

Ich blickte über ihre Schulter in ihr Zimmer. In einer Ecke stand ein Bett, daneben ein kleiner Tisch mit einem Spiegel darauf. Zwei Kleider hingen an einem Ständer. Auf einer Kommode waren mehrere Zeitungen ordentlich gestapelt.

»Was wollen Sie?«, fragte sie.

»Wir suchen Thierry, Miss«, antwortete Mr. Arrowood.

»Wen?«

»Ihren Freund aus dem Barrel of Beef.«

»Ich kenne keinen Thierry.«

»Doch, das tun Sie«, widersprach er ihr sehr freundlich. »Wir wissen, dass Sie befreundet sind, Miss.«

Sie verschränkte die Arme vor der Brust. »Was wollen Sie von ihm?«

»Seine Schwester hat uns engagiert, um ihn zu finden«, erläuterte er. »Sie glaubt, er könnte in Schwierigkeiten stecken.«

»Ich glaube Ihnen nicht, Sir«, entgegnete sie und wollte die Tür schließen. Es gelang mir gerade noch, einen Stiefel in den Spalt zu schieben. Sie starrte meinen Fuß an und seufzte, als sie begriff, dass wir nicht so leicht klein beigeben würden.

»Wir wollen nur wissen, wo er sich aufhält«, sagte ich. »Wir möchten ihm helfen, das ist alles.«

»Ich weiß nicht, wo er ist, Sir. Er arbeitet nicht mehr dort.«

»Wann haben Sie ihn das letzte Mal gesehen?«

Weiter oben fiel eine Tür ins Schloss, und schwere Tritte kamen die staubige Treppe herunter. Martha zog rasch den Kopf ein und schloss die Tür. Es war ein großer Mann mit markantem knochigen Kiefer, und als ich ihn erkannt hatte, war es auch schon zu spät, um sich noch abzuwenden. Ich hatte ihn im Barrel of Beef gesehen, als wir dort vor Jahren im Betsy-Fall ermittelt hatten, auch wenn ich nie herausgefunden hatte, was er dort eigentlich tat. Es hatte immer den Anschein gemacht, als würde er dort nur herumlungern und alles beobachten.

Er starrte uns im Vorbeigehen an und ging dann weiter die Treppe hinunter. Erst als die Haustür geöffnet worden und wieder ins Schloss gefallen war, tauchte Martha erneut auf.

»Ich kann hier nicht reden«, flüsterte sie. »Alle, die hier wohnen, arbeiten im Beef. Wir können uns später unterhalten, wenn ich zur Arbeit gehe.«

Sie richtete den Blick ihrer grünen Augen zur Treppe, hielt inne und lauschte. In einem Zimmer auf diesem Stockwerk fing ein Mann an zu singen.

»Vor der St. George the Martyr«, raunte sie uns zu, »um sechs.«

Nach einem letzten Blick in Richtung Treppe schloss sie die Tür.

Ich hatte bereits den ersten Treppenabsatz erreicht, als mir auffiel, dass mir Mr. Arrowood nicht folgte. Er starrte noch immer nachdenklich die verschlossene Tür an. Erst als ich seinen Namen rief, schrak er zusammen und setzte sich in Bewegung.

Auf der Straße brach ich das Schweigen.

»Sie sieht ein bisschen aus wie …«

»Ja, Barnett«, fiel er mir ins Wort. »Das tut sie.«

Er sagte auf dem ganzen Heimweg keinen Ton mehr.

Sie waren noch nicht lange verheiratet gewesen, als ich Mr. Arrowood kennenlernte. Mrs. Barnett hatte sich stets gefragt, wie eine derart aparte Frau einen so unattraktiven Mann wie ihn hatte heiraten können, aber nach allem, was ich so sah, schienen sie sehr gut miteinander auszukommen. Er hatte dank seines Gehalts als Zeitungsjournalist beim *Lloyd's Weekly* ein gutes Auskommen, und sie schienen glücklich zu sein. Isabel war freundlich und aufmerksam, und in ihrem Haus gingen interessante Gäste ein und aus. Wir begegneten uns am Gericht, wo ich als Bürogehilfe arbeitete. Zuweilen half ich ihm, an bestimmte Informationen für seine Artikel zu gelangen, und er lud mich häufig auf einen Hammelbraten oder eine Suppe in seine Unterkunft ein. Doch dann wurde die Zeitung verkauft, und der neue Eigentümer setzte seinen Cousin auf Mr. Arrowoods Position und ihn vor die Tür.

Bis dahin hatte sich Mr. Arrowood jedoch schon einen gewissen Ruf als ein Mann erarbeitet, der Wahrheiten ans Licht brachte, die manch anderer lieber im Verborgenen gelassen hätte, sodass ihm schon bald ein Bekannter ein erkleckliches Sümmchen anbot, damit er für ihn ein persönliches Problem löste, in das seine Gattin und ein anderer Mann verwickelt waren. Dieser junge Mann empfahl Mr. Arrowood an einen Freund weiter, der ebenfalls ein kleines persönliches Problem hatte, und so nahmen die Ermittlungen ihren Lauf. Etwa ein Jahr später stand ich selbst ebenfalls ohne Anstellung da, nachdem ich bei einem gewissen Magistrat die Fassung verloren hatte, da dieser dazu neigte, junge Männer, die Hilfe brauchten, lieber zu den Erwachsenen ins Gefängnis zu sperren. So flog ich ohne viel Aufhebens raus, weder mit Handschlag noch mit einer Taschenuhr, und als Mr. Arrowood hörte, was passiert war, suchte er mich auf. Nach einem Gespräch mit Mrs. Barnett bot er mir die Stelle als sein Assistent an, damit ich ihn bei dem Fall, an dem er gerade arbeitete, unterstützen konnte. Das war der Betsy-Bigamie-Fall, meine Feuertaufe, bei dem ein Kind ein Bein und ein unschuldiger Mann sein Leben verloren. Mr. Arrowood gab sich für beides die Schuld – und das zu Recht. Er schloss sich fast zwei Monate lang in seinen Räumen ein, die er erst wieder verließ, als ihm das Geld ausging. Wir übernahmen einen neuen Fall, aber es war für alle offensichtlich, dass er mit dem Trinken angefangen hatte. Seitdem arbeiteten wir nur sehr unregelmäßig, und das Geld war knapp. Der Betsy-Fall belastete uns wie ein Fluch, aber das, was wir gesehen hatten, band mich an diesen Mann, als wären wir Brüder.

Isabel ertrug seine Trinkerei und die sporadischen Fälle drei Jahre lang, aber als er eines Tages nach Hause kam, waren ihre Kleider fort und auf dem Tisch lag eine Nachricht. Seitdem hatte er nichts von ihr gehört. Er hatte ihren Brüdern, ihren Cousins und Cousinen und ihren Tanten geschrieben, aber keiner wollte ihm verraten, wo sie sich aufhielt. Ich hatte einmal vorgeschlagen, er sollte seine Fähigkeiten als Ermittler doch nutzen, um sie aufzuspüren, doch er hatte nur den Kopf geschüttelt. Damals hatte er mir – mit geschlossenen Augen, damit er mich nicht ansehen musste – gestanden, dass der Verlust von Isabel seine Strafe dafür wäre, dass er den Tod des jungen Mannes im Betsy-Fall zugelassen hatte, und dass er diese ertragen müsse, solange Gott oder Teufel es für notwendig erachteten. Mr. Arrowood war eigentlich kein besonders religiöser Mensch, aber ihr Verschwinden hatte ihn tief getroffen, und wer weiß schon, wohin die Gedanken eines Mannes wandern, dem das Herz gebrochen wurde und der sich deswegen Nacht um Nacht das Gehirn zermartert? Seit dem Tag, an dem sie ihn verlassen hatte, wartete er auf ihre Rückkehr.

4

Wir waren spät dran. Es war ein trüber Nachmittag, und die Straßen waren windgepeitscht und schlammig. Am St. George's Circus herrschte reger Verkehr, und Mr. Arrowood, dessen Schuhe zu eng waren, bewegte sich nur grunzend und schnaufend vorwärts. Er hatte die Schuhe billig und gebraucht von der Waschfrau erstanden und sich schon am nächsten Tag darüber beschwert, dass sie für seine aufgeblähten Füße viel zu klein waren. Da die Frau die Schuhe jedoch nicht zurücknehmen wollte und er ein sparsamer Mensch war, gedachte er, sie zu tragen, bis sie aufplatzten oder bis er einen Absatz verlor. Das dauerte jedoch weitaus länger, als ihm lieb war.

Als wir die Kirche endlich erreichten, konnten wir unsere Martha bereits sehen, die in einem schwarzen Umhang mit Kapuze auf uns wartete. Sie hielt sich am Geländer fest, das den Kirchhof umgab, stand gleich hinter dem Tor und blickte immer wieder nervös die Straße entlang. Es war offensichtlich, dass sie unser Eintreffen kaum erwarten konnte, und so zwickte mich Mr. Arrowood in den Arm und hastete weiter. Vor einem der Kochhäuser hatte sich bereits eine Menschenmenge versammelt, und als wir uns einen Weg hindurchbahnten, drängte sich ein kleiner Mann an uns vorbei und lief so schnell, dass die Zipfel seines alten Wintermantels im Wind flatterten und er beinahe den Hut verlor.

Mr. Arrowood fluchte und grummelte, als einem Kohlenmann direkt vor uns ein Sack vom Wagen auf das Straßenpflaster rutschte.

Plötzlich ertönte vor uns ein Schrei.

Eine Frau mit einem Baby im Arm stand am Kirchentor und sah sich panisch um, während der kurze Mann, der uns zur Seite gedrängelt hatte, in Richtung Fluss rannte.

»Das ist der Ripper!«, schrie sie.

»Holt einen Arzt!«, rief ein anderer.

Wir liefen beide los. Inzwischen eilten auch zahlreiche andere Passanten zum Tor, um herauszufinden, was passiert war. Wir zwängten uns nach vorn und sahen Martha, die zusammengekrümmt auf dem nassen Boden lag, wobei sich ihr Haar auf den Steinen wie geschmolzene Bronze ausbreitete.

Mr. Arrowood stöhnte auf und ging neben ihr auf die Knie.

»Verfolgen Sie ihn, Barnett!«, rief er mir zu und hob Marthas Kopf von den Pflastersteinen.

Ich stürmte los und drängelte mich durch die Umstehenden. Der kleine Mann rannte ein Stück vor mir die Straße entlang. Sein viel zu großer Mantel bauschte sich hinter ihm, und er bewegte die krummen Beine, so schnell er nur konnte. Er hielt auf die nächste Kreuzung zu, und als er in die Union Street abbog, konnte ich sein Gesicht erkennen. Das ölige graue Haar klebte ihm in der Stirn, und er hatte eine auffällige Adlernase. Eine Minute später erreichte ich ebenfalls die Kreuzung, musste jedoch aufgrund des Gewimmels aus Menschen und Pferden erst einmal stehen bleiben. Ich konnte den Mann nirgendwo erblicken, lief aber dennoch weiter und hielt in der Menge panisch nach seinem dunklen Mantel Ausschau, während ich den Kutschen, Bussen und Straßenhändlern auswich.

Ich lief blindlings, rein instinktiv, bis ich das Aufblitzen eines schwarzen Mantels erhaschte, als der Verdächtige in eine Seitenstraße abbog. Schon eilte ich ebenfalls dorthin, aber vor mir stand nur ein Bestatter, der an eine Tür klopfte. Ansonsten hielt sich in der schmalen Seitenstraße niemand auf. Schwer atmend wandte ich mich erneut der geschäftigen Union Street zu und wusste nicht, wie es weitergehen sollte. Im Grunde genommen war es sinnlos. Ich hatte ihn verloren.

Als ich auf den Kirchhof zurückkehrte, hatte sich die Menschenmenge noch nicht aufgelöst. Ein Gentleman ging kopfschüttelnd auf dem Weg auf und ab. Mr. Arrowood kniete weiterhin am Boden und hatte Marthas Kopf auf dem Schoß. Ihr Gesicht war aschfahl, und ihre Zungenspitze ragte aus einem Mundwinkel heraus. Unter ihrem dicken schwarzen Mantel zeichnete sich ein roter Fleck auf ihrer weißen Kellnerinnenbluse ab.

Ich kniete mich neben sie und überprüfte ihren Puls, konnte aber an Mr. Arrowoods Kopfschütteln und seinem trostlosen Blick bereits erkennen, dass sie tot war.

In diesem Augenblick traf ein Constable ein.

»Was ist hier passiert?«, fragte er so laut, dass er das Geplapper der Umstehenden übertönte.

»Diese junge Frau wurde getötet«, antwortete der Gentleman. »Gerade eben. Dieser Mann hier hat den Täter verfolgt.«

»Er ist die Union Street entlanggelaufen«, sagte ich und erhob mich. »Aber ich habe ihn im Gewühl aus den Augen verloren.«

»War sie eine Straßendirne?«, fragte der Polizist.

»Was hat das denn damit zu tun?«, entgegnete der Gentleman. »Sie ist tot, um Himmels willen. Sie wurde ermordet!«

»Ich musste nur gerade an den Ripper denken, Sir. Er hat nur Straßendirnen getötet.«

»Sie war keine Straßendirne!«, bellte Mr. Arrowood aufgebracht. »Sie hat als Kellnerin gearbeitet.«

»Hat irgendjemand gesehen, was passiert ist?«, wollte der Constable wissen.

»Ich habe alles gesehen«, meldete sich die Frau mit dem Baby zu Wort, die sich ganz wichtig vorkam und atemlos klang. »Ich stand genau hier, direkt neben dem Tod, als er ankam und die Dame einfach so durch den Mantel erstochen hat. Einmal, zweimal, dreimal hat er zugestochen. Das arme Ding. Dann ist er weggelaufen. Er war ein Ausländer, würde ich aufgrund seines Aussehens behaupten. Ein Jude. Ich dachte schon, er würde danach auf mich losgehen, aber er ist einfach weggerannt, wie Sie gesagt haben.«

Der Constable nickte und kniete sich endlich neben Martha, um ihren Puls zu fühlen.

»Er hatte keine menschlichen Augen«, fuhr die Frau fort. »Sie schimmerten wie die eines Wolfs, als wollte er mich ebenfalls aufschlitzen. Wären die Leute nicht hergekommen, weil sie so geschrien hat, hätte er das bestimmt auch getan. Aber das hat ihn abgeschreckt. Doch für sie war es bereits zu spät. Die Arme.«

Der Constable stand wieder auf.

»Hat noch jemand etwas gesehen?«

»Ich habe mich erst umgedreht, als ich den Schrei gehört habe«, sagte der Gentleman. »Dann sah ich den Kerl davonlaufen. Von meiner Position aus hätte ich ihn als Iren eingeschätzt, aber da bin ich mir natürlich nicht sicher.«

Der Constable blickte auf Mr. Arrowood hinab.

»Waren Sie bei ihr, Sir?«

»Er ist kurz darauf hier gewesen«, warf die Frau ein.

»Ich habe sie aus dem Barrel of Beef wiedererkannt.« Mr. Arrowoods Stimme klang ausdruckslos. »Aber ich kenne sie nicht.«

Der Polizist nahm die Beschreibung des Täters auf, die die Frau und der Gentleman ihm gaben. Beide waren sich darin einig, dass der Mann nicht von hier stammte, waren aber uneins darüber, ob es sich nun um einen Juden oder einen Iren handelte. Anschließend sprach er direkt mit mir. Nachdem er einen Jungen zum Revier geschickt hatte, um den Polizeiarzt zu holen, scheuchte er alle weg.

»Was machen wir jetzt?«, fragte ich, als wir uns auf den Rückweg machten.

Mr. Arrowood fluchte und ignorierte mich.

»Teufel noch eins!«, schimpfte er. »Er tötet, wen immer er will!«

»Wir wissen doch gar nicht, ob er dafür verantwortlich ist.«

Er stieß seinen Gehstock fest auf den Bordstein und sah höchst elendig aus.

»Wir haben das arme Mädchen in den Tod gelockt. Dieser Hund vom Beef hat uns im Haus gesehen. Da hätten wir sie auch gleich mit eigenen Händen ermorden können.«

»Uns war nicht bekannt, dass sie alle im Beef arbeiten.«

»Verdammt noch mal, Barnett. Es fängt schon wieder an. Diese ganze verfluchte Cream-Angelegenheit geht wieder von vorne los.«

»Vielleicht sollten wir den Fall besser der Polizei überlassen«, schlug ich vor.

»Dieser Idiot Petleigh wird den Mörder niemals zu fassen bekommen.«

Mr. Arrowood drehte sich noch einmal zur Kirche um. Sobald wir um die Ecke gebogen waren, hatte er auf einmal ein kleines, zusammengeknülltes Taschentuch in der Hand.

»Das hielt sie umklammert«, sagte er. »Ich bin davon überzeugt, dass es für uns gedacht war.«

Als er es aufschlug, kam darin eine Patrone aus Messing zum Vorschein.

5

Später an diesem Abend trafen wir in der Great Dover Street ein, wo die Modistinnen, Kleidergeschäfte und Schuhläden für die abendliche Kundschaft bereits die Lampen entzündet hatten. An einem Ende der Straße befand sich eine Kaffeemühle, und der Wind trug den wohlfeilen Duft der gerösteten Bohnen zu uns herüber. Hier gab es nur ein einziges Photographiestudio, das The Fontaine hieß. Ein Mann in grüner Samtjacke, dessen Haar ihm bis auf den Kragen fiel, stand an der Ladentheke und baute soeben einen Bilderrahmen zusammen. Er hielt einen kleinen Hammer in der Hand und einen Nagel zwischen den Lippen.

»Guten Tag, die Herren«, begrüßte er uns mit falschem Lächeln. »Wie kann ich Ihnen helfen? Möchten Sie ein Porträt anfertigen lassen?«

»Wir sind auf der Suche nach Miss Cousture«, erwiderte Mr. Arrowood, der dabei die photographischen Porträts an den Wänden betrachtete. »Ist sie zugegen?«

»Sie ist bei der Arbeit«, erwiderte der Mann und ließ den Kopf abfällig nach hinten sinken. »Ich bin der Besitzer, Mr. Fontaine. Möchten Sie ein Porträt in Auftrag geben?«

»Haben Sie die gemacht?«, fragte Mr. Arrowood und deutete auf die Photographien an den Wänden. »Sie sind sehr gut.«

»Ja, in der Tat. Das ist alles mein Werk. Ich könnte auch von Ihnen ein schönes Porträt anfertigen, wenn Sie mir die Bemerkung erlauben, Sir. Ihr Profil ist wirklich wunderbar.«

»Finden Sie?« Mr. Arrowood warf sich in die Brust und strich sich über die Haare. »Ich überlege schon seit einiger Zeit, ein Bild in Auftrag zu geben. Meine Schwester würde sich gewiss gern ein Porträt von mir über den Kamin hängen.«

Ich warf ihm einen Blick zu und konnte mir bei dem Gedanken an ein solches Geschenk ein Grinsen nicht verkneifen.

»Wir können gleich einen Termin machen, Sir. Sagen wir Montagmorgen? Um elf Uhr?«

»Ja … Ah, warten Sie. Wenn ich es mir recht überlege, würde ich lieber so lange warten, bis sich mein neuer Anzug in meinem Besitz befindet. Aber könnten wir Miss Cousture jetzt vielleicht sprechen? Es geht um eine Privatangelegenheit.«

Der Künstler starrte uns einige Augenblicke lang über seine lange Nase hinweg an.

»Es ist wirklich wichtig, Mr. Fontaine«, fügte ich schließlich hinzu, da mir der Geduldsfaden zu reißen drohte. »Ist sie hier?«

Mit theatralischem Seufzen und einem Kopfschütteln, das sein strähniges schwarzes Haar durcheinanderbrachte, verschwand er durch einen Vorhang im hinteren Teil des Ladens. Einen Moment später tauchte Miss Cousture auf.

»Guten Tag, Mr. Arrowood«, sagte sie leise, nachdem sie durch den Vorhang getreten war. Sie trug einen hochtaillierten schwarzen Rock, eine weiße Bluse, deren Ärmel sie aufgekrempelt hatte, und eine Hochsteckfrisur. Dann nickte sie mir zu. »Mr. Barnett.«

Mr. Fontaine trat hinter ihr durch den Vorhang und blieb mit verschränkten Armen dort stehen.

Sie warf ihrem Arbeitgeber einen kurzen Blick zu, als wollte sie uns warnen, in seiner Gegenwart nichts zu sagen. Es folgte eine betretene Stille. Ihre blassen Wangen wurden immer roter. Sie blickte auf ihre Füße hinab.

»Würde es Ihnen etwas ausmachen, wenn wir kurz privat mit der Dame sprechen, Sir?«, fragte Mr. Arrowood schließlich. Als ich bemerkte, dass ihm die Krawatte vom Wind über die Schulter geweht worden war, trat ich vor und rückte sie ihm zurecht, was mir einen irritierten Blick einbrachte.

»Das ist mein Studio, Sir«, erklärte der Mann hochmütig und rieb sich die lange Nase. »Über der Tür steht mein Name und nicht der dieser Dame. Wenn Sie etwas zu sagen haben, dann heraus damit, und zwar schnell.«

»Würden Sie dann bitte kurz mit nach draußen kommen, Madam?«

»Oh, *putain*, Eric!«, fluchte sie und drehte sich zu ihrem Arbeitgeber um. »Es dauert auch nur einen Moment!«

Der Fluch aus dem Mund dieser feinen Frau ließ die Luft gefrieren. Fontaine warf den Kopf zurück und verschwand wieder hinter dem Vorhang. Wir hörten, wie er wütend einige Schritte ging.

Mr. Arrowood holte einen Stuhl hinter der Ladentheke hervor und ließ sich mit verzerrtem Gesicht darauf nieder. Dann rieb er sich die Füße durch die zu engen Stiefel. Ein paar Augenblicke lang herrschte Schweigen.

»Wir müssen Ihnen noch einige Fragen stellen, Miss«, sagte er endlich.

»Aber natürlich, auch wenn ich Ihnen schon alles gesagt habe, was ich weiß.«

»Wir müssen wissen, in welchen Schwierigkeiten Ihr Bruder steckte«, fuhr er fort und lächelte sie gequält an. »Jede Kleinigkeit, die er gesagt hat, könnte von Bedeutung sein. Bitte seien Sie ganz offen zu uns.«

»Selbstverständlich.«

»Kennen Sie seine Freundin Martha?«

Sie schüttelte den Kopf.

»Seine Geliebte. Er hat sie Ihnen gegenüber nie erwähnt?«

»Ich habe den Namen noch nie zuvor gehört.«

»Tja, Miss Cousture, ich muss Ihnen leider mitteilen, dass sie heute Nachmittag ermordet wurde.«

Wir sahen zu, wie sich erst Überraschung und dann Traurigkeit auf ihrem Gesicht abzeichnete. Sie hielt sich an der Ladentheke fest und ließ sich auf einen Stuhl sinken.

»Wir waren mit ihr verabredet, aber jemand hat sie vorher erwischt«, erklärte Mr. Arrowood.

Sie nickte langsam.

»Wir haben außerdem herausgefunden, dass es kurz vor Thierrys Verschwinden Ärger im Barrel of Beef gegeben hat. Unser bislang einziger Hinweis ist, dass ein Amerikaner darin verwickelt gewesen ist. Hat Thierry Ihnen gegenüber etwas Derartiges erwähnt?«

»Ein Amerikaner?«, wiederholte sie, und in ihrer Stimme schwang Enttäuschung mit. »Nein, davon weiß ich nichts. Wie ist sein Name?«

»Wir haben keinen Namen. Uns ist nur bekannt, dass sich an dem Tag, an dem Ihr Bruder verschwunden ist, jemand mit einem Amerikaner gestritten hat. Wir wissen nicht einmal mit Sicherheit, ob Thierry etwas damit zu tun hatte. Aber überlegen Sie bitte noch einmal genau. Ist vor seinem Verschwinden irgendetwas vorgefallen? Haben Sie eine Veränderung an ihm bemerkt?«

»Erst, als er Geld von mir verlangt hat. Ich sagte Ihnen ja bereits, dass er verängstigt wirkte, als ich ihn das letzte Mal gesehen habe.« Sie hielt inne und sah rasch zwischen Mr. Arrowood und mir hin und her. »Glauben Sie, dass er tot ist? Meinen Sie das mit ›Schwierigkeiten‹?«

Mr. Arrowood nahm ihre Hand.

»Es ist noch zu früh, um so etwas in Betracht zu ziehen, Miss.«

Sie wollte noch etwas sagen, doch da trat Mr. Fontaine bereits wieder durch den Vorhang. Dieses Mal ließ er nicht mehr mit sich reden; das Gespräch war beendet.

Wir gingen zurück nach Waterloo. Es war windstill, und Nebel zog auf.

»Barnett«, sagte Mr. Arrowood irgendwann. »Kam Ihnen an dem, was wir eben gesehen haben, irgendetwas seltsam vor?«

Ich überlegte kurz und versuchte zu erraten, was ihm wohl aufgefallen sein mochte.

»Ich wüsste nicht, was«, erwiderte ich schließlich.

»Stellen Sie sich doch einmal vor, Mrs. Barnett wäre verschwunden, ohne ihre Kleidung oder ihre Papiere mitzunehmen, und Sie hätten einen Detektiv engagiert. Stellen Sie sich weiter vor, dieser Detektiv würde Sie zwei Tage später aufsuchen. Vergessen Sie bitte nicht, dass Sie krank vor Sorge sind.«

»Ja, Sir.«

»Was wäre das Erste, was Sie sagen würden?«

»Ich würde ihn vermutlich als Erstes fragen, ob er sie gefunden hat.«

»Ganz genau, Barnett.« Er runzelte die Stirn. »Ganz genau.«

Mr. Arrowood kehrte nach Hause zurück, um darüber nachzudenken, während ich den White Eagle aufsuchte. Ich bestellte mir eine Schüssel Austern und danach einen Teller Hammelfleisch, während ich wartete, und schließlich erst ein und später noch ein zweites Bier. An diesem Abend war der Pub gut besucht und laut, und ich saß zufrieden in meiner Ecke und sah meinen Mitbürgern dabei zu, wie sie sich ausgelassen unter dem großen Spiegel vergnügten, der die ganze Decke einnahm. Nach einiger Zeit kam der Streichholzverkäufer herein. Er würdigte die anderen Gäste keines Blickes, als er über den klebrigen Boden ging, und hielt seine Miene zu einer steifen Grimasse gefroren, damit sich seine Gesichtszüge nicht wieder wild selbstständig machten. Nachdem er bestellt und bezahlt hatte, trug er sein Glas in seine übliche Ecke und nahm hinter der Glasscheibe Platz.

Es hatte sich schon merklich geleert, als Ernest hereingestolpert kam und an derselben Stelle wie zuvor an der Bar stehen blieb. Er gönnte sich einen Gin, den er rasch hinunterstürzte, wobei er sich über den Tresen beugte. Mir entging nicht, dass er dieselbe Kleidung trug wie bei unserer letzten Begegnung, und er schien niemanden außer der Kellnerin wahrzunehmen, die sein Glas vor ihn auf den Tresen knallte, als hätte er ihre Mutter beleidigt.

»Schön, Sie wiederzusehen, mein Freund«, sagte ich und stellte ein zweites Glas vor ihm ab. »Setzen Sie sich doch zu mir an den Tisch. Ich könnte ein wenig Gesellschaft gebrauchen.«

Er blickte verwirrt zu mir auf, betrachtete den Gin und musterte mich erneut. Ein wenig Blut rann aus seinem Zahnfleisch seinen einzigen verbliebenen Schneidezahn hinunter.

»Hä?«, murmelte er dann.

»Wir haben uns neulich Abend kennengelernt, Ernest. Hier. Vor zwei Nächten, um genau zu sein.«

Ganz langsam klarten seine wässrigen Augen auf, und er schien sich an mich zu erinnern. Endlich stellte er sich aufrecht hin, und Misstrauen zeichnete sich auf seinem Gesicht ab.

»Ich hab kein Geld«, erklärte er und stürzte rasch den Gin weg.

»Kommen Sie mit, dann gebe ich Ihnen eine Schüssel Austern aus.«

»Was wollen Sie?«

Ich senkte die Stimme. Der Droschkenkutscher, den ich schon beim letzten Besuch gesehen hatte, lehnte am Tresen und unterhielt sich mit der Kellnerin.

»Ich möchte nur Informationen, mehr nicht.«

Er schüttelte den Kopf.

»Ich weiß überhaupt nichts. Und ich hätte schon letztes Mal nicht mit Ihnen reden sollen.«

Er drehte mir den Rücken zu. Hinter der Glasscheibe wurde ein Arm durch die Luft geschwenkt, gefolgt von einem gereizten Knurren. Eine Gruppe junger Männer mit von Kohlestaub geschwärzten Gesichtern und Händen trat auf ihn zu, und der Anblick des gepeinigten Streichholzverkäufers, der versuchte, seine Manie unter Kontrolle zu bekommen, brachte sie zum Lachen. Auch nachdem sie an ihren Tisch zurückgekehrt waren, legte sich die Unruhe noch eine Weile nicht. Hinter der Scheibe drang ein weiteres gequältes Jaulen hervor, gefolgt von einem üblen Fluch, der den jungen Männern einen weiteren, noch lauteren Lachanfall entlockte.

»Ich bestelle Ihnen noch etwas zu trinken«, sagte ich zu Ernest. Bevor er sich weigern konnte, winkte ich die Kellnerin heran und drückte ihm einen schönen Krug Gin in die Hand.

»Setzen wir uns doch. Sie sehen aus, als könnten Sie sich kaum noch auf den Beinen halten. Bestimmt haben Sie hart gearbeitet, Ernest.«

Er folgte mir demütig zum Tisch.

»Haben Sie Thierrys Schwester mal im Beef gesehen?«, fragte ich, nachdem wir uns gesetzt hatten. »Gut aussehend, dunkles Haar. Sie ist Französin, wie Sie sich vermutlich denken können.«

Er sog die Luft ein und trank einen Schluck Gin.

»Nicht, dass ich wüsste. Ich habe ihn nie mit einer anderen Frau als mit Martha gesehen.«

»Was ist mit dem Amerikaner? Was haben Sie über ihn gehört?«

»Sagten Sie nicht was von Austern?« Er verschränkte die Arme vor seiner fleckigen Mantelbrust.

Ich ging zum Tresen und bestellte ihm eine Schüssel Austern sowie einen weiteren Gin. Er hatte die Hälfte gegessen und rülpste gerade zufrieden, als ich meine Frage wiederholte.

»Mr. Cream hat sehr viele Geschäftsfreunde«, erwiderte er. »Sie kommen ständig vorbei. Einige würden Sie bestimmt erkennen, aber den Mann hatte ich noch nie zuvor gesehen. Er hatte einen Glatzkopf, umringt von einigen schwarzen Haaren. Schwarzer Bart. Blaue, durchdringende Augen. Ich habe ihnen Kaffee gebracht, und er hat mich förmlich mit seinem Blick durchbohrt. Da war auch noch ein Ire bei ihm. Den hatte ich vorher schon mehrmals gesehen. Ein kleiner Kerl mit lauter Stimme. Strähniges blondes Haar. Man hat ihm ein Ohr abgeschnitten, was wirklich schaurig aussieht.«

»Und Sie wissen natürlich nichts über seine Geschäfte.«

»Über das Geschäft reden sie im Büro und nicht in der Spülküche.«

»Ich muss wissen, mit wem sich Thierry sonst noch gut verstanden hat, Ernest. Mit wem hat er geredet? Nennen Sie mir ein paar Namen.«

»Ich habe Ihnen beim letzten Mal schon einen Namen genannt. Martha. Fragen Sie sie.«

»Ich brauche noch einen Namen.«

»Ich habe Ihnen einen Namen genannt!«, protestierte er und wurde ob des Gins immer aufsässiger. »Fragen Sie Martha. Wenn jemand etwas weiß, dann sie.«

Ich beugte mich vor und flüsterte: »Sie ist tot, Ern. Sie wurde heute Abend auf dem Weg zur Arbeit ermordet.«

Ihm klappte die Kinnlade herunter, und er starrte mich mit seinen wässrigen Augen an. Es machte fast den Anschein, als könnte sein Spatzenhirn meine Worte nicht verarbeiten.

»Haben Sie mich verstanden? Sie wurde ermordet. Aus diesem Grund muss ich mit jemand anderem reden.«

Nach und nach zeichnete sich Furcht auf seinen Gesichtszügen ab. Sein Arm zitterte, und er blinzelte mehrmals schnell. Er kippte seinen Gin hinunter, und ich bedeutete der Kellnerin, dass sie noch einen bringen sollte. Doch als sie damit ankam, schüttelte er den Kopf.

»Ich muss gehen, Mister«, sagte er mit gepresster Stimme. »Ich weiß überhaupt nichts.«

Er wollte schon aufstehen, aber ich hielt ihn am Arm fest.

»Einen Namen, Ern. Nur einen. Jemand, mit dem er gesprochen hat. Neben wem hat er gearbeitet? Mit wem hat er die meiste Zeit verbracht?«

»Ich schätze, mit Harry.« Er sprach jetzt schnell und sah sich bei jedem Geräusch um. »Bei ihm könnten Sie es versuchen. Er ist einer der Jungköche. Sie haben in derselben Ecke der Küche gearbeitet.«

»Und wie sieht er aus?«

»Er ist sehr dünn. Unnatürlich dünn, würde ich sagen, und seine Augenbrauen sind dunkel, obwohl er helles Haar hat. Sie können ihn gar nicht verfehlen.«

Ich ließ sein Handgelenk los.

»Vielen Dank, Ernest.«

Im nächsten Augenblick war er auch schon aufgesprungen und hastete hinaus. Als ich mich ebenfalls erhob, spürte ich, dass ich beobachtet wurde. Ich drehte mich um. Der Streichholzverkäufer hatte seinen Glatzkopf um die Absperrung gesteckt und musterte mich neugierig. Er schniefte, seine Schultern zuckten, und dann war er wieder verschwunden.

6

Am nächsten Morgen traf ich Mr. Arrowood allein in seinem Salon an. Sein Gesicht war gerötet und glänzte, als wäre es von einem Dienstmädchen poliert worden.

»Sie ist ausgegangen«, erklärte er, kaum dass ich eingetreten war. »Sie ist bei einem Organisationstreffen mit den anderen.«

»Bei einem Organisationstreffen? Was organisiert sie denn?«

»Sie wollen die Armen besuchen. Was haben Sie letzte Nacht herausgefunden?«

Ich berichtete ihm vom Kochlehrling Harry. Da keiner von uns geneigt war, sein Gesicht im Barrel of Beef sehen zu lassen, ließ er Neddy rufen und trug ihm auf, eine Nachricht zu überbringen. Die Botschaft war mit »Mr. Locksher« unterschrieben, einem Decknamen, den Mr. Arrowood häufig benutzte, und darin versprach er eine Belohnung von einem Schilling für »einen sehr schnellen Auftrag«. Harry sollte an diesem Abend nach der Arbeit zu Mrs. Willows' Kaffeehaus an der Blackfriars Road kommen, das als einziges zu dieser Stunde noch geöffnet hatte. »Ihr Freund von der anderen Seite des Kanals hat Sie uns vorgeschlagen«, stand als einzige Erklärung in der Nachricht. Neddy erhielt die Anweisung, den Brief ausschließlich dem Mann zu überreichen, der Harry genannt wurde. Wir beschrieben ihm den dünnen Mann mit schwarzen Augenbrauen und blondem Haar und erklärten, dass er direkt in die Küche gehen und niemandem sagen sollte, wer ihn schickte.

Der Junge machte sich auf den Weg, und Mr. Arrowood stopfte seine Pfeife. Als er sie angezündet hatte, sah er mich traurig an.

»Was denken Sie über den Tod dieses Mädchens, Barnett? Glauben Sie, Jack hat sich ein weiteres Opfer gesucht?«

»Es sieht nicht danach aus.«

»Ganz meiner Meinung. Dieser Mord wurde nicht von Jack the Ripper begangen. Seine Morde glichen sich viel zu sehr. Er hat stets an abgelegenen Orten zugeschlagen und die Leichen ausgeweidet, was einige Zeit dauert.«

Ich wartete, da ich anhand der Art, wie er in die Luft starrte, erkannte, dass da noch mehr kommen würde.

»Ich habe über diesen Mann nachgedacht«, fuhr er fort. »Zuerst wäre da seine Präzision. Er rennt zur Kirche, sticht dreimal tödlich zu und verschwindet in der Menge. Er lässt nichts zurück, keine Hinweise, kein Messer. Er ist schnell und vorsichtig, daher können wir davon ausgehen, dass es kein Verbrechen aus Leidenschaft ist. Und es war auch kein Raubüberfall. Ein Räuber würde sich kein armes Mädchen als Opfer aussuchen, und er würde auch weder bei Tageslicht noch auf einer belebten Straße zuschlagen.«

»So hätte er ja nicht einmal Zeit, ihre Taschen zu durchsuchen.«

»So ist es.« Er schmauchte nachdenklich seine Pfeife. »Dann wäre da noch seine Kleidung. Er trägt einen Wintermantel, dabei haben wir Sommer. Der Mantel ist ihm zu groß. Also ist er entweder ein Mann mit begrenzten Mitteln, oder er hat sich verkleidet. Als Sie ihn verfolgt haben, hat er sich da umgesehen?«

»Nicht einmal. Ich hatte ihn die ganze Zeit im Auge, bis er auf einmal verschwunden war, und ich konnte sein Gesicht nur von der Seite sehen, als er um die Ecke gelaufen ist.«

»Er hat sich nicht einmal umgeschaut, um herauszufinden, ob ihn jemand verfolgt?«

Ich schüttelte den Kopf.

»Wenn Sie jemanden auf einer belebten Straße ermordet hätten und auf der Flucht wären, wie würden Sie sich da fühlen?«

»Ich wäre vermutlich in Panik und hätte Angst, geschnappt zu werden.«

»Ja, ja, und würden Sie sich umdrehen, um festzustellen, ob man Ihnen folgt?«

»Vermutlich schon.«

»Sie könnten es gar nicht verhindern, Barnett. Ihre starken Emotionen würden Sie förmlich dazu zwingen. Dieser Mann ist jedoch nicht wie Sie. Er ist es gewöhnt, seine Gefühle unter Kontrolle zu haben. Womit haben wir es also zu tun? Mit einem Attentäter? Einem Polizisten?«

»Einem Soldaten?«

Er nickte, legte seine Pfeife in den Aschenbecher und erhob sich aus dem Sessel.

»Das ist ein Anfang. Und jetzt werden wir Lewis aufsuchen. Ich möchte nicht hier sein, wenn Ettie ihre Umgestaltung meines Lebens fortsetzt, und Sie sollten lieber auch das Weite suchen, sonst macht sie gleich bei Ihnen weiter.«

Lewis Schwartz war der Besitzer eines düsteren Waffengeschäfts, das nicht weit von der Southwark Bridge entfernt lag. Hierher kamen die Leute mit Pistolen und Schrotflinten, die sie verkaufen wollten, oder wenn sie etwas zum Selbstschutz zu erwerben gedachten. Für mich wäre das keine erstrebenswerte Profession gewesen, und ich konnte mir nur ausmalen, welche Verbrecher diesen Laden aufsuchten, um dort einzukaufen, aber Lewis war ebenso standhaft und unbeeinträchtigt von den Gefahren seines Berufes wie die Flussmauern, die ihren gelben Eiter in die Ziegel seines dunklen Ladens einsickern ließen. Lewis, ein dicker Mann mit nur einem Arm und strähnigem grauen Haar, das ihm auf den schmierigen Kragen fiel, und Mr. Arrowood waren alte Freunde. Früher hatte er Lewis immer aufgesucht, wenn er Informationen für einen Zeitungsartikel benötigte, und seit wir als Privatdetektive arbeiteten, half er uns weiterhin gelegentlich aus. Mr. Arrowood brachte ihm immer ein Paket Hammel, Rinderbraten oder etwas Leber aus der Garküche mit, das auf einem kleinen fettigen Tisch landete. Üblicherweise hielt ich mich bei diesen Besuchen im Hintergrund, wie auch an diesem Tag, da ich immer an all die Krankheiten denken musste, deren Spuren sich zweifellos an den schlammschwarzen Händen unseres Freundes finden ließen.

Heute aß Lewis bedachtsam und kaute nur auf einer Mundseite.

»Haben Sie Zahnschmerzen?«, erkundigte ich mich.

»Einer dieser Teufel setzt mir momentan zu.«

»Lassen Sie mich mal sehen«, verlangte Mr. Arrowood.

Lewis öffnete den Mund und legte den Kopf in den Nacken. Mr. Arrowood zuckte zusammen.

»Der Zahn ist schwarz. Sie müssen ihn sich ziehen lassen.«

»Noch bin ich nicht mutig genug dafür.«

»Je eher, desto besser«, meinte Mr. Arrowood.

Erst als das Fleisch aufgegessen war und sich die beiden alten Freunde die Finger an den Hosen abgewischt hatten, griff Mr. Arrowood in seine Westentasche und holte die Patrone hervor.

»Haben Sie eine Ahnung, wer eine solche Patrone benutzen würde, Lewis?«

Lewis setzte seine Brille auf und hielt die Patrone unter die Lampe.

»Sehr schön«, murmelte er, drehte die Patrone hin und her und rieb mit den Fingern darüber. »Das ist eine .303. Rauchschwach. Aber wie sind Sie an so etwas gelangt, William?«

»Eine junge Frau, die im Sterben lag, hat sie mir gegeben«, antwortete Mr. Arrowood. »Ein junges, unschuldiges Mädchen, das vor unseren Augen ermordet wurde. Daher sind wir auf der Suche nach ihrem Mörder. Wissen Sie, von welcher Waffe die Patrone stammt, Lewis?«

»Von einem der neuen Lee-Enfield-Repetiergewehre.« Lewis gab Mr. Arrowood die Patrone zurück. »Das sind Militärgewehre, die bisher nur an wenige Regimenter ausgegeben wurden. Dabei handelt es sich nicht um ein Jagdgewehr. Sie muss die Patrone von einem Soldaten bekommen haben. Hatte sie einen Liebsten?«

»Ja, aber der war kein Soldat.«

»Dann ist es ein anderer Mann gewesen. Sprechen wir hier von einer Hure, William?«

»Sie war keine Hure!«, stieß Mr. Arrowood aus.

Lewis starrte ihn überrascht an.

»Warum werden Sie wütend?«, wollte er wissen. »Haben Sie sie gekannt?«

»Ich begreife nicht, warum jeder davon ausgeht, sie wäre eine Hure gewesen. Sie hat im Barrel of Beef gearbeitet.«

»Möglicherweise hat sie die Patrone von einem Gast erhalten«, warf ich ein, da mir bewusst geworden war, dass Mr. Arrowood Martha dieselbe Reinheit zuschrieb, die er mit seiner Frau verband.

»Warum sollte ein Gast einem Mädchen eine Patrone geben?«, fragte Lewis mit zuckender Nase. »Ein Trinkgeld ist ja gut und schön, aber eine Patrone?«

Mr. Arrowood schüttelte den Kopf und stand auf.

»Das müssen wir jetzt herausfinden«, erklärte er.

Als wir in der Tür standen, hörten wir, wie hinter uns ein Streichholz entzündet wurde. Mr. Arrowood drehte sich um. Lewis saß in sich zusammengesunken auf seinem Stuhl im hinteren Teil des Ladens, umgeben von Schachteln voller Munition und Packungen mit Schießpulver, und paffte an einer Pfeife.

»Eines Tages werden Sie sich noch in die Luft jagen«, sagte Mr. Arrowood zu seinem Freund. »Ich warne Sie davor schon seit Jahren. Warum hören Sie nicht auf mich?«

Aber Lewis winkte nur ab.

»Wenn ich jetzt anfange, mir Sorgen zu machen, müsste ich mein Geschäft verkaufen und mit einem Kartoffelwagen durch die Straßen ziehen«, erwiderte er. »Sie sollten mal einige der Individuen sehen, mit denen ich es hier zu tun bekomme. Ein einziger Funke würde bereits ausreichen, damit sie explodieren. Im Vergleich dazu ist das hier gar nichts.«

Später an diesem Abend warteten wir in Mrs. Willows' Kaffeehaus. Ich blickte in den braunen Regen und auf die verschlammte Straße hinaus, auf der sich die stolpernden, kreischenden nächtlichen Passanten bewegten und die Pferde müde und mit gesenkten Köpfen vorbeitrabten. Mitternacht verstrich, und der dunkle neue Tag brach vor dem schmutzigen Fenster an. Mr. Arrowood war völlig in die Lektüre der Zeitungen vertieft. Er hatte mit dem *Punch* angefangen und *Lloyd's Weekly* sowie die *Pall Mall Gazette* unter seine Oberschenkel geschoben. Am Nebentisch verspeiste ein dürrer

Mann in der Kluft eines Bestatters eine Portion Schnecken und beobachtete Mr. Arrowood betrübt, da er offenbar gern selbst noch einen Blick in eine Zeitung geworfen hätte, bevor er nach Hause ging. Aber Mr. Arrowood ließ sich Zeit, las jede Seite und jede Spalte, und als es gerade so aussah, als wäre er fertig, fing er noch einmal von vorn an und überflog erneut sämtliche Artikel.

»Sehen Sie sich das an, Barnett«, sagte er und hielt eine Zeichnung hoch. Darauf war ein großer irischer Bauer abgebildet, der einen sich duckenden englischen Gentleman mit einem Messer bedrohte. Die Unterschrift lautete: DER IRISCHE FRANKENSTEIN. »Sie drucken erneut diese Karikaturen. Sind Ihnen die Feinheiten aufgefallen? Die Iren haben Affengesichter und sind von oben bis unten behaart. Der Engländer ist wehrlos. Großer Gott, hört das denn niemals auf? Warum nehmen sie denn nie zur Kenntnis, dass wir uns ebenfalls aggressiv verhalten?«

»Ich schätze, sie wollen es einfach nicht sehen, Sir.«

Der Bestatter räusperte sich und deutete mit dem Kinn auf die Zeitung. Mr. Arrowood zündete sich seine Pfeife an und warf dem Mann die Zeitung wortlos zu, um dann ein Bein anzuheben und die *Gazette* darunter hervorzuziehen.

Endlich wurde die Tür geöffnet, und der Mann, auf den wir warteten, kam herein. Er blieb in der Tür stehen, und seine langen dünnen Arme ragten aus den Ärmeln seines braunen Wollmantels heraus, der am Körper zu lang, an den Gliedmaßen jedoch viel zu kurz war. Sein blondes Haar steckte unter einer grauen Stoffkappe, die er sich weit über die Ohren gezogen hatte. Er musterte zuerst den Bestatter, dann Mrs. Willows, die in der Küchentür stand, und schließlich uns, wobei seine schwarzen Augenbrauen zuckten.

»Mr. Harry«, sagte ich und stand auf. »Das ist Mr. Locksher.

Bitte setzen Sie sich doch. Darf ich Ihnen einen Kaffee bestellen?«

Er nickte und ließ sich auf einem Stuhl nieder.

»Worum geht es hierbei?«, fragte er.

»Wir haben ein Päckchen für unseren Freund Thierry«, sagte Mr. Arrowood leise und beugte sich über den Tisch. »Aber wir können ihn dummerweise nicht finden.«

Harry stand auf.

»Sie haben etwas von einem Auftrag geschrieben, aber ich wüsste nicht, wie das ein Auftrag sein könnte.«

»Wir bezahlen Sie für die Information.«

Er sah kurz zwischen uns hin und her und kaute auf seiner Unterlippe herum.

»Nein.«

Als er sich schon zum Gehen wandte, nahm ich seinen Arm.

»Lassen Sie mich los«, verlangte er und verzog das stoppelige Gesicht. Ich konnte seinen knochigen Arm durch den dicken Wollstoff seines Mantels hindurch spüren; er war so dünn wie ein Mann aus dem Armenhaus. Seine Haut sah gräulich aus, seine Augen waren rot gerändert, und seine Kieferknochen standen spitz hervor wie bei einem Totenschädel.

So fiel es mir nicht schwer, ihn wieder auf seinen Stuhl zu drücken. Er war zwar einige Zentimeter größer als ich, aber schwach wie ein Spatz.

Der Bestatter erhob sich rasch, steckte sich die Überreste seiner Mahlzeit in die Tasche und ging hinaus. Mrs. Willows brachte den Kaffee an den Tisch und sah dabei so gelassen aus, als wäre nicht das Geringste geschehen.

»Seien Sie nett, Mr. Barnett«, murmelte sie.

»Wir wollen sogar sehr nett zu dem jungen Mann sein, Rena«, erwiderte Mr. Arrowood.

»Ich weiß überhaupt nichts«, behauptete der junge Mann. »Wirklich nicht. Ich kann Ihnen nicht helfen. Er ist weg. Schon seit ein paar Tagen. Vermutlich ist er zurück nach Frankreich gegangen. Etwas anderes weiß ich nicht.« Er blickte zu mir auf. »Mehr kann ich Ihnen wirklich nicht sagen, Sirs.«

»Sie sind ziemlich dünn für einen Koch«, bemerkte Mr. Arrowood.

»Ich bin nur eine Küchenhilfe. Die meiste Zeit bin ich fürs Schälen und Entgräten zuständig. Ich kann nicht besonders gut kochen.«

Mit einem Mal beugte sich Mr. Arrowood über den Tisch und steckte dem Mann eine Hand in die Manteltasche. Bevor Harry darauf reagieren konnte, hatte er ein fettiges Bündel herausgeholt und auf den Tisch gelegt.

»Das ist ein Pudding«, erklärte Harry verteidigend. »Ein halber, um genau zu sein.«

»Was ist da drin?«, fragte Mr. Arrowood und deutete auf die andere Manteltasche.

»Ein paar Kartoffeln. Etwas Hammelknochen. Das wollten sie wegwerfen.«

»Das bezweifle ich«, widersprach ich ihm nach einem kurzen Blick in die Tasche. »Das Essen sieht doch noch gut aus. Selbst wenn es nicht mehr ganz gut wäre, hätte man es noch außer Haus oder an jene, die auf der Straße schlafen, verkaufen können.«

»Bitte sagen Sie es ihm nicht, Mister. Bitte. Ich bringe alles zurück. Dafür würden sie mich rauswerfen, und das hätte mir jetzt gerade noch gefehlt.«

»So weit wird es nicht kommen«, versicherte Mr. Arrowood ihm. »Wir stehen mit Ihrem Arbeitgeber nicht gerade auf gutem Fuß.«

»Warum sind Sie so dünn?«, wollte ich wissen. »Sind Sie krank?«

»Wenn man sechs Kinder als Krankheit bezeichnen kann, dann ja. Eines davon wird diesen Monat erst zwei.«

»Aber Sie gehen einer geregelten Arbeit nach«, stellte Mr. Arrowood fest. »Ist Ihre Frau noch am Leben?«

Der Mann nickte, und sein Blick huschte zum Fenster, an dem gerade ein Hansom vorbeifuhr.

»Gibt sie Ihnen nichts zu essen?«

Harrys Kehlkopf bebte, als er schwer schluckte.

»Ich kann Ihnen nicht helfen«, sagte er.

»Wir haben Ihnen einen Schilling versprochen, Harry«, erwiderte Mr. Arrowood mit sanfter Stimme. »Wir sind Privatdetektive und arbeiten für Mr. Thierrys Familie. Seine Angehörigen sagten, er würde vermisst, und sie machen sich große Sorgen.«

Harry starrte weiter aus dem Fenster und schien nicht zu wissen, ob er uns trauen sollte.

»Wir konnten nicht ins Beef kommen, weil Mr. Cream eine starke Abneigung gegen uns hegt«, fuhr Mr. Arrowood fort. »Aus diesem Grund haben wir den Jungen zu Ihnen geschickt.«

Nachdem Harry eine weitere Minute lang darüber nachgedacht hatte, stand er auf.

»Ich kann Ihnen nicht helfen. Thierry ist einfach verschwunden. Ich habe seitdem nichts mehr von ihm gehört, und selbst wenn ich etwas wüsste, wäre ich mir nicht sicher, ob ich mit Ihnen darüber sprechen würde. Das alles hat nichts mit mir zu tun, und ich will nicht in diese Sache verwickelt werden.«

Doch er ging nicht. Mr. Arrowood starrte ihn schweigend an und verzog sinnierend das Gesicht.

»Wir waren da, als Martha erstochen wurde, Harry«, sagte er nach einiger Zeit. »Sie hat auf uns gewartet, da wir verabredet waren. Ich hielt sie in den Armen, bis der Constable eintraf.«

Der Koch erstarrte. Seine Augen wurden feucht. Ich legte ihm eine Hand auf die Schulter, und er ließ sich von mir stützen, als er auf seinen Stuhl hinabsank.

»Wir vermuten, dass es etwas mit Thierrys Verschwinden zu tun hat«, erläuterte Mr. Arrowood. »Und wir werden herausfinden, wer sie getötet hat, aber dafür brauchen wir Informationen.«

»Sie waren dort?«

»Sie hatte uns diesen Treffpunkt vorgeschlagen und wollte dort mit uns reden. Sie hatte uns etwas zu sagen.«

Völlig unverhofft sprudelte es aus Harry heraus. Dabei beugte er sich über den Tisch und sprach so leise, als würde er befürchten, Mrs. Willows könne mithören. »Etwas ist im Beef passiert«, sagte er. »Etwas Ungewöhnliches. Etwas Großes. Ich weiß es nicht mit Sicherheit, aber da war eine ganze Bande, die ein und aus spazierte. Mr. Cream hat Thierry letzte Woche gebeten, eine Lieferung für ihn abzuholen. Ich habe ihm davon abgeraten, aber man kann nun mal keinen Auftrag von Mr. Cream ablehnen, wenn man noch länger für ihn arbeiten will. Kurz darauf kamen sie dann zu zweit, gingen in Mr. Creams Büro und fingen an zu randalieren. Wir konnten es bis in die Küche hören. Keiner von Mr. Creams Männern ging nach oben, um sie aufzuhalten. Nicht Mr. Piser, nicht Long Lenny, nicht Boots. Sie standen alle mucksmäuschenstill vorne am Tresen.«

»Wer waren die Besucher?«

Harry schüttelte den Kopf.

»Waren es Amerikaner?«

»Und ein Ire, aber mehr weiß ich wirklich nicht. Es war alles geheim. Sie kamen rein und gingen direkt nach oben, ohne zu irgendjemandem etwas zu sagen. Es sah beinahe so aus, als hätten sie plötzlich das Sagen.«

»Bitte denken Sie nach, Harry«, bat Mr. Arrowood ihn. »Sie müssen doch noch irgendetwas über diese Männer wissen.«

»Es gab Gerüchte, dass sie Einbrecher wären. Sie wissen doch, dass Mr. Cream ein Hehler ist, nicht wahr? Irgendjemand behauptete, sie würden in die großen Häuser oben in Bloomsbury einbrechen oder etwas in der Art. Auch in die großen Häuser rings um den Hyde Park und in die der Minister und die Botschaften. Sie stahlen Schmuck und Silber, alles, was sich leicht transportieren lässt. Da kommt Mr. Cream ins Spiel. Jedenfalls erzählen sich das die Leute. Ich habe aber keine Namen gehört.«

»Warum haben sie sein Büro verwüstet?«

Er zuckte mit den Achseln. »Dafür könnte es mehrere Gründe geben. Vielleicht hat er sie betrogen oder der Polizei einen Tipp gegeben. Oder er hat ihnen etwas versprochen, was er nicht halten konnte. Es könnte alles Mögliche sein.«

»Was hatte Martha mit der ganzen Sache zu tun?«

»Nichts, soweit ich weiß. Aber Mr. Piser war schon immer sehr von ihr angetan. Das ist die einzige Verbindung, die mir einfallen will. Sie hatte jedoch ein Auge auf Thierry geworfen, was Mr. Piser wiederum überhaupt nicht gefiel.«

»Haben sie sich gestritten?«, wollte Mr. Arrowood wissen.

»Mr. Piser hat sich nie mit jemandem gestritten. Dafür ist er viel zu wortkarg.«

»Warum wurde sie Ihrer Meinung nach ermordet, Harry?«

Er trank seinen Kaffee aus und setzte sich gerade hin.

»Vermutlich, weil sie sich mit Ihnen treffen wollte«, antwortete er und sah Mr. Arrowood direkt in die Augen. »Ein anderer Grund will mir nicht einfallen.«

Mr. Arrowood sah aus, als wäre er zutiefst erschüttert. Mir war völlig schleierhaft, woher das kam, schließlich wusste er das ebenso gut wie ich, seit wir die junge Frau auf dem Kirchweg hatten liegen sehen. Seitdem hatte für mich kein Zweifel daran bestanden, dass wir der Grund dafür waren, dass sie ermordet worden war.

»Erzählen Sie uns von Terrys Freunden«, verlangte ich. »Kennen Sie einen davon?«

»Ich kenne nur die aus der Küche. Über das, was er sonst so getrieben hat, weiß ich nichts.«

»Hat er nie über etwas anderes gesprochen?«

»Ich weiß, dass er gern mal einen trinken gegangen ist, aber ich wüsste nicht, mit wem. Mir fehlte immer das Geld, um ihn auf eine Sauftour zu begleiten.«

»Wohin ist er gegangen? Welche Pubs hat er aufgesucht?«

»Tut mir leid, Sir, aber ich erinnere mich nicht daran, dass er je einen erwähnt hat.«

Ich gab Harry seinen Schilling sowie einen kleinen Zettel mit Mr. Arrowoods Adresse.

»Falls Sie noch etwas hören sollten.«

»Ja, Sir«, entgegnete er, stand auf und deutete auf den Pudding. »Darf ich den mitnehmen?«

»Selbstverständlich. Packen Sie alles wieder ein.«

»Und Sie werden niemandem verraten, dass ich mit Ihnen gesprochen habe, nicht wahr?«

»Darauf gebe ich Ihnen mein Wort«, sagte Mr. Arrowood. »Aber eines würde ich gern noch wissen, Harry: Wie lange trinkt Ihre Frau schon?«

Harry klappte die Kinnlade herunter.

»Wie lange …«, begann er, schien aber nicht weitersprechen zu können.

»Haben Sie es bisher toleriert?«, fuhr Mr. Arrowood fort und schwieg dann auf diese ganz besondere Weise, bei der ich wusste, dass ich ebenfalls den Mund halten musste. Er musterte den dünnen Mann, der das Gewicht von einem Fuß auf den anderen verlagerte, freundlich, und nach einigen Augenblicken gab Harry nach.

»Aber woher wissen Sie das? Sie haben es von jemandem gehört, nicht wahr?«

»Ich habe mit niemandem darüber gesprochen, mein Freund, sondern es Ihnen schlichtweg angesehen.«

»Es ist nicht leicht, Sir. Ich bekomme so gut wie keinen Schlaf mehr, da mich die Jüngsten auf Trab halten. Und da ich immer so lange arbeite, passt während der Zeit keiner auf sie auf, sodass die alte Vettel von nebenan sie immer wieder vom Weg abbringen kann.«

Mr. Arrowood stand auf und nahm Harrys Hand. »Derartige Dinge geschehen, um uns auf die Probe zu stellen. Ich weiß, dass Sie die Kraft besitzen und es überstehen können, aber Sie müssen auf sich aufpassen, Harry. Sie sind zu schwach, um ausreichend für Ihre Kinder da sein zu können. Sie müssen unbedingt mehr essen.«

»Ja, Sir«, murmelte Harry und starrte verlegen zu Boden.

»Danke für Ihre Hilfe.«

Sobald er gegangen war, standen wir auf und zogen unsere Mäntel an. Der Himmel war klar, doch die Luft war kalt, obwohl wir Sommer hatten. Mrs. Willows hatte bereits mit dem Putzen angefangen, schwang den Besen und schaltete die Lampen aus.

»Woher wussten Sie das mit seiner Frau?«, fragte ich, als

wir auf den Gehweg hinaustraten. Auf der anderen Straßenseite drehte ein Polizist gerade seine Runde.

»Ich habe es gespürt, Barnett.«

»Jetzt geben Sie es schon zu. Woher haben Sie es wirklich gewusst?«

»Was glauben Sie, wie viel ein Küchengehilfe verdient? Dreißig Schillinge im Monat? Vierzig? Gerade genug, um seine Familie zu versorgen und ein Dach über dem Kopf zu haben, ohne selbst zu verhungern. Trotzdem stiehlt er Essensreste und riskiert damit die Stelle, die er so dringend braucht. Das kann nur bedeuten, dass das Geld anderswo versickert. Und er hat selbst gesagt, dass er es sich nicht leisten kann, mal einen trinken zu gehen. Was bleibt denn da noch?«

»Es hätten auch andere Gründe sein können«, gab ich zu bedenken. »Spielschulden vielleicht.«

»Dafür schien er mir viel zu vernünftig zu sein. Er hat genau auf seine Worte geachtet, bis wir uns sein Vertrauen verdient hatten. Das passt nicht zu einem Spieler. Ist Ihnen aufgefallen, wie er den Blick abgewandt hat, als ich ihn fragte, ob seine Frau noch am Leben sei? Haben Sie bemerkt, dass er rasch das Thema gewechselt hat, als ich wissen wollte, ob sie gut für ihn sorgt?«

»Sie hätte auch bettlägerig sein können. Oder in einer Anstalt.«

»Wäre sie krank gewesen, hätte er es uns erzählt. Dafür muss man sich nicht schämen – halb London ist krank. Ich habe schlichtweg geraten, dass seine Frau trinkt, Barnett, das gebe ich offen zu. Aber diese Stadt ist voller Trinker, daher war das nicht so weit hergeholt.«

»Sie haben also einfach gut geraten.«

Er lachte auf.

»Ich bin ein Glückspilz, Barnett, jedenfalls in mancherlei Hinsicht.«

Während wir in diesen frühen Morgenstunden durch die Gassen liefen und an den in Lumpen gewickelten Leichen vorbeikamen, die vor dem Arbeitshaus gestapelt wurden, und an der Droschkenstation vorbeigingen, vor der ein alter Knabe einen gigantischen Haufen Pferdemist zusammenkehrte, lachte Mr. Arrowood erneut auf. Sein hohles Lachen hallte wie ein Donnerschlag durch die ruhige Straße.

7

Als ich am nächsten Morgen eintraf, empfing mich eine sehr wütende Ettie.

»Haben Sie sich gestern Abend mit ihm betrunken?«, verlangte sie zu erfahren. »Er war seit gestern nicht mehr zu Hause!«

»Nein, das habe ich nicht, Ettie.«

Es machte den Anschein, als wäre der Raum seit meinem letzten Besuch größer geworden, doch dann fiel mir auf, dass die an den Wänden gestapelten Zeitungen verschwunden waren.

»War er bei einer Frau? Ist er deshalb nicht heimgekommmen?«

»Wir haben uns gegen Mitternacht wegen eines Falls mit einem Mann getroffen. Später trennten wir uns keine fünf Minuten von hier an der Ecke der Union Street. Er sagte, er wolle nach Hause gehen.«

»Ist das auch die Wahrheit?«, fragte sie streng.

»Ja, das ist die Wahrheit.«

Sie sah mir direkt in die Augen, und ihre Nasenflügel bebten, wann immer sie die frische Londoner Luft einatmete.

»Verstehe«, erwiderte sie schließlich. »Vielleicht wurde er ja erdrosselt. Das geschähe ihm recht.«

Ich schüttelte den Kopf. »Es gibt da einen Ort, den er immer aufsucht, wenn er sich aufgeregt hat. Er bezeichnet ihn als seine nächtliche Oase. Möglicherweise ist er noch immer dort.«

Ettie verdrehte seufzend die Augen.

»Was macht ihm denn diesmal zu schaffen?«

»Er gibt sich die Schuld am Tod dieser Kellnerin. Der Mann, den wir letzte Nacht befragt haben, hat etwas Ähnliches gesagt. Wahrscheinlich würde ihm die Sache weitaus weniger zu schaffen machen, wenn ihn die junge Frau nicht an Isabel erinnert hätte. Sie müssen wissen, dass er sie in den Armen gehalten hat, bis der Polizeiarzt eintraf – er wollte sie nicht auf dem nassen Boden liegen lassen. Beinahe hätte er vor der ganzen gaffenden Menge geweint.«

Sie überlegte kurz.

»Hat er nach Isabels Verschwinden mit dem Trinken angefangen?«

»Er trinkt nicht regelmäßig, nur hin und wieder mal ein Glas. Ich würde ihn nicht als Trinker bezeichnen.«

Aber sie schüttelte ungeduldig den Kopf. »Diese Stadt ist voller Trinker. Doch der Alkohol ist das Werk Luzifers, Norman. Die Armen sind bereits seine Leibeigenen, sagt Reverend Hebden. Die arbeitenden Männer vertrinken das Geld, das sie für das Essen ihrer Kinder bräuchten, prügeln sich miteinander und enden schließlich an den Docks. Die Frauen schreien und benehmen sich wie die Furien. Sie verlieren ihre Männer und landen auf der Straße. Der Ripper war Gottes Strafe für die Trinkerei, daran besteht nicht der geringste Zweifel. Chinesischer Gin ist momentan der letzte Schrei, wussten Sie das? Und gute Männer wie mein Bruder fallen ihm in Zeiten, in denen sie verletzlich sind, zum Opfer. Sie trinken doch hoffentlich nicht auch?«

»Nur in Maßen.«

Sie nickte und hob eine Feder vom Boden auf.

»Uns steht ein Kampf bevor, Norman. Ich kann Reverend Hebden nur zustimmen. Die Stadt ist für die Armen ein Monster. Haben Sie Charles Booths' Schriften gelesen?«

»Nein, Madam.«

»Er nennt alles beim Namen. Wir kümmern uns zurzeit um einen dreckigen Ort, der Cutler's Court genannt wird. Haben Sie schon einmal davon gehört?«

Ich schüttelte den Kopf. Wir standen mitten im Raum und blickten einander an. Sie hielt den Rücken ganz gerade und hatte die Arme vor der Brust verschränkt. Ihr Gesicht blieb während ihrer Erklärung ernst.

»Dort leben mehr als vierhundert Menschen in zwanzig kleinen Häusern, die zwischen zwei Schlachthäuser eingezwängt sind. In jedem Zimmer schlafen zehn Seelen. Es gibt nur eine Wasserpumpe und zwei Latrinen. Können Sie sich das vorstellen? Und überall, wo man hinsieht, liegen Haufen aus Austernschalen und Knochen herum.«

Ich konnte es mir sehr gut vorstellen, immerhin hatte ich vor nicht einmal zwanzig Jahren selbst an einem solchen Ort gelebt. Ich kannte diese Stadt ebenso wie all ihre Sünden und ihre Spielchen.

»In direkter Umgebung finden all die schmutzigen Geschäfte statt«, fuhr sie fort. »Der Unrat aus den Schlachthäusern versinkt in einem Graben, der mitten durch diesen Hof hindurchführt. Und dort leeren sie ihre Nachttöpfe! Der Gestank ist eine Beleidigung alles Göttlichen, Norman. Der ganze Hof gehört einem Mann, der sich weigert, die sanitären Anlagen zu verbessern. Ein Mann ist für all das verantwortlich. Aber wir sind vor Ort.«

Ettie sprach voller Leidenschaft, und zum ersten Mal überhaupt wurde ich des Elans gewahr, der sie antrieb. Ich bildete mir ein, sie nun etwas besser zu verstehen. Sie sah mich schweigend an und schien auf eine ebenso energische Antwort zu warten, aber ich wusste, dass ich ihr bei diesem Thema nicht gewachsen war. Zwar hatte ich ein solches Leben hinter mir gelassen, doch ich konnte diese Menschen noch lange nicht als Fremde ansehen.

»Was genau tun Sie dort?«, erkundigte ich mich stattdessen.

»Wir setzen uns für Verbesserungen ein. Wir helfen. Wir beten um Eingebungen. Es gibt da ein Programm, das unsere Organisation in ganz London umsetzen will: Wir lehren die Grundlagen der Hygiene, wir halten Gebetsstunden ab und kümmern uns um die medizinische Versorgung. Die Ladies' Association for the Care and Protection of Young Girls arbeitet eng mit uns zusammen. Kennen Sie ihre Arbeit?«

»Ich habe diese Frauen schon häufiger in der Stadt gesehen.«

»Ich hatte ja keine Ahnung vom Ausmaß des Problems, als ich hier eintraf. Wie Sie ja vermutlich wissen, wuchsen William und ich in …« Sie stockte und bekam rote Wangen. »Damit möchte ich nur sagen, dass unser Vater nicht unvermögend gewesen ist.«

»Ja, das weiß ich, Ettie.«

»Natürlich. Jedenfalls arbeitet die Hälfte der Frauen auf diesem Hof als Prostituierte. In einigen Familien verdienen sowohl die Mutter als auch die Töchter auf diese Weise Geld. Wir versuchen, den Jüngeren zu helfen. Es gibt Zufluchten für sie, an denen sie eine nützliche Arbeit erlernen können. Wir versuchen, sie zu retten, bevor es zu spät ist.«

»Das ist ein edles Ansinnen, Ettie.«

»Und es ist nicht einfach. Die Männer wollen nicht gerettet werden, daher gibt es zuweilen Ärger, aber die Armen sind unsere Last und unsere Verantwortung. So steht es in der Heiligen Schrift, Norman. Der Krieg findet hier statt, in unseren Seitenstraßen und Gassen.«

Ihre Brust hob und senkte sich unter dem schwarzen Mieder ihres Kleides bei ihrer leidenschaftlichen Rede. Inzwischen war ihre Stirn gerötet, und ich war erleichtert, als sie innehielt und tief Luft holte. Denn ich wollte nichts mehr über diese Leute hören, meine Leute, denn all das Schlimme, was sie getan hatten, hatte ich mir auch selbst zuschulden kommen lassen, mit angesehen oder ermutigt. Ich kannte all das, was sie mir beschrieb, aber von der anderen Seite.

»Doch nun mache ich mir Sorgen um meinen Bruder. Sie sagen, Sie wüssten, wo er sich aufhält?«

»Keine Sorge, ich hole ihn zurück.«

»Sehr schön.« Sie wandte sich der Treppe zu. »Und richten Sie ihm aus, er möge Brötchen mitbringen. Warme, wenn es geht. Sagen Sie ihm, er soll den vollen Preis dafür bezahlen.«

An diesem Morgen hielt sich nur noch ein weiterer Kunde im Hog auf, ein großer Laskar mit einem Messer im Gürtel, der sein Haar wie ein Pirat am Hinterkopf zusammengebunden hatte. Er lag auf einer Bank vor dem Feuer, hatte den Mund halb offen und schnarchte. Hinter dem Tresen stand eine beleibte Frau und spülte Gläser in einem Zinneimer. Der ganze Raum stank nach Tabakrauch und dem verschütteten Bier, das eine klebrige Schicht auf dem Steinboden gebildet hatte. Mr. Arrowood saß aufrecht und mit dem Rücken zur Tür an einem Tisch in der Ecke. Er umklammerte eine Bierflasche mit beiden Händen. Erst als ich näher herantrat, wurde ich gewahr, dass er die Augen geschlossen hatte. Ich legte ihm eine Hand auf die Schulter und schüttelte ihn. Er stöhnte und protestierte.

»Ich habe Anweisung Ihrer Schwester, Sie nach Hause zu bringen«, sagte ich.

Er schlug kurz die trüben Augen auf, schaute in meine Richtung und ließ den Kopf dann auf die Tischplatte fallen.

Notgedrungen schob ich einen Arm unter seinen und richtete ihn wieder auf. Er war schwer, und ich hatte den Eindruck, dass er bei jedem Mal noch schwerer wurde.

Die Frau machte leise »ts, ts, ts« und seufzte, während ich mich mit seinem bleischweren Körper abmühte.

Nach und nach bewegte er die Füße und machte ungleichmäßige Schritte. Er stöhnte erneut und wischte sich den Mund ab, öffnete ganz leicht die Augen und verzog das Gesicht. Dann rülpste er mir ins Ohr. Aber immerhin hatte er sich in Bewegung gesetzt, geringfügig jedenfalls.

»Ich war hocherfreut, Ihre Bekanntschaft zu machen, Hamba«, murmelte er an den Seemann gewandt, der weiterhin auf seiner Holzbank vor sich hin schnarchte.

»Dann nehmen Sie ihn doch gleich mit!«, schlug die Frau lachend vor.

Mr. Arrowood drehte sich zu ihr um und deutete eine Verbeugung an.

»Es ist mir immer ein Vergnügen, meine Blume«, nuschelte er.

»Ich hoffe, Sie haben nicht vor zu gehen, ohne Betts die Krone zu geben, die Sie ihr noch schulden, Mr. Arrowood. Sie hat mich gebeten, sie Ihnen noch abzunehmen.«

»Ah.« Er kramte in seiner Westentasche nach seinen Münzen. »Ja, natürlich.«

Die Münzen fielen auf den Boden. Ich hob sie wieder auf, gab der Frau eine Krone und steckte den Rest zurück in seine Tasche.

Ohne meinen Arm loszulassen, verbeugte er sich ein weiteres Mal. Als wir auf die Straße traten, knurrte er ob der plötzlichen Helligkeit und hielt sich eine Hand vor die Augen.

»Tragen Sie mich, Barnett.«

»Gehen Sie weiter.«

»Ich leide.«

»Das tue ich auch, aber im Gegensatz zu Ihnen habe ich es nicht verdient.«

Wir trotteten und wankten durch die geschäftigen Straßen. Als wir seine Zimmer hinter dem Puddinggeschäft erreichten, thronte Ettie in seinem Lieblingssessel und stopfte eine Socke. Ihre Miene spiegelte große Enttäuschung wider.

»Benötigen Sie Hilfe, um ihn nach oben zu schaffen?«

»Es geht mir gut, Schwester«, brummte er, ließ erst jetzt meinen Arm los und stand aus eigener Kraft da. »Helfen Sie mir die Stufen hinauf, Barnett.«

Es war mühselig, ihn die schmale Treppe nach oben zu schaffen, aber irgendwann hatten wir es geschafft, und er fiel keuchend auf seine Matratze und hielt sich die Stirn. Ich war ebenfalls außer Atem.

»Barnett«, stieß er nuschelnd aus, als ich schon wieder nach unten gehen wollte. »Wurde Nolan bereits aus dem Gefängnis entlassen?«

»Letzte Woche.«

»Suchen Sie ihn auf.«

Zu diesem Entschluss war ich auch schon letzte Nacht gelangt, als in mir der Verdacht aufgekeimt war, dass Mr. Arrowood in den Hog gehen würde, nachdem wir uns getrennt hatten, aber das teilte ich ihm nicht mit. Dieses Vorgehen hätte nicht unserer üblichen Arbeitsweise entsprochen.

»Bringen Sie mir meinen Nachttopf«, murmelte er.

»Holen Sie ihn sich selbst«, entgegnete ich und marschierte die Stufen hinunter.

Er schnarchte schon, bevor ich unten angekommen war.

Ettie warf mir einen verzweifelten Blick zu.

»Einen Moment noch, Norman«, sagte sie, als ich zur Tür gehen wollte. »Haben Sie auch die Brötchen mitgebracht, um die ich Sie gebeten hatte?«

»Tut mir leid, aber ich hatte alle Hände voll.«

»Das war offensichtlich.«

Sie zog betrübt die Mundwinkel herunter. Ettie genoss gutes Essen ebenso wie Mr. Arrowood.

»Sie müssen Mrs. Barnett bitten, mich mal zu einer Sitzung zu begleiten«, schlug sie vor. »Reverend Hebden ist stets auf der Suche nach neuen Rekruten. Sie würde es gewiss als Bereicherung empfinden. Ich werde Ihnen vorher Bescheid geben, wenn das nächste Treffen anberaumt wurde.«

»Vielen Dank, Ettie.«

Sie kniff die Augen zusammen, als ihrem Magen ein seltsames Geräusch entsprang, um im nächsten Augenblick zu erröten.

»Das wäre dann abgemacht«, fügte sie noch hinzu, bevor sie ihre Stopfarbeit wieder aufnahm. Wir taten beide so, als hätten wir das Gurgeln aus ihrem Bauch nicht vernommen.

Nolan lebte in zwei Zimmern einer Herberge an der Cable Street. Er war ein alter Freund von mir aus meiner Zeit in Bermondsey. Seine Geschäfte hatten schon immer auf der anderen Seite des Gesetzes stattgefunden, und wir suchten ihn häufig auf, wenn wir etwas über die Geschehnisse in den irischen Stadtteilen in Erfahrung bringen wollten. Vor wenigen Tagen war er nach einer vierzehnmonatigen Haftstrafe entlassen worden, weil er einem Chinesen auf der Mile End Road den Mantel gestohlen hatte. Nun hatte er jedoch sein altes Leben wieder aufgenommen und verkaufte den guten Frauen von Whitechapel Reiseuhren und Kochtöpfe.

»Du siehst nicht so gut aus«, stellte er fest, als wir uns an den Tisch setzten. Seine Frau Mary, seine Mutter und zwei weitere Verwandte waren ins Nebenzimmer verbannt worden, damit wir uns ungestört unterhalten konnten. Obwohl draußen die Sonne schien, war es kalt in dem Hinterzimmer, und durch das Fenster fiel nur gedämpftes Licht herein, da keine fünf Meter entfernt ein deutlich höheres Gebäude stand. Nolan hatte eine notdürftig geflickte Brille auf der Nase, bei der ein Bügel durch einen angekauten Bleistift ersetzt worden war, den man mit einem dünnen Faden an das Gestell gebunden hatte.

»Entschuldige, dass ich dich nicht im Bau besucht habe, Freund«, sagte ich. »Aber ich habe eine Abneigung gegen Verbrecher.«

»Kein Problem, Norman. Wie geht es dem alten Knaben?«

»Er leidet nach einer Nacht im Hog.« Nolan schlug sich lachend auf die Oberschenkel.

»Er konnte noch nie viel vertragen. Sein Körper ist schwach, das ist sein Problem. Sein Magen hält nichts aus. Und, alter Freund, was führt dich diesmal zu mir?«

»Hast du etwas von einer Bande aus Iren und Amerikanern gehört? Angeblich rauben sie die großen Häuser im West End aus?«

Er stand auf und schloss die Tür. Als er wieder an den Tisch zurückkehrte, war seine Miene ernst geworden.

»Ich würde die Finger von der Sache lassen, mein Freund. Über diese Leute sollte man lieber keine Fragen stellen.«

»Es hat aber mit einem Fall zu tun.«

»Das mag ja sein, aber mit denen solltet ihr euch lieber nicht anlegen. Haltet euch besser von ihnen fern.«

»Das will Mr. Arrowood aber nicht. Eine junge Frau wurde ermordet, und er nimmt die Sache sehr persönlich. Anscheinend hat diese Bande etwas mit dem …«

»Sag jetzt nichts mehr!«, stieß er lauthals aus und bewegte sich so ruckartig, dass ihm die Brille von der Nase fiel. »Habe ich etwa gesagt, dass ich mehr darüber wissen will?«

Ich schüttelte den Kopf.

»Na gut. Die Sache ist so.« Er beugte sich vor und hob seine Brille vom Holzfußboden auf. »Bei diesen Leuten handelt es sich um Feniers. Du erinnerst dich doch an sie?«

Ich nickte. Wer in diesem Land hätte die Feniers denn auch schon vergessen können? Vor zehn Jahren war die ganze Stadt in Aufruhr gewesen, weil überall Bomben explodiert waren. Es gab jeden Tag weitere Geschichten über neue Ziele und von der Polizei vereitelte Pläne. Sprengstoffladungen waren in U-Bahn-Schächten, an der London Bridge und sogar im Parlamentsgebäude platziert worden. Die Bevölkerung war derart verängstigt gewesen, dass niemand mehr mit dem Zug fahren wollte. Damals hatte Mr. Arrowood persönlich einen Artikel für die Zeitung über die Jagd auf die Attentäter und die irischen Amerikaner, die dahintersteckten, geschrieben. Sie hatten den Kampf um Irland ins Herz von England verlagert, und alle, die hier lebten, mussten darunter leiden.

»Aber ich dachte, sie hätten aufgegeben?«

»Der Großteil schon, aber einige haben einen anderen Weg eingeschlagen. Sie sind noch immer der Ansicht, dass die Briten auf nichts anderes als Gewalt reagieren würden. Ich habe gehört, dass sie irgendwie mit den Einbrüchen zu tun haben sollen, aber mehr weiß ich wirklich nicht.«

»Kennst du irgendwelche Namen?«

»Ich habe überhaupt nur einen Namen gehört. Der Mann wird Paddler Bill genannt. Er ist einer der ›Invincibles‹, heißt es. Du erinnerst dich doch an sie?«

»Er war einer der Attentäter?«

»Ganz genau. Er ist derjenige, der entkommen konnte und

dessen Name auch beim Prozess nie gefallen ist. Ein großer, rothaariger Kerl – was nicht bedeutet, dass ich ihn selbst gesehen hätte. Man sagt, dass er noch heute an den Hinrichtungen von damals zu knabbern hat. Aus diesem Grund stellt er den Kampf auch nicht ein. Er hat seinen Bruder getötet, weil der Informationen ausgeplaudert hat, habe ich gehört. Er hat ihn in einer Süßwarenfabrik umgebracht, indem er ihn in Toffee gekocht hat.«

Ich erschauderte.

»Grundgütiger, Nolan. Dieser Fall behagt mir gar nicht.«

»Das sind Leute, die man lieber nicht wütend machen sollte«, ermahnte er mich. »Haltet euch bloß von ihnen fern.«

Er beobachtete mich, während ich darüber nachdachte und mich fragte, wie ich Mr. Arrowood davon überzeugen sollte, dass dieser Fall zu groß für uns war. Dabei wusste ich im Grunde genommen schon, dass ich zum Scheitern verurteilt war, denn wenn er sein Wort einmal gegeben hatte, würde er niemals aufgeben.

»Warum die Einbrüche?«, fragte ich dann. »Was haben sie mit alldem zu tun?«

»Ich vermute, dass sie das Geld brauchen. Einen Krieg zu führen, ist ein teures Vergnügen.«

»Und du kennst keine anderen Namen?«

»Ich weiß gar nichts über die anderen. Und bevor du auf die Idee kommst: Ich werde mich auch ganz bestimmt nicht umhören. Diese Leute schrecken nicht davor zurück, jemanden in einer kalten Nacht gefesselt in den Fluss zu werfen, so viel steht fest.«

»Ich würde dich nicht bitten, wenn es nicht so unglaublich wichtig wäre, Nolan.«

Er schüttelte den Kopf und steckte die Hände in die Taschen. Eine Katze kam hinter dem Ofen hervor, trottete zu ihm und rieb sich an seinem Hosenbein, aber er versetzte ihr einen Tritt, um sie zu verscheuchen.

»Mary ist doch Irin, oder nicht?«, fragte ich.

»Sie wurde hier geboren. Ihre Eltern sind während der Hungersnot hergekommen, aber sie wissen rein gar nichts über diese Feniers. Die meisten von denen sind sowieso Amerikaner.«

»Was hält sie von ihnen?«

»Ihre Cousine Kate ist diejenige, die zu all den Landreformierungstreffen geht. Aber eigentlich treten alle für ein freies Irland ein. Das galt bis zu seinem Ende auch für ihren Vater.«

»Wie hätte es auch anders sein können, wo sie doch mit dir zusammenwohnen?«

Nolan hatte mir schon mehr als einmal mit seinem Gerede über Autonomie in den Ohren gelegen. Er war vor zwanzig Jahren während der Hungersnot hergekommen, während man seinen Bruder, der zurückgeblieben war, in Tralee ins Gefängnis geworfen hatte, weil er Pachtbauern beigestanden hatte, die vertrieben werden sollten. Je mehr er mir über das berichtete, was sich drüben in Irland abspielte, desto mehr schämte ich mich für das, was meine Landsleute dort taten. Auch Mr. Arrowood war in dieser Hinsicht Nolans Meinung, was auch einer der Gründe dafür war, dass die beiden so großen Respekt voreinander hatten.

»Viele eurer Leute sehen in uns nicht mehr als Abschaum«, sagte Nolan und nickte. »Dabei gibt es hier sehr viele Iren, die sich an das Gesetz halten, mein Freund. Mich kann man selbstverständlich nicht dazuzählen, aber es gibt genug andere, und trotzdem will man jedes Verbrechen, das begangen wird, gleich uns in die Schuhe schieben. Wenn es Arbeit gibt, sind wir die Letzten, die man einstellt. Unsere Leute hätten mehr als genug Gründe, gegen euch aufzubegehren. Aber hör mir jetzt gut zu, Norman. Ich werde bis an mein Lebensende für die Freiheit meines Landes einstehen, aber mit diesen Bomben bin ich nicht einverstanden, und das war ich auch nie.«

Er verschränkte die Arme und schüttelte den Kopf, und ich konnte ihm ansehen, dass er sich auf eine ernsthafte Diskussion einstellte. Doch dann wurde die Tür knarrend geöffnet, und Mary steckte den Kopf um die Ecke. »Der Bierjunge ist hier«, teilte sie uns mit.

Nolan gab ein Geräusch von sich, als hätte er den Atem angehalten, und lächelte mich an.

»Trinkst du ein Bier mit mir?«, erkundigte er sich.

Und so trank ich mit ihm und Mary ein Bier, bevor sie losging, um Schnecken zu holen. Es gelang mir auch weiterhin nicht, Nolan dazu zu bewegen, sich weiter umzuhören. Er hatte Angst vor diesen Feniers, dabei fürchtete er sich für gewöhnlich vor gar nichts.

8

Es hatte einen Zwischenfall vor dem The Fontaine gegeben, als wir an diesem Abend dort eintrafen. Ein Pferd war gestürzt und gestorben, und der Wagen, den es gezogen hatte, war auf die Seite gefallen. Vor dem Haus saß eine Dame mit blutigem Gesicht und einem Blumenstrauß in der Hand und weinte, während der Kutscher versuchte, das Geschirr des Wagens vom toten Pferd zu lösen. Eine Menschenmenge hatte sich versammelt, um an dem Tier herumzufingern und die jaulende Frau anzustarren. Mr. Arrowood beugte sich im Vorbeigehen zu ihr herunter.

»Sind Sie verletzt, Miss?«, fragte er und reichte ihr sein Taschentuch. »Bitte, nehmen Sie das.«

Sie beruhigte sich ein wenig und blickte durch tränenverhangene Wimpern zu ihm auf, um dann das zerfledderte Stoffstück anzustarren. Als sie die Tabakflecken und die herunterhängenden Fäden bemerkte, an denen wer weiß was klebte, schüttelte sie sich und wandte sich ab.

Er steckte den Stofffetzen rasch wieder weg.

»Soll ich nach jemandem schicken?«, erkundigte er sich.

»Fassen Sie mich nicht an«, zischte sie und schlug die Hände vors Gesicht. »Ich brauche Ihre Hilfe nicht.«

Mr. Arrowood tippte mit dem Gehstock gegen seinen Stiefel und nickte, machte jedoch ein trauriges Gesicht. Ich hatte den Eindruck, dass er nicht wusste, was er nun tun sollte.

»Gehen wir weiter, Sir«, forderte ich ihn auf und nahm seinen Arm. »Der Kutscher wird sich schon um sie kümmern.«

Eric stand im Fenster des Photographiestudios und beobachtete das Geschehen vor seiner Tür. Als wir das Geschäft betraten, ging er rasch hinter die Ladentheke. Er trug eine gepunktete Krawatte und ein Hemd aus gelbem Stoff mit hohem Kragen. Er erkannte Mr. Arrowood sofort wieder.

»Ah, Sir, Sie kommen gewiss, um einen Termin für Ihr Porträt auszumachen. Ich bin hocherfreut. Es wäre mir ein großes Vergnügen, Ihre edlen Züge für die Ewigkeit festzuhalten. Sie verfügen über eines dieser Profile, wegen derer ich diesen Beruf ergriffen habe.«

»Nun ja, so ist es in der Tat«, stammelte Mr. Arrowood, den diese ungewohnte Schmeichelei aus dem Tritt brachte. Ich hatte noch nie zuvor gehört, dass jemand seinen großen, unförmigen Schädel auf diese Weise beschrieb.

»Welcher Termin schwebt Ihnen denn vor?«, wollte Fontaine wissen. »Hm?«

Er hatte bereits seinen Kalender aufgeschlagen und hielt den Federkiel in der Hand.

»Ich möchte mich zuerst kurz mit Miss Cousture unterhalten, Sir«, teilte Mr. Arrowood ihm mit. »Wenn das keine zu großen Umstände macht. Es geht auch ganz schnell.«

Fontaine verzog die schmalen Lippen nach unten, wodurch seine vorderen beiden Schneidezähne wie bei einem Hasen über die Unterlippe ragten.

»Sie ist nicht hier. Sie ist vor mehreren Stunden ausgegangen, um eine Suppe zu essen, und nicht mehr zurückgekehrt. Und wenn Sie sie sehen, können Sie ihr ausrichten, dass ich kurz davor stehe, mir eine neue Hilfe zu suchen. Sie müssen nämlich wissen, Sir, dass ich eine Frau eingestellt habe, weil ich an die Emanzipation der weiblichen Spezies glaube.«

»Da können Sie sich mit meiner Schwester zusammentun«, erwiderte Mr. Arrowood.

»Und so dankt sie es mir.«

Der Photograph ärgerte sich, und ganz kurz, nur für einen Augenblick, schimmerte sein Akzent durch. Ich konnte eine leichte irische Betonung der Vokale feststellen, und Mr. Arrowood warf mir einen Seitenblick zu.

»Das macht Ihnen alle Ehre, Sir«, sagte Mr. Arrowood. »Was sagten Sie, wie lange sie schon für Sie arbeitet?«

Fontaine seufzte und hob den Federkiel.

»Für wann darf ich den Termin eintragen?«

Mr. Arrowood nickte und betrachtete die Porträts an den Wänden. »Sie haben ein sehr gutes Auge«, lobte er den Photographen und kratzte sich das Kinn. »Ich kann in all diesen Bildern so viel Leben erkennen.«

»Das ist mein Ziel als Künstler«, erklärte Fontaine ernst. Er deutete auf die Photographie eines Soldaten, das hinter der Theke hing. »Das ist mein Meisterwerk.«

»Ah! Es ist in der Tat ein Kunstwerk«, lobte Mr. Arrowood ihn.

Fontaine starrte es einige Augenblicke gedankenverloren an.

»Sie haben ebenfalls ein sehr gutes Auge, Sir«, erklärte er dann und drehte sich wieder zu Mr. Arrowood um.

»Ich hatte mich gefragt, ob Sie möglicherweise jetzt gleich Zeit hätten, um mein Porträt anzufertigen?«

»Aber ja! Ich denke schon. Vor dem nächsten Termin sollte noch genug Zeit dafür sein. Kommen Sie, kommen Sie.« Er bedeutete Mr. Arrowood, durch den schwarzen Vorhang zu gehen. »Treten Sie ein! Ein Mann wie Sie sollte unbedingt ein

Abbild seiner edlen Züge für seinen Salon, seine Eingangshalle oder vielleicht sogar seine Bibliothek besitzen – auf jeden Fall!«

Er redete noch immer, als er hinter dem dicken Vorhang verschwand. Ich wartete einen Moment, um dann die Gelegenheit zu nutzen und den Inhalt der Schubladen der Ladentheke in Augenschein zu nehmen. Sie waren voller Schrauben, Platten und Glühbirnen. In der untersten Schublade entdeckte ich seine Rechnungsbücher, aus denen hervorging, dass er Miss Cousture seit Januar dieses Jahres Lohn zahlte – also erst seit wenigen Monaten. Ich suchte nach einer Adresse und entdeckte schließlich eine, die jemand auf die hinterste Seite eines kleinen Notizbuches geschrieben hatte.

Zwanzig Minuten später kam Mr. Arrowood wieder nach vorn. Sein Haar war zur Seite gekämmt und mit Pomade frisiert worden, sein Barthaar sah gestutzt aus, und seine Krawatte saß ordentlich an seinem Kragen.

»Ja, Sir«, sagte Fontaine gerade. »Eine Woche. Und Ihre Adresse?«

»Fünf Neun Coin Street. Hinter dem Laden.«

»Ich werde es in einen kleinen Rahmen stecken, etwa so wie bei dem Porträt des Soldaten. Ihre Schwester wird sich sehr über das Bild freuen, das kann ich Ihnen versichern.« Er hielt uns die Tür auf. »Daran besteht kein Zweifel, Sir.«

»Nun, das war interessant, Barnett«, sagte Mr. Arrowood, als wir am Ende der Straße um die Ecke bogen. »Es macht ganz den Anschein, als wäre unsere Klientin nicht über ihren Onkel, den Kunsthändler, mit dem Photographen bekannt gemacht worden. Laut Mr. Fontaine hat sich der Pastor einer Kirche an ihn gewandt – letztes Weihnachten, um genau zu sein. Der Pastor bot der Dame die Hälfte des Gehalts, das Fontaine jedem anderen gezahlt hätte. Anscheinend wusste sie nicht das Geringste über die Kunst der Photographie. Rein gar nichts. Aber wie Sie ja wissen, kann ein hübsches Gesicht und die Überzeugungskraft der Kirche einiges wettmachen.«

»Und der geringe Lohn.«

»Ganz genau.«

»Er zahlt ihr erst seit Januar Lohn«, teilte ich ihm mit. »Jedenfalls laut seiner Rechnungsbücher.«

»Wie ich sehe, sind Sie ebenfalls nicht untätig gewesen. Aber ich habe noch etwas anderes in Erfahrung gebracht: Miss Cousture hat Mr. Fontaines Avancen zwar abgewiesen, aber er hat die Hoffnung, sie doch noch in sein Bett zu bekommen, nicht aufgegeben.«

Ich lachte auf.

»Ich bin immer wieder erstaunt, was die Leute Ihnen alles anvertrauen, Sir.«

»Oh, das hat er mir nicht erzählt. Ich konnte es ihm ansehen.«

»Sie konnten es ihm ansehen?«

»Ja, Barnett. Anscheinend verschwindet sie immer mal wieder ohne jegliche Vorwarnung. So viel war aus ihm herauszubekommen. Sie ist öfter weg, als man es bei einer Angestellten normalerweise hinnehmen würde, aber er hat sie dennoch nicht entlassen, obwohl er offensichtlich erzürnt über sie ist. Warum nicht? Wie Mr. Darwin sagt, müssen wir uns nur die essenzielle animalische Natur des Menschen ansehen, um den Grund dafür zu finden. Es liegt daran, dass sie wunderschön ist und er den Drang verspürt, sie unter sich zu haben, wie es wohl viele Männer tun würden. Angesichts seiner Position denkt er gewiss, es wäre sein Recht. Man kann es ihm nicht einmal verdenken. Es ist das Vorrecht des Löwen, sich die Weibchen seines Rudels zu nehmen, und Mr. Fontaine ist in gewisser Hinsicht ebenfalls ein kleiner Löwe. Ich zweifle nicht daran, dass viele Ladenbesitzer in dieser Straße mit ihren Assistentinnen ins Bett gehen. Die Stadt ist voller kleiner Löwen. Es muss ihm gewaltig gegen den Strich gehen, dass sie sich ihm noch nicht angeboten hat. Das ist, als hätte er einen wundervollen Kuchen gekauft, der jetzt den ganzen Tag vor seiner Nase herumsteht und den er dennoch nicht essen kann.«

»Vielleicht ist er verheiratet.«

»Ach, Barnett, zuweilen sind Sie richtiggehend süß.«

»Wie können Sie sich so sicher sein, dass er sie begehrt?«

»Weil sie wunderschön ist. Ich begehre sie, und Sie tun es auch.«

»Das tue ich nicht.«

»Doch, das tun Sie, mein Freund. Mir ist nicht entgangen, wie Sie Ihre sonst so grobe Art in meinem Zimmer abgelegt haben. Ungeachtet Ihrer Treue zu der respekteinflößenden Mrs. Barnett waren Sie durchaus von Miss Cousture angetan.«

Wir mussten stehen bleiben, da ein Straßenhändler einen breiten Wagen voller Mäntel über den Gehweg auf die Straße schob.

»Ihre deduktiven Fähigkeiten sind denen von Sherlock Holmes ähnlicher, als Sie denken«, erklärte ich, sobald wir uns wieder in Bewegung gesetzt hatten.

»Nein, Barnett. Ich entschlüssle Menschen, er hingegen beschäftigt sich mit Geheimcodes und Blumenbeeten. Dieser Mann und ich sind uns nicht im Geringsten ähnlich, und ehrlich gesagt bin ich Ihre diesbezüglichen Spötteleien langsam leid.«

Ich lachte leise vor mich hin.

»Warum hat sie uns angelogen?«, fragte ich, als wir unter der Eisenbahnbrücke hindurchgingen.

»Das weiß ich nicht. Und da Mr. Fontaine mir nicht verraten wollte, wo sie wohnt, werden wir warten müssen, bis sie wieder auftaucht, bis wir das herausfinden können. Das ist eine weitere Aufgabe für Sie, Barnett, der Sie sich morgen widmen können. Wollen wir hoffen, dass es nicht erneut regnet.«

Ich reichte ihm den Papierfetzen, auf den ich die Adresse geschrieben hatte.

»Ein Glück, dass ich das hier gefunden habe, Sir.«

Ein Lächeln breitete sich auf seinen geröteten Zügen aus. Er tätschelte mir den Rücken.

»Ganz hervorragend, Barnett. Wollen wir hoffen, dass sie zu Hause ist.«

Mir war der Mann bereits aufgefallen, als wir in die Broad Wall abbogen. Er wäre nicht weiter bemerkenswert gewesen, hätte ihm nicht ein Stück abgerissenes braunes Papier an einem Hosenbein geklebt. Ich hatte ihn schon zuvor im Kaffeehaus bemerkt und mich gefragt, ob der Papierfetzen mit einem Tropfen Melasse oder etwas Ähnlichem dort festgeklebt war. Nun sah ich ihn wieder; das Papier klebte noch immer an demselben Mann, der auf der anderen Straßenseite entlangging und zu den höher liegenden Fenstern hinaufschaute.

»Sollen wir in diese Gasse abbiegen, Sir?«, fragte ich, als sich zu unserer Rechten eine schmale Seitenstraße auftat.

»Aber warum denn?«

»Ich habe den Verdacht, dass uns ein Mann verfolgt. Drehen Sie sich nicht um. Er befindet sich auf der anderen Straßenseite. Mittelgroß, trägt einen grauen Mantel.«

Mr. Arrowood verkrampfte die Hände und biss sich auf die Lippe. Ihm war anzusehen, dass er sich am liebsten umgedreht hätte, aber wir gingen einfach weiter.

»Nein, tun Sie das nicht«, sagte ich. »Sehen Sie nicht zu ihm hinüber.«

»Ja, ja, Barnett«, erwiderte er und widerstand der Versuchung, indem er einfach stur geradeaus starrte. Er humpelte ob seiner zu engen Schuhe und schnaufte, da ihm sein Gewicht zu schaffen machte. »Ich hatte Sie schon beim ersten Mal verstanden.«

»Aber Sie wollten gerade hinsehen.«

»Nein, das wollte ich nicht.«

Wir bogen in die Seitenstraße ab. Dabei handelte es sich um eine schmale, dunkle Gasse, und die Werkstätten und Fabriken zu beiden Seiten waren mehrere Stockwerke hoch und schienen einander immer näher zuzuneigen, je dichter sie dem grauen Himmel kamen. Der Großteil der Läden war bereits geschlossen, da es schon spät war, doch hinter einigen schmutzigen Fenstern brannte noch schwaches Licht. Müde Menschen trotteten an uns vorbei, trugen dicke, ausgefranste Kleidung und richteten den Blick auf den Boden, der abwechselnd aus Schotter und Schlamm bestand. Ein Stück vor uns wurden gerade Kisten auf einen Wagen verladen. Wir gingen daran vorbei und bogen in einen noch engeren Weg ein. Die ganze Zeit über drehten wir uns nicht einmal um, und als wir zu einer weiteren Nebenstraße kamen, die noch dunkler wurde, deutete ich auf eine Stelle einige Meter vor uns, an der eine Wand ein Stück hervorragte.

»Ja, das ist ideal«, gab Mr. Arrowood zurück.

Wir liefen darauf zu und verbargen uns dahinter. Dann spähte ich den Weg zurück, den wir gekommen waren. Mr. Arrowood lehnte sich schwer atmend neben mich an eine Tür.

Sehr bald tauchte der Mann auf und kam schnellen Schrittes auf uns zu.

»Er kommt«, flüsterte ich.

»Bleiben Sie ruhig«, erwiderte Mr. Arrowood.

Auf einmal ertönte hinter uns ein Geräusch. Die Tür, an der Mr. Arrowood lehnte, wurde aufgerissen, und da stand eine Frau in Lumpen mit einem Nachttopf in der Hand, der bis zum Rand mit einer widerlichen Brühe gefüllt war. Sie machte ein verdutztes Gesicht, als sie zwei Gentlemen auf ihrer Türschwelle stehen sah, die aussahen, als würden sie auf die Ablieferung der Exkremente ihrer Familie warten. Möglicherweise konnte sie ihre Arme nicht mehr davon abhalten, die bereits begonnene und gewiss gewohnte Bewegung zu unterbrechen, denn sie schwang den Topf nach hinten, als wollte sie ihn auf der Straße entleeren.

Mr. Arrowood zuckte zusammen, wich rasch vor der Frau zurück und lief wieder auf die Straße, wo unser Verfolger ihn sehen konnte. Sobald er ihn erblickte, machte der Fremde auf dem Absatz kehrt und rannte den Weg zurück, den er gekommen war.

»Verflixt!«, schimpfte Mr. Arrowood, und während er das ausrief, landete der halbe Inhalt aus dem Nachttopf der Frau auf seiner Hose.

Ich machte mich derweil an die Verfolgung des Unbekannten. Als ich um die erste Ecke bog, sah ich ihn ein Stück weit vor mir laufen, wenngleich er kaum mehr als ein grauer Fleck vor dem schwarzen Stein zu sein schien. Nach und nach holte ich auf, und als er die nächste Gasse erreichte, glaubte ich schon, ich könnte ihn einholen. Er bog nach rechts ab und führte uns weiter vom hell erleuchteten Broad Wall weg und tiefer in das Labyrinth aus feuchten Gebäuden hinein. Ich wurde von einem Wagen aufgehalten, der gerade wendete und dessen Zugpferd mir den Weg versperrte.

»Warten Sie! Nicht so hastig!«, jammerte der Lieferant. »Sie werden ihn mir noch erschrecken.«

Ich stieg hastig über den leeren Wagen hinweg.

»Elender Hundsfott!«, brüllte mir der Mann hinterher und schwenkte seine Peitsche durch die Luft.

Die Gasse vor mir war leer. Ich rannte weiter und gelangte schon bald an eine Kreuzung. Mein Instinkt riet mir, nach links zu laufen, da ich in einiger Entfernung die Lampen einer richtigen Straße ausmachen konnte.

Kaum hatte ich das bemerkt, wurden mir auch schon die Beine unter dem Körper weggezogen und ich kam hart auf dem unebenen Boden auf. Mein Hüftknochen war gerade erst auf einem Haufen Kiesel gelandet, da spürte ich auch schon einen Schlag im Rücken. Ich schrie vor Schmerz auf und schaffte es gerade noch, den Kopf zu drehen, sodass ich sah, wie der Mann, dessen zusammengekniffene Augen in seinem bärtigen Gesicht zu lodern schienen, erneut den Knüppel hob, um mich ein weiteres Mal zu schlagen. Mein Blick ruhte auf seiner Hand, mit der er den Knüppel festhielt, auf dem blutunterlaufenen und zertrümmerten Fingernagel seines Zeigefingers, und in diesem Augenblick wirkte dieser ruinierte Nagel so wütend und rachsüchtig auf mich, als wäre der Mann tatsächlich nur sein Werkzeug. Ich hob eine Hand, um den Schlag abzuwehren, der stattdessen meinen Unterarm traf. Augenblicklich überkam mich starke Übelkeit, und mir schien sämtliche Kraft zu schwinden. Meine Ohren klingelten wie die Glocken der Christ Church, und mir standen Tränen in den Augen. Ich war hilflos, machte mich ganz klein, rollte mich zusammen, schloss die Augen und wappnete mich für den nächsten Schlag.

Der jedoch nicht kam. Ich lauschte angespannt, da ich Angst hatte, den Kopf zu drehen und stattdessen dort getroffen zu werden. Ganz langsam ließ das Glockengeläut nach, und ich konnte eine Frau in einem der umstehenden Gebäude reden hören. Da nahm ich meinen ganzen Mut zusammen und drehte den Kopf. Der Mann war verschwunden.

Ich setzte mich auf, war mir jedoch nicht sicher, ob ich aufstehen konnte. Bei der kleinsten Bewegung durchzuckte mich ein stechender Schmerz. Ich blickte die Gasse entlang, bis ich mir sicher war, dass der Fremde nicht zurückkommen würde, stützte mich dann an der Wand ab und stand langsam auf.

Ein heftiger Schmerz im Rücken bewirkte, dass ich wieder auf den Boden sackte. Dort blieb ich sitzen, rieb mir den Arm und wartete darauf, dass das ungute Gefühl in meinem Bauch endlich nachließ.

Eine Frau kam um die Häuserecke vor mir und hatte einen schweren Kochtopf in der Hand.

»Sind Sie hingefallen?«, erkundigte sie sich.

»Es ist nicht weiter schlimm, Madam«, antwortete ich und versuchte, mit normaler Stimme zu sprechen. »Ich bin gestolpert.«

»Soll ich Ihnen aufhelfen?«

Sie stellte den Topf ab und unterstützte mich beim Aufstehen. Da sie so gut gebaut war wie Mrs. Barnett, fühlte ich mich allein dank ihrer Nähe schon wieder besser.

»Ist Ihnen ein kleiner, bärtiger Mann begegnet?«, fragte ich. »Er ist vermutlich gerannt.«

»Er war in rechter Eile«, bestätigte sie und hob ihren Topf wieder hoch. »Hat er Sie beraubt?«

»Das könnte man so ausdrücken.«

»Tja, die Polizei brauchen Sie gar nicht erst zu rufen, es sei denn, Sie möchten einen halben Tag oder mehr vergeuden.«

»Haben Sie ihn sich genauer ansehen können?«

»Dafür ist es hier viel zu dunkel. Aber er hatte ganz schmale Augen, was mir verdächtig vorkam. Doch Sie sollten in dieser Sache gar nicht erst die Polizei benachrichtigen.«

Wir gingen nebeneinanderher, und ich spürte bei jedem Schritt einen heftigen Schmerz im Rücken.

»Fragen Sie mich, warum Sie das nicht tun sollten«, verlangte sie.

»Warum soll ich das nicht tun?«

»Weil er einen Polizeiknüppel am Gürtel hatte. Und es war ein Polizeigürtel, mein Freund. Er trug jedoch keine Uniform, nur die üblichen Polizeistiefel.«

»Sie wissen ziemlich viel über die Kleidung eines Polizisten, was?«

»Mein Vater war Constable«, erklärte sie. »Bis zu seinem Tod. Ich musste ihm jeden Tag die Stiefel putzen. Sind Sie verheiratet?«

Ich nickte. Wir legten zusammen den Weg bis zur Hauptstraße zurück, wo sie in Richtung Brücke davonging. Sobald sie nicht mehr zu sehen war, ließ ich mich auf die Stufen vor einem Geschäft nieder, da ich den Schmerz nicht länger ertragen konnte. Erst eine Stunde später hatte ich wieder genug Kraft geschöpft, um weitergehen zu können.

9

Als ich Mr. Arrowoods Räume betrat, saß er mit einem Humpen in der Hand in seinem Sessel. Ettie hatte am Fenster Platz genommen und presste eine Hand flach an die Stirn. Sie nickte mir kurz zu und schloss dann wieder die Augen. Mr. Arrowood schüttelte den Kopf, als wolle er mich warnen, und trank dann, weiterhin kopfschüttelnd, einen großen Schluck Bier. Er sah zwar schuldbewusst aus, würdigte mich jedoch, wie es seine Art war, keiner Entschuldigung.

Ich ließ mich behutsam auf das kleine Sofa sinken und vermutete inzwischen, dass ich eine heftige Prellung am Rücken hatte. Mr. Arrowood bemerkte meine geschwollene Hand.

»Grundgütiger, Barnett! Was in aller Welt ist mit Ihnen passiert? Soll ich den Arzt rufen lassen?«

»Gehe ich recht in der Annahme, dass Sie mir das wieder vom Lohn abziehen werden?«, erwiderte ich etwas verbitterter, als ich eigentlich beabsichtigt hatte.

Meine Worte schienen ihn getroffen zu haben.

»Ich bin nicht schwer verletzt«, fügte ich etwas sanfter hinzu.

Ich fragte mich, ob Ettie, die ja schließlich Krankenschwester war, meine Wunden vielleicht einmal untersuchen würde, aber sie rührte sich nicht.

»Jemand sollte sich das mal ansehen«, beharrte er. »Wenn ich den Arzt rufe, kann er sich auch gleich um Ettie kümmern, dann wird es auch nicht so kostspielig.«

»Ich brauche keinen Arzt«, erwiderte sie prompt, schlug jedoch nicht die Augen auf.

»Ich auch nicht«, fügte ich hinzu. »Etwas zu trinken würde jedoch meine Nerven beruhigen.«

Er reichte mir eine kleine blaue Flasche.

»Chlorodyne«, sagte er. »Eine durchaus magische Medizin. Sie wird Ihnen helfen.«

Ich nahm einen Schluck, derweilen mir Mr. Arrowood ein Glas Bier einschenkte. Während mir die gute Arznei die Kehle wärmte, berichtete ich, wie man mich in der Gasse verprügelt hatte.

»Ach herrje, Barnett«, murmelte er, als ich fertig war. »Dieser Fall wird ja von Tag zu Tag komplizierter. Ich habe hier herumgesessen und darüber nachgedacht, warum uns Miss Cousture wohl angelogen hat. Sie war hier, während wir ausgegangen waren, müssen Sie wissen. Meine Schwester hat mit ihr gesprochen. Offenbar ist sie auf einmal ungeduldig und möchte wissen, ob wir Fortschritte gemacht haben. Aber sie hat keine Adresse hinterlassen. Kommt Ihnen das nicht auch merkwürdig vor, Barnett?«

»An diesem Fall kommt mir so gut wie alles merkwürdig vor.«

»Und nun folgt uns auch noch ein Constable und verprügelt Sie, ohne auch nur den Versuch zu machen, Sie zu befragen.«

Ettie stieß einen Seufzer aus, setzte sich in ihrem Sessel etwas anders hin und schnitt eine Grimasse.

»Was quält Ihre Schwester?«, flüsterte ich.

»Sie fühlt sich unwohl und schwach.« Mr. Arrowood hob

die Stimme, als er weitersprach. »Aber sie will nicht zu Bett gehen, sondern sitzt einfach hier herum.«

Ich bemerkte ein leichtes Flattern ihrer Augenlider. Es war eindeutig, dass sie uns zwar zuhörte, aber nicht auf unsere Worte reagieren wollte.

Mr. Arrowood blickte zur Decke hinauf und klopfte seine Pfeife aus.

»Wir werden morgen früh gleich als Erstes bei Miss Cousture vorbeigehen, noch bevor sie sich auf den Weg zur Arbeit macht. Dann durchsuchen wir ihr Zimmer nach Hinweisen.«

»Und Sie glauben, sie wird das zulassen?«

Er lachte auf.

»Ich bin davon überzeugt, dass sie sich widersetzen wird, aber vielleicht provozieren wir sie dadurch so weit, dass sie uns die Wahrheit sagt.«

Die Ladenglocke klingelte. Ich erhob mich unter Schmerzen und ging nach vorn, wo ich feststellte, dass Inspector Petleigh hereingekommen war. Hinter ihm stand der junge Constable mit der lauten Stimme, der auch den Mord an Martha vor der St.-George-Kirche aufgenommen hatte. Ich führte die beiden in den Salon, in dem Mr. Arrowood sie allein erwartete. Die knarrenden Bodendielen verrieten mir, dass sich Ettie zurückgezogen hatte.

»Sind das die Männer?«, fragte Petleigh den Constable.

»Das sind die Männer, Sir«, brüllte der junge Mann. »Er und er.«

»Ich wusste es«, murmelte der Inspector. »Sobald Sie mir die beiden beschrieben hatten, wusste ich, dass es sich nur um diese Männer hier handeln konnte.«

Er stieß ein unfreundliches Lachen aus. Wir hatten im Laufe der Jahre schon häufiger mit Inspector Petleigh zu tun bekommen, wobei einige Begegnungen gut, andere jedoch weniger erfreulich verlaufen waren. Er war mit unserer Arbeit zwar nicht einverstanden, wusste jedoch auch, dass es nicht genug Polizisten gab, die alle Verbrechen bearbeiten konnten, die sich in unserer Stadt ereigneten. Eigentlich war er gar kein so übler Kerl, was Mr. Arrowood jedoch niemals zugegeben hätte.

»Der Große ist der, der die Verfolgung aufgenommen hat«, berichtete der Constable. »Der andere hat ihren Kopf gehalten. Sie kannten sie, das haben sie selbst gesagt.«

Petleigh setzte sich, ohne dazu aufgefordert worden zu sein, und wandte sich an Mr. Arrowood. »Ich bin sehr enttäuscht von Ihnen, William. Außerordentlich enttäuscht sogar. Ich dachte, Sie hätten Ihre Lektion gelernt. Sie hatten zugestimmt, sich nur noch mit diebischen Dienstboten und Ehebrechern zu beschäftigen, und nun treffe ich Sie doch wieder am Schauplatz eines Mordes an.«

Er zwirbelte seinen Schnurrbart und streckte die Beine aus. Mir fiel auf, dass er neue Lederstiefel trug, unter deren Sohlen frischer Schlamm klebte. Ich bemerkte außerdem, dass der junge Constable, der an der Tür stehen geblieben war, seinen Helm in der Hand hielt und sich ebenfalls nicht die Füße abgetreten hatte, stand auf und ging zum Wandschrank, um den Besen zu holen.

»Ich bin hocherfreut, dass man einen so klugen Kopf wie Sie auf diesen Fall angesetzt hat«, sagte Mr. Arrowood und zündete seine Pfeife wieder an. »Bitte verraten Sie mir doch, ob Sie diesen Teufel bereits dingfest gemacht haben.«

»Wir ermitteln noch. Es sieht ganz nach einem gescheiterten Raubüberfall aus, auch wenn die junge Frau kaum etwas besaß, das sich zu stehlen lohnte. Außerdem können wir die Möglichkeit nicht ausschließen, dass der Ripper zurückgekehrt ist. Der Commissioner hält diese Erklärung nicht für ausgeschlossen.«

»Ach, bitte, Petleigh!«, rief Mr. Arrowood aus. »Das ist doch lächerlich! Jack hat nie am helllichten Tag und auf offener Straße gemordet!«

»Da haben Sie recht. Wir gehen verschiedenen Hinweisen nach. Aber wir wären der Aufklärung des Falls schon beträchtlich näher, wenn man uns nicht Informationen vorenthalten würde.«

»Darf ich fragen, was das für Hinweise wären?«

Petleigh seufzte laut und schüttelte den Kopf. Ein gequältes Lächeln umspielte seine Lippen.

»Halten Sie mich für einen Idioten?«, fragte er.

»Ganz und gar nicht, Sir. Ich halte Sie vielmehr für einen Schwachkopf.«

Petleighs Nasenflügel bebten, und seine Stimme wurde schneidend.

»Ich kann Sie auch vor den Magistrat zitieren, wenn Sie uns weiterhin Steine in den Weg legen, Sir.«

»Ich habe überhaupt nichts getan, Inspect…«

»Sie bearbeiten einen Fall, der mit diesem Mord in Verbindung steht«, unterbrach Petleigh ihn. »Oder irre ich mich da?«

»Nein.«

»Demzufolge verfügen Sie auch über Informationen, die Sie uns zu relevanter Zeit verschwiegen haben. Seitdem sind mehrere Tage vergangen, genügend Zeit für den Täter, das Weite zu suchen. Ein Magistrat könnte zu der Auffassung gelangen, Sie würden den Mörder schützen.«

»Wir wissen nicht, wer der Mörder ist«, entgegnete Mr. Arrowood. »Er ist an uns vorbeigelaufen. Barnett hat ihn verfolgt, ihn jedoch aus den Augen verloren.«

»Welchen Fall bearbeiten Sie momentan?«

»Wir versuchen, den Liebsten einer jungen Frau zu finden, und wollten uns an der Kirche mit ihr treffen.«

»Sie hat Sie engagiert«, mutmaßte Petleigh.

»Nein.«

»Wer dann?«

»Das kann ich Ihnen nicht sagen«, erwiderte Mr. Arrowood kopfschüttelnd. »Wir sichern unseren Klienten stets größte Verschwiegenheit zu.«

»Sagen Sie es dem Inspector!«, bellte der Constable. »Oder wir sperren Sie über Nacht ins Gefängnis!«

Petleigh hob eine Hand, um den jungen Mann zum Schweigen zu bringen.

»Wir können Ihnen helfen, den Mörder zu fassen, Inspector«, sagte Mr. Arrowood.

»Sie scheinen eine sehr hohe Meinung von sich zu haben, Mr. Arrowood«, erwiderte Petleigh und schlug ein Bein über das andere. »Für wen halten Sie sich? Für Sherlock Holmes?«

Mr. Arrowood schnaufte.

»Ich sage Ihnen das jetzt zum letzten Mal: Wir sind die Polizei. Wir kümmern uns um Morde, Gewalttaten und Raubüberfälle. Um gefährliche Menschen. Sie beschäftigen sich mit Rechtsanwälten, die ihre Verträge manipuliert haben. Sie suchen nach Ehemännern, die mit dem Dienstmädchen durchgebrannt sind. Wir geben Ihnen keine Informationen – Sie versorgen uns damit. Daher frage ich Sie jetzt noch einmal: Für wen arbeiten Sie, und was wissen Sie über diesen Mord?«

»Ich werde Ihnen sagen, so viel ich kann, wenn Sie den Namen des Polizisten herausfinden, der Barnett heute Nachmittag die Hosen strammgezogen hat.«

Die beiden Polizisten starrten mich an.

»Er ist uns gefolgt, Inspector«, berichtete ich. »Ich habe mich gefragt, ob Sie ihn vielleicht damit beauftragt hatten?«

Petleigh beäugte den Constable.

»Wissen Sie etwas darüber?«, fragte er.

Der Constable schüttelte den Kopf.

Ich zeigte ihm meinen geschwollenen Arm und hob dann mein Hemd an, damit sie die Prellung an meinem Rücken begutachten konnten.

»Au!«, rief Mr. Arrowood und rutschte in seinem Sessel hin und her. »Was für ein Bluterguss! Das muss wehtun. Er hat die Farbe von Nierchen, Barnett. Ich denke, wir sollten den Arzt doch besser kommen lassen.«

»Nein, Sir, das kann ich mir nicht leisten.« Ich rückte meine Kleidung wieder zurecht und wandte mich an Petleigh. »Aber das war ein Polizist. Und Sie haben die Frage nicht beantwortet. Haben Sie ihn auf uns angesetzt?«

»Nein, Norman«, antwortete Petleigh. »Das schwöre ich. Bitte erzählen Sie mir, was passiert ist.«

Nachdem ich ihm alles berichtet und den Mann beschrieben hatte, so gut es mir möglich war, schien er noch immer nicht überzeugt zu sein.

»Und Sie sind sicher, dass er Polizist war?«

»Er trug einen Polizistengürtel, und es war ein Polizeiknüppel, mit dem er mich geschlagen hat.«

»Ich wüsste anhand der Beschreibung nicht, wer das gewesen sein könnte. Sie, Constable?«

»Es gibt da drüben in Elephant and Castle einen Mann, auf den diese Beschreibung passen könnte«, antwortete der junge Mann. »Ich kenne seinen Namen nicht. Aber ich kann mir nicht vorstellen, dass einer unserer Leute so etwas tun würde.«

»Falls das ein Polizist gewesen ist – und ich möchte anmerken, dass wir das noch nicht mit Sicherheit wissen –, aber wenn dem so ist, möchten Sie dann Beschwerde einreichen?«, wollte Petleigh wissen.

»Wir wollen einen Namen«, schaltete sich Mr. Arrowood wieder ein, der mich jetzt ansah. »Das ist momentan alles.«

Petleigh dachte kurz darüber nach.

»Wir werden uns umhören. Und jetzt sagen Sie mir, was Sie wissen.«

Mr. Arrowood nannte ihm alle Fakten, die uns bisher vorlagen. Petleigh schrieb sich alles in einem kleinen Notizbuch auf und versuchte noch mehrmals, die Namen unserer Klientin und unserer Informanten herauszubekommen, aber Mr. Arrowood gab diese nicht preis.

»Die junge Frau hatte das hier in der Hand«, sagte er und holte die Patrone aus seiner Westentasche. »Ich glaube, dass sie sie uns geben wollte.«

Petleigh hielt die Patrone unter die Lampe und betrachtete sie genau, bevor er sie auf den Tisch legte.

»Womöglich hat sie sie von ihrem Geliebten bekommen. Oder sie hat sie irgendwo gefunden. Ich bezweifle, dass die Patrone eine besondere Bedeutung hat.«

»Ach, wirklich?«, kommentierte Mr. Arrowood. »Nun, ich schätze, in dieser Hinsicht müssen wir uns wohl auf Ihr Urteil verlassen. Wie lautet Ihre Theorie, Inspector?«

»Oh, nein, nein, nein«, entgegnete Petleigh, der inzwischen müde klang. »Verraten Sie uns zuerst die Ihre, Arrowood.«

Mr. Arrowood räusperte sich und beugte sich vor.

»Die einfachste Version ist, dass der Franzose in irgendwelche Geschäfte verwickelt wurde, die Cream mit den Feniern gemacht hat. Etwas ging schief, und der junge Mann ist entweder geflohen oder wurde getötet. Martha wurde ermordet, weil sie mir Informationen geben wollte, was bedeutet, dass es sich hierbei um eine ernste Angelegenheit handelt. Weitaus ernster, als uns anfangs bewusst gewesen ist. Das ist meine augenblickliche Einschätzung. Was haben Sie herausgefunden?«

Petleigh stand auf und schnippte einige imaginäre Fussel von seiner Jacke.

»Im Großen und Ganzen dasselbe«, antwortete er und betrachtete seine Ärmel. »Oder etwas in der Art.«

Ich konnte nicht anders und lachte laut los, woraufhin Petleighs Miene sich verfinsterte.

»Ich brauche die Namen Ihrer Informanten«, verlangte er.

Ich trat vor das Kamingitter und schürte das Feuer. Mr. Arrowood murmelte etwas vor sich hin und suchte in seinen Taschen nach den Streichhölzern, schenkte Petleigh jedoch keine Beachtung.

»Sie bereiten mir großen Verdruss, Arrowood«, sagte Petleigh schließlich und setzte sich sehr sorgfältig den Hut auf. »Überlassen Sie diese Angelegenheit der Polizei, Sir. Wenn Cream oder die Feniers beschließen, dass sie Sie loswerden müssen, werden sie Sie zerschmettern wie … wie …« Er stand mit offenem Mund vor uns, und seine Drohung verlor immer mehr an Gewicht, weil es ihm nicht gelang, einen passenden Vergleich zu finden. »Wie eine Kuh einen Kuhfladen«, fügte er zu guter Letzt hinzu. Dann wandte er sich an mich. »Das gilt auch für Sie, Norman.«

»Bin ich auch ein Kuhfladen, Inspector?«

»Sie würden Sie wie einen Keks zerbröseln.«

»Selbstverständlich, Sir.«

»Das ist mein Ernst!«, brüllte Petleigh wütend. »Sie sind diesen Leuten nicht gewachsen. Wir wissen, dass Creams Männer für zahlreiche Todesfälle der letzten Jahre verantwortlich sind, und es macht ganz den Anschein, als könnten wir den Mord an der jungen Frau ebenfalls auf diese Liste setzen. Sie wissen ja nicht, worauf Sie sich da einlassen, Arrowood. Menschen sind ertrunken, wurden erschlagen oder vergiftet – wir haben es mit jeder nur erdenklichen Todesart zu tun. Mit den entsetzlichsten Dingen. Sie würden jeden umbringen, der ihnen in die Quere kommt, und sie jagen den Menschen so großen Schrecken ein, dass wir niemanden davon überzeugen können, gegen sie auszusagen. Ich muss Sie doch nicht an den Spindle-Fall erinnern, oder? Sie haben doch mit eigenen Augen gesehen, was sie diesem Mann angetan haben!«

Mr. Arrowood nickte.

»Möchten Sie, dass dasselbe mit Ihnen passiert?«, fragte Petleigh.

Mr. Arrowood saß nachdenklich und mit vor dem Bauch verschränkten Händen da und starrte ins Feuer.

»Werden Sie mir den Namen übermitteln, sobald Sie ihn herausgefunden haben, Petleigh?«, fragte er dann.

»Ja, ich werde Ihnen den Namen mitteilen«, erwiderte der Inspektor und seufzte. »Aber überlassen Sie uns den Mord an dieser Kellnerin. Sollten Sie etwas herausfinden, müssen Sie es mir sofort mitteilen. Schicken Sie mir den Brötchenjungen mit einer Nachricht. Folgen Sie der Spur nicht selbst. Ich warne Sie!«

Nachdem sie gegangen waren und wir im warmen Salon saßen und noch ein Bier tranken, lachte Mr. Arrowood freudlos auf.

»Im Großen und Ganzen dasselbe!«, rief er. »Im Großen und Ganzen dasselbe, Barnett! Dieser Idiot. Er weiß, dass er diesen Fall ohne uns niemals lösen wird.«

»Was ist mit morgen, Sir?«

»Morgen finden wir heraus, was es mit dieser Französin auf sich hat.«

10

Ich schlief in dieser Nacht nicht besonders viel, obwohl ich sehr müde war und dringend Ruhe gebraucht hätte. Aber die Prellung am Rücken machte mir einen erholsamen Schlaf unmöglich, und mein Arm schmerzte zudem sehr. Die ganze Nacht über drehten sich meine Gedanken im Kreis, und wo immer sie auch landeten, warteten bereits Männer auf uns, die uns töten wollten. Wäre es meine Entscheidung gewesen, dann hätten wir Miss Cousture das Geld bereits in dem Augenblick zurückgegeben, in dem sie das Barrel of Beef erwähnt hatte, aber nun mussten wir uns auch noch wegen der Feniers Sorgen machen. Eine junge Frau hatte bereits ihr Leben verloren, und ich war verprügelt worden. Es gab nur einen Weg, wie diese Sache enden konnte: Je tiefer wir in diesen Fall eintauchten, desto schlimmer würde alles werden.

Als wir die Old Kent Road entlangspazierten und an all den Menschen vorbeigingen, die auf dem Weg zur Arbeit waren, während die überfüllten Pferdeomnibusse an uns vorbeifuhren, legte ich Mr. Arrowood meinen Plan dar.

»Wir werden höchstwahrscheinlich das Leben verlieren, bevor dieser Fall gelöst ist.«

»Nicht, wenn wir uns vorsehen«, entgegnete Mr. Arrowood.

Er klang irgendwie nicht so, als würde er selbst an seine Worte glauben.

»Sie müssen sich doch auch Sorgen wegen der Feniers machen, William«, sagte ich.

Seine Miene verfinsterte sich. Obwohl er sich sehr für die Autonomie Irlands einsetzte, hatten die Bombenanschläge der Feniers, die wir zehn Jahre zuvor erlebt hatten, auch ihn in Angst und Schrecken versetzt. Er hatte über diese Vorfälle für seine Zeitung berichtet und die Prozesse der Invincibles, der Mansion-House-Bomber und der anderen Verschwörer verfolgt. Er hatte Nachforschungen über den sogenannten Skirmishing-Fund, die drei als »Triangle« bezeichneten Männer sowie die komplizierten Verbindungen zwischen dem Clan na Gael und Charles Stewart Parnell angestellt. Diese Jahre hatten ihn drastisch verändert, und möglicherweise war das auch der Grund dafür, dass er letzten Endes seine Stelle verloren hatte. Vorher war er furchtlos gewesen und hatte jede Geschichte bis zum Ende verfolgt, wo immer sie ihn auch hinführte. Doch die Jahre der Panik in der Stadt beeinflussten auch ihn. Er hörte auf, Milch in seinen Tee zu tun, da er die Geschichten über die Feniers glaubte, die die Milchkannen mit Strychnin vergifteten. Nachdem der geplante Anschlag auf die Untergrundbahn bekannt geworden war, hatte er sich geweigert, diese Tunnel je wieder zu betreten, und fuhr bis zum heutigen Tag nur mit dem Wagen durch die Stadt. Ein ganzes Jahr lang hatte er ebenso wie viele andere verängstigte Menschen sein Wasser nur bei einem Lieferanten vom Land gekauft, weil er befürchtete, die Pumpen wären verseucht worden. Ich hatte noch nie einen Mann gesehen, der sich derart vor etwas ängstigte. Zum Teil hatte auch dieses Verhalten Isabel in die Flucht getrieben, und erst nach mehreren Jahren war es ihm gelungen, zu seinem früheren Wesen zurückzufinden. Aber diese Angst schien nie ganz von ihm gewichen zu sein, und manchmal konnte man sie ihm ansatzweise ansehen, da sie zusammen mit seinen Wutanfällen, seiner Güte und den zahlreichen anderen Qualitäten, über die er verfügte, seinen Charakter ausmachte.

»Was halten Sie davon, wenn wir jetzt einfach aus der Sache aussteigen?«, schlug ich vor. »Geben wir der Dame doch ihr Geld zurück. Mit der Zeit wird sich schon ein neuer Fall finden. Sobald Cream oder die Feniers davon erfahren, dass wir uns umhören, landen wir auf dem Grund des Flusses. Und jetzt haben wir es auch noch mit einem geschmierten Polizisten zu tun. Wer garantiert uns denn, dass alles, was wir Petleigh erzählen, nicht sofort an sie ausgeplaudert wird?«

Er schwieg einige Zeit. Zweifellos erinnerte er sich an den Betsy-Fall, bei dem John Spindle von Creams Männern totgeschlagen worden war. Dieser Fall hatte auch nach einer einfachen Sache ausgesehen, als wir ihn übernahmen. Mrs. Betsy hatte ihren Mann, der als Schauermann an den Docks arbeitete, überwachen wollen, da er immer weniger Geld mit nach Hause brachte. Sie vermutete, er hätte mit dem Spielen angefangen, doch dann stellte sich heraus, dass sein Geld bei seiner zweiten Ehefrau landete, die er in der Nähe der Pickle Herring Stairs untergebracht hatte. Wir gingen davon aus, uns ein paar leichte Schillinge verdienen zu können, indem wir ihm ein paar Tage lang folgten, wenn er die Arbeit an den Docks abgeschlossen hatte, um danach zum nächsten Fall überzugehen. So wäre es auch gekommen, hätte sich Mr. Arrowood nicht in Bill Betsys andere Frau verguckt und sich von ihr dazu überreden lassen, ihrem Vetter aus irgendwelchen Schwierigkeiten herauszuhelfen, in die er geraten war. Das war es, was letzten Endes zu John Spindles Tod führte. Ohne zu wissen, was wir eigentlich taten, setzten wir ihn der Gefahr aus und kamen dann nicht rechtzeitig mit der Kutsche, um ihn abzuholen, obwohl wir es ihm versprochen hatten. Wir überließen ihn vielmehr Mr. Piser und Boots, die ihn im Kohlekeller der Herberge, in der wir ihn versteckten, totschlugen. Seitdem lastete die Schuld schwer auf uns, und bisher hatten wir unser Versprechen gehalten und keine Aufträge angenommen, die sich als fatal erweisen konnten. Wir hatten uns vier Jahre lang an diesen Entschluss gehalten, doch noch immer bewirkte die Erinnerung an diesen Fall, dass wir uns wie die erbärmlichsten Menschen Londons fühlten.

Mr. Arrowood blieb stehen.

»Hören Sie mir gut zu, Barnett«, sagte er mit kräftiger, entschlossener Stimme, während die anderen Passanten auf dem Gehweg an uns vorbeiliefen. »Wir haben beim letzten Mal einen schrecklichen Fehler begangen, aber daraus gelernt. Ich wusste, dass der Tag kommen würde, an dem wir für das, was geschehen ist, büßen müssen und an dem es erforderlich sein würde, alles einzusetzen, was wir gelernt haben.« Er stand da und blickte mich durch die Brille, die auf seiner roten Nase saß, ernst an, bevor er die Hände in die Taschen steckte. »Dieser Fall hat uns ausgesucht. Sie haben Martha getötet, dieses arme Mädchen, weil sie ein Geheimnis kannte. Allein um ihretwillen dürfen wir diesen Fall jetzt nicht aufgeben. Sie dürfen nicht erneut damit durchkommen. Petleigh wird den Fall nicht lösen, das wissen Sie ebenso gut wie ich. Wenn es keine klaren Beweise gibt, sind der Polizei die Hände gebunden. Außerdem haben sie gar nicht genug Männer dafür.«

»Haben Sie einen Penny für das Baby übrig, Mister?«, krächzte eine dreckige, in Lumpen gehüllte Frau, die hinter uns getreten war. »Es geht dem Jungen gar nicht gut, dem armen Kleinen.«

Mr. Arrowood fischte eine Münze aus der Tasche und reichte sie ihr. Dann sah er dem Kind in sein schmutziges Gesicht und blickte auf den Rotz hinab, der ihm über die Lippen lief, und auf den gelben Schleim, der seine kleinen Augen verklebte. Er zog das brandneue gelbe Taschentuch hervor, das am Vortag auf wundersame Weise in seiner Westentasche erschienen war.

»Wischen Sie ihm das Gesicht ab«, sagte er zu der Frau.

Sie beäugte das Taschentuch, als wäre es ein seltsamer Trick. Mr. Arrowood stieß einen genervten Seufzer aus, säuberte dem Kind damit selbst das Gesicht und schob das Taschentuch unter die Decke, in die es gewickelt war.

»Verkaufen Sie es nicht«, warnte er sie im Weggehen. »Das Tuch ist nicht für Sie, sondern für das Kind.«

Nachdem wir ein Stück gegangen waren, wandte er sich erneut an mich.

»Dieser Fall hat uns ausgesucht, Barnett«, wiederholte er. »Das ist unsere Chance, alles richtig zu machen.«

An der Adresse erwartete uns eine graue Ziegelsteinvilla, die in einer breiten Straße voller großer Häuser stand. An der Wand hing eine Messingplakette mit einem Kreuz und den Buchstaben CSJ. Eine Matrone in einem schwarzen Kleid, die sich einen weißen Schal um den Kopf gebunden hatte, öffnete uns die Tür. Sie schien nicht gerade erfreut zu sein, so früh am Morgen schon Besuch empfangen zu müssen, und bat uns, zu einer späteren Stunde wiederzukommen. Wir beharrten jedoch darauf, eingelassen zu werden, und schließlich gestattete sie uns, nach oben zu gehen und Miss Cousture aufzusuchen.

Im Salon war es ziemlich dunkel. In einer Ecke stand ein Klavier, dazu ein langes Sofa an der Wand. Abgesehen von einem silbernen Kruzifix mit einer verdrehten Jesusfigur war keinerlei Dekoration zu entdecken. Wir ließen uns in zwei gepolsterten Sesseln vor einem kleinen Kamin nieder. Während wir warteten, konnten wir im hinteren Teil des Hauses Geräusche hören, und aus dem Stockwerk über uns drang Frauenlachen herunter. Es machte ganz den Anschein, als hätte dieses Haus sehr viele weibliche Bewohner.

»Das ist ein sehr angesehenes Haus für eine Verkäuferin«, stellte Mr. Arrowood fest.

»Möglicherweise hat ihr Onkel ihr hier eine Unterkunft besorgt.«

»Falls es diesen Onkel wirklich gibt.«

Wir hörten das Klappern von Geschirr, und dann waberte Essensgeruch zu uns herüber. Ich hatte noch nichts zu mir genommen, sodass mir das Wasser im Mund zusammenlief. Mr. Arrowoods Magen knurrte so laut, dass es sich wie das Muhen einer Kuh anhörte.

In diesem Augenblick kam Miss Cousture herein.

Mr. Arrowood und ich standen gleichzeitig auf, genossen den Duft ihrer frisch gebadeten Haut und bewunderten ihre perfekte Kleidung und ihre Frisur, die sie sogar in diesem finsteren Raum wie eine Lichtgestalt wirken ließen.

Sie bat uns, wieder Platz zu nehmen, und setzte sich in einen kleinen Ohrensessel.

»Hat Ihnen Ihre Schwester ausgerichtet, dass ich Sie gestern besuchen wollte?«, fragte sie.

»In der Tat«, antwortete Mr. Arrowood. »Wir möchten Sie gern auf den neuesten Stand bringen.«

»Aber wie haben Sie mich gefunden? Ich hatte keine Adresse hinterlassen.«

»Wir sind Privatdetektive, Miss Cousture«, merkte er an. »Es gehört zu unserem Beruf, derartige Informationen herauszufinden.«

»Sie haben also Neuigkeiten für mich?«

»Bevor wir beginnen, ist es von größter Wichtigkeit, dass wir Ihr Zimmer durchsuchen«, erklärte Mr. Arrowood, erhob sich und ging zur Tür. Ich folgte ihm. Das war einer seiner Tricks: Er war davon überzeugt, dass es schwerer war, einen Akt zu verweigern, der bereits begonnen hatte, als einen, der noch als Vorschlag im Raum stand.

Die Dame rührte sich nicht.

»Aber warum denn?«, verlangte sie zu erfahren.

»Es könnten sich Hinweise in seinen Habseligkeiten befinden. Möglicherweise solcherart, dass sie nur einem Privatdetektiv auffallen.«

»Die gibt es nicht.«

»Soll das heißen, dass Ihnen nichts aufgefallen ist oder dass tatsächlich keine vorhanden sind?«

»Das ist doch dasselbe.«

»Bitte verzeihen Sie, Miss Cousture, aber wir müssen uns schon selbst davon überzeugen.« Er deutete in Richtung Korridor. »Sollen wir?«

Doch sie stand noch immer nicht auf.

»Sie möchten doch Ihren Bruder finden, oder nicht, Miss Cousture?«, fragte ich.

»Sie dürfen nicht auf mein Zimmer gehen. Oben sind keine Männer gestattet.«

»Aber Ihr Bruder durfte sich dort aufhalten.«

Ihre blassen Wangen röteten sich vor Wut, und sie stieß die Luft aus.

»Nein, das durfte er nicht. Dies ist ein Haus Gottes.«

Mr. Arrowood setzte sich wieder. Er musterte sie mit einem gütigen Blick und setzte dabei eine weitere seiner psychologischen Taktiken ein: freundliche Augen über zusammengepressten Lippen.

Die Dame ertrug es eine Minute lang, bis sie immer unruhiger wurde. Sie sah mich an, starrte danach einige Zeit ins Feuer, bis sie schließlich die Beherrschung verlor.

»*Putain!*«, rief sie und schlug mit einer Hand auf die Armlehne ihres Sessels. »Ja, ich gebe es zu! Ich habe Ihnen nicht die Wahrheit gesagt. Er hat nicht hier gewohnt. So. Das wollten Sie doch von mir hören, oder nicht?«

»Aber warum haben Sie das getan, Mademoiselle?«, fragte Mr. Arrowood. »Wir wollen Ihnen doch helfen.«

Sie warf ihm einen trotzigen Blick zu und wirkte weiterhin erbost.

»Behandeln Sie mich nicht, als wäre ich hier die Verbrecherin«, entgegnete sie. »Ich war besorgt, dass Sie den Fall sonst nicht ernst nehmen würden. Sie wären bestimmt davon ausgegangen, dass er nach Frankreich zurückgegangen war, daher habe ich behauptet, er hätte seine Papiere zurückgelassen.«

»Dann sind seine Papiere gar nicht mehr hier?« Mr. Arrowood warf die Hände in die Luft.

Sie blickte betreten zu Boden.

»Ich weiß es nicht«, gab sie zu.

»Und ich weiß nicht, ob ich überhaupt noch etwas von dem glauben soll, was Sie uns erzählt haben, Miss Cousture«, erwiderte Mr. Arrowood.

»Alles andere entspricht der Wahrheit«, beharrte sie. »Wirklich alles. Bitte, Mr. Arrowood. Sie müssen meinen Bruder finden. Ich habe Sie doch bezahlt. Und Sie haben mir Ihr Wort gegeben.«

Er umklammerte seinen Gehstock und starrte sie grimmig an.

»Bitte, Mr. Arrowood. Es tut mir schrecklich leid, dass ich Sie getäuscht habe.«

Mr. Arrowood warf mir einen Seitenblick zu und zog die Augenbrauen hoch. Ich wusste genau, was er gerade dachte.

»Wo hat er dann gewohnt, Miss?«, wollte ich wissen. »Wenn er sich nicht bei Ihnen aufgehalten hat?«

»In irgendwelchen Absteigen. Er ist von einer zur nächsten weitergezogen. Ich weiß nicht, in welcher er zuletzt untergekommen war.«

»Haben Sie ihn irgendwann einmal dort besucht?«

»Nein, Sir.«

»Warum haben Sie nicht zusammengelebt?«, fragte Mr. Arrowood mit schneidender Stimme.

»Ich fühle mich hier sicher. Dies ist ein Haus der Kirche für alleinstehende Frauen. Thierry kann nicht gut mit Geld umgehen. Und er trinkt. Ich kann nicht für seine und meine Miete aufkommen.« Sie beugte sich auf einmal vor und umklammerte Mr. Arrowoods rechtes Handgelenk. »Bitte, Sir. Arbeiten Sie weiter an dem Fall. Ich weiß, dass er in Schwierigkeiten steckt. Thierry hatte Angst. So verängstigt habe ich ihn noch nie zuvor gesehen.«

»Vielleicht ist er doch nach Hause gegangen«, mutmaßte ich. »Das wäre doch denkbar.«

»Er wäre nie fortgegangen, ohne mir vorher zu sagen, wohin er geht. Er hätte mir wenigstens eine Nachricht geschickt. Auch wenn er trinkt, war er in dieser Hinsicht immer verlässlich.«

Sie setzte sich wieder aufrecht hin, und Mr. Arrowood lehnte sich in seinem Sessel an. Er stopfte seine Pfeife und berichtete ihr in aller Ruhe, was wir herausgefunden hatten.

Als er fertig war, saß sie mit besorgter Miene im schummrigen Salon.

»Wie furchtbar«, flüsterte sie. »Es ist sehr schlimm, nicht wahr?«

»Dürfen wir Inspector Petleigh Ihren Namen nennen?«, fragte Mr. Arrowood.

Sie schüttelte den Kopf.

»Dann werden wir es auch nicht tun. Würden Sie uns verraten, warum Sie lieber ungenannt bleiben möchten?«

Sie blinzelte mehrmals und schluckte schwer. Zum ersten Mal machte sie einen unsicheren Eindruck. Nachdem sie sich mehrfach gekratzt, die Stupsnase gerieben und die Stirn gerunzelt hatte, antwortete sie endlich.

»Wegen Mr. Fontaine. Er wäre nicht sehr glücklich darüber, wenn die Polizei meinetwegen seinen Laden aufsucht.«

Mr. Arrowood zog die Augenbrauen hoch.

»Mr. Fontaine wäre nicht glücklich darüber?«

Sie nickte und rückte auf ihrem Sessel ein Stück nach vorn. Dann sprach sie leiser weiter.

»Er macht gewisse Bilder, von Frauen, verstehen Sie? Das würde einen gewaltigen Skandal heraufbeschwören.«

»Was für Bilder?«

»Für Gentlemen.«

»Sie meinen, unanständige Bilder?«, flüsterte er.

»Nacktphotographien, Mr. Arrowood.«

Er blinzelte so schnell, als ob ihm eine Fliege ins Auge geflogen wäre.

»Und Sie haben ihm dabei geholfen?«, wollte er wissen.

Sie antwortete nicht. Die Tür wurde geöffnet, und die Matrone trat ein.

»Wir müssen die Gentlemen jetzt leider bitten zu gehen, Caroline. Sie werden in der Küche gebraucht.«

Die Dame stand auf.

»Ja, Madam. Ich bin gleich da. Die Gentlemen wollten ohnehin gerade gehen.«

Die Matrone warf Mr. Arrowood und mir noch einen verärgerten Blick zu und zog sich dann auf den Flur zurück. Miss Cousture schloss noch einmal die Tür.

»Sie müssen meinen Bruder finden, Mr. Arrowood.« Sie ließ die Hand auf der Türklinke liegen und sah sehr besorgt aus. »Sie müssen das Barrel of Beef aufsuchen und herausfinden, was dort vor sich geht.«

»Wenn wir uns dort sehen lassen, bringt man uns um«, gab ich zu bedenken.

»Dann müssen Sie dort einbrechen. Wenn sie geschlossen haben.«

Mr. Arrowood sah mich ebenso erstaunt an, wie ich es ob der Worte der Dame war.

»Werden Sie es tun?«, verlangte sie zu erfahren.

Mr. Arrowood nickte. Ich räusperte mich.

»Wir benötigen noch eine weitere Bezahlung, Miss«, teilte ich ihr mit.

Sie zog eine Geldbörse aus einer Falte ihres Rockes.

Mr. Arrowood erhob sich.

»Ich warte draußen auf Sie, Barnett. Guten Tag, Miss Cousture.«

11

Später an diesem Abend fand ich mich im White Eagle wieder.
Ernest stand an seinem üblichen Platz über die Bar gebeugt,
mit einem Becher Gin in der knorrigen Hand.

»Großer Gott«, knurrte er. »Nicht Sie schon wieder.«

»Darf ich Ihnen einen ausgeben, alter Mann?«

»Ich werde keine weiteren Fragen beantworten«, verkündete er laut und sah sich um, als wolle er sich vergewissern,
dass ihn auch jeder gehört hatte. »Sie können gleich wieder
Leine ziehen und mich in Ruhe lassen.«

Die Kellnerin drehte sich mit finsterer Miene um. An einem
Tisch am Fenster saßen drei Straßendirnen und ignorierten
uns. Hinter der Glasscheibe war der Streichholzverkäufer zu
sehen. Er bemerkte meinen Blick und hielt ihm stand, während er mit der linken Gesichtshälfte zuckte und zwinkerte.
Bei dem Versuch, seine Mimik unter Kontrolle zu bekommen,
grinste er und legte sich dann eine Hand an die Wange.

Ich bestellte uns etwas zu trinken.

»Ich will das nicht«, protestierte Ernest.

»Nur ein paar Fragen, dann lasse ich Sie auch schon wieder
in Ruhe.«

Ich drückte ihm einen Schilling in die Hand.

Er runzelte die Stirn, steckte ihn sich aber in die Tasche.

»Ich brauche einige Informationen über Martha. Was wissen Sie über sie?«

»Nichts. Sie hat sich mit Terry angefreundet. Das ist alles. Die beiden haben immer viel zusammen gelacht.«

»Waren sie ein Paar?«

»Das weiß ich nicht sicher. Auf mich machte es den Anschein, als wäre sie sich zu fein für die Männer, die im Beef arbeiten. Sie wirkte, als würde sie auf einen Mann warten, der sie aus all dem rausholte, jedenfalls kam es mir immer so vor. Als sehnte sie sich nach einem Gentleman. Sie war eine ziemlich wählerische Hure und dachte bestimmt, sie findet oben einen solchen Mann.«

»Dann ist sie also nicht mit jedem mitgegangen?«

»Nein, dafür war sie viel zu wählerisch.«

Er trank seinen Gin aus.

»Haben Sie schon mal einen Soldaten bei ihr gesehen?«

»Ich arbeite in der Küche und bekomme von dem, was oben los ist, nichts mit.«

»Hat vielleicht mal jemand von einem Soldaten, Offizier oder etwas Ähnlichem erzählt, der dort gesehen wurde?«

Er schniefte und wischte sich die feuchte Nase mit einem Ärmel seines zerschlissenen grauen Mantels ab.

»Ich hab nichts gehört.«

»Gibt es in der Küche eine Hintertür?«

»Ja, es gibt eine Tür zum Hof.«

»Haben Sie einen Schlüssel für diese Tür?«

»Selbst wenn ich einen hätte, würde ich ihn Ihnen nicht geben. Außerdem wird die Tür oben und unten mit einem Bolzen versperrt, sodass Sie selbst mit Schlüssel nicht reinkommen könnten.«

Eine Frau draußen auf der Straße schrie auf, und ein Polizist drehte ihr den Arm auf den Rücken. Er schob sie am großen Fenster vorbei, während sie sich weiterhin vehement wehrte.

»Wieso wollen Sie da überhaupt rein?« Er kniff die Augen zusammen. »Planen Sie etwa einen Einbruch?«

»Sie müssen mir einen Gefallen tun, Ern«, sagte ich. »Lassen Sie morgen Abend eines der hinteren Fenster offen. Das ist alles. Dafür brauchen Sie gerade mal eine Minute, vermutlich nur eine halbe.«

»Das können Sie vergessen.« Seine rot geränderten Augen wurden immer feuchter. »Mr. Cream hat mich immer gut behandelt, und ich habe nicht vor, ihn zu hintergehen.«

»Es springt eine halbe Krone für Sie dabei heraus.«

»Fahren Sie zum Teufel. Selbst wenn Sie mir fünf Pfund geben, würde ich es nicht tun.«

Er leerte sein Glas. Als er sich schon umdrehen wollte, hielt ich ihn am Arm fest.

»Lassen Sie mich los«, protestierte er wütend.

»Ich bin noch nicht fertig, mein Freund.«

Er wollte sich mir erneut entziehen, doch ich packte noch fester zu. Durch den Mantel hindurch konnte ich seinen drahtigen Arm spüren.

»Lassen Sie mich los!«, kreischte er und zappelte immer heftiger. »Lassen Sie mich in Ruhe, Sie Mistkerl!«

»Was ist hier los?«, fragte die Kellnerin und kam zu uns herüber. »Ich will doch hoffen, dass das nur Spaß ist.«

Ich ließ ihn los.

»Familienangelegenheiten«, behauptete ich und lächelte die Frau so freundlich an, wie es mir nur möglich war. Dann strich ich dem Alten den Mantel glatt und richtete das Revers. »Alles wieder gut.«

Ernest funkelte mich finster an und stürmte hinaus.

Als ich am nächsten Morgen in die Coin Street kam, war Mr. Arrowood nicht gerade erfreut über die Nachricht, dass ich gescheitert war.

»Erzählen Sie mir, was er gesagt hat«, verlangte er.

Er saß in seinem Sessel in dem nun sehr ordentlichen Salon. Ich begann mit meinem Bericht, doch schon nach wenigen Worten flog eines von Etties Gebetsbüchern durch die Luft und wäre mir gegen den Kopf geprallt, wenn ich nicht ausgewichen wäre.

»Nicht letzte Nacht!«, rief er. »Beim ersten Mal! Ich will wissen, wie Ihre erste Begegnung verlaufen ist! Und ich will jedes Wort hören, an das Sie sich erinnern können.«

Ich atmete tief ein und langsam wieder aus. Es gab eines, was ich auf den Tod nicht leiden konnte, und das war, angeschrien zu werden. Das wusste Mr. Arrowood ganz genau. Ich starrte ihn an, wie er da mit rotem Gesicht und aufgequollen in seinem Sessel saß, und er sackte in sich zusammen.

»Ich muss mich entschuldigen, Barnett. Ich hatte Ihnen versprochen, dass ich Sie nie wieder mit meinen Besitztümern bewerfen würde, das weiß ich, aber meine Schwester treibt mich noch in den Wahnsinn. Das ist alles, was ich zu meiner Rechtfertigung sagen kann. Es wird nicht noch einmal vorkommen.«

»Ich bitte darum«, erwiderte ich. »Das war das letzte Mal, ansonsten ramme ich Ihnen dieses Buch so tief in den Rachen, dass Sie Ihre Gebete mit dem Gesäß sprechen können.«

Er blinzelte vor Überraschung mehrmals schnell, fand dann jedoch die Sprache wieder.

»Ich gebe Ihnen mein Wort darauf, Norman. Und jetzt erzählen Sie mir alles«, bat er mich, »und zwar möglichst in seinen Worten, falls es möglich ist.«

Nachdem ich ihm alles von meinen drei Begegnungen mit

dem Spüler berichtet hatte, fragte er noch nach weiteren Details, wollte wissen, wie viel der Mann pisste, wenn er Bier trank, welches Geschenk er von Cream erhalten hatte und wieso sich die Kellnerin und der Droschkenkutscher über ihn amüsiert hatten. Danach saß er eine Weile schweigend da, rauchte seine Pfeife, und wir hörten die Uhr auf dem Kaminsims ticken. Es dauerte einige Zeit, bis er erneut den Mund aufmachte.

»Ich habe einen Plan. Hören Sie mir genau zu.«

Mr. Arrowood saß bereits allein an einem Tisch in der Nähe der Bar und hatte einen Teller voller Austernschalen vor sich stehen, als ich an jenem Abend im White Eagle eintraf. Er trug seinen besten Anzug, hatte seine Haare gekämmt und parfümiert und seine Fingernägel gereinigt. Während er an einem Becher Wein nippte, beäugte er Ernest, der in sich zusammengesunken an der Bar hockte, mit laufender Nase, den verschlissenen Mantel auf den Knien. Der übliche Droschkenkutscher war auch wieder da und unterhielt sich mit der Kellnerin. Einige andere Gäste starrten schweigend in ihre Krüge. Ich marschierte zum Tresen und knallte eine Münze darauf.

»Ein Bier für mich«, bestellte ich bei der Kellnerin, »und für meinen Freund hier, was immer er haben möchte.«

Der alte Mann schrak zusammen, als wäre er gerade aus einem Traum aufgeweckt worden.

»Großer Gott. Nicht Sie schon wieder. Ich sagte Ihnen doch schon, dass ich es nicht tun werde. Und ich will auch nichts von Ihnen spendiert bekommen.«

Ich bezahlte seinen Gin trotzdem und stellte ihn neben mein Bier. Der dicke Wirt kam mit einer Kiste voller Flaschen wieder nach vorn.

»Ernest!«, rief der Droschkenkutscher vom anderen Ende der Bar herüber.

»Was ist?«, fauchte der alte Mann.

»Da steht was über dich in der Zeitung.«

»Was?«

Der Droschkenkutscher hielt das Blatt hoch und zeigte ihm die Schlagzeile: MANN FÄLLT IN ABORT.

Alle in der Bar lachten.

»Ihr könnt mich mal«, knurrte Ernest.

Als die Kellnerin durch die Hintertür hinausging, stürzte er den Inhalt seines Glases hinunter und wandte sich zum Gehen. Ich hielt ihn am Arm fest.

»Lassen Sie mich los!«, rief er, und ein Speichelfaden lief aus seinem Mund auf seine Mantelfront. Sein wollener Ärmel fühlte sich feucht und fettig an. »Ich habe genug von Ihnen!«

»Nur ein Fenster, mein Freund«, flüsterte ich ihm ins haarige Ohr. »Mehr will ich doch gar nicht. Es wird sich auch für Sie lohnen.«

Er wollte mir seinen Arm entziehen, doch ich packte nur noch fester zu.

»Au!«, brüllte er. »Lassen Sie mich los, Sie Mistkerl!«

»Lassen Sie sofort von ihm ab!«, befahl Mr. Arrowood und stand von seinem Tisch auf. »Er möchte nicht mit Ihnen sprechen, Sir.«

»Das geht Sie nichts an«, entgegnete ich. »Setzen Sie sich schön wieder hin, Mister. Wir unterhalten uns hier nur.«

Mr. Arrowood hob seinen Gehstock und ließ ihn mit Schwung auf meinen Unterarm herabfahren. Ich ließ den alten Mann fluchend los. Es schmerzte höllisch, denn er hatte viel fester zugeschlagen, als wir vereinbart hatten, und außerdem denselben Arm anvisiert, den mir der Polizist vor zwei Tagen beinahe gebrochen hätte, obwohl er versprochen hatte, den anderen zu nehmen.

»Also, Sir!«, mahnte Mr. Arrowood. »Wagen Sie es ja nicht, diesen Mann noch einmal zu belästigen.«

Ich wich vor ihm zurück, als würde ich mich fürchten, und verbarg meine Wut.

»Und Sie kommen mit und setzen sich zu mir«, sagte Mr. Arrowood zu Ernest. »Leisten Sie mir Gesellschaft, bis Sie sich wieder beruhigt haben. Das muss ein schlimmer Schreck für Sie gewesen sein.«

»Danke für die Hilfe, Sir«, erwiderte Ernest. »Ich weiß das wirklich zu schätzen, aber ich muss mich jetzt auf den Weg machen, um von diesem Mann wegzukommen.«

»Aber natürlich. Natürlich«, sagte Mr. Arrowood und trat zwischen Ernest und die Tür. »Aber darf ich Sie dennoch bitten, noch einige Augenblicke zu verweilen, Sir? Ich lasse auch nicht zu, dass er in Ihre Nähe kommt. Sie müssen nämlich wissen, dass ich nicht aus dieser Gegend komme, sondern nur für einige Tage zu Besuch bin, und ich kenne mich in diesem Teil der Stadt nicht aus und könnte einen Rat gebrauchen. Ich hatte nämlich überlegt, in ein Geschäft ein Stück die Straße entlang zu investieren.« Er beugte sich näher an den Alten heran und raunte ihm zu: »Die anderen hier scheinen mir nicht besonders helle zu sein, jedenfalls einige von ihnen, aber Sie sehen aus wie ein Mann, der sich auskennt. Oder irre ich mich da, Sir?«

»Nein, da liegen Sie ganz richtig, würde ich behaupten, Sir. Ich lebe und arbeite hier schon das sechzigste Jahr, und es gibt kaum jemanden, der hier so gut Bescheid weiß wie ich. Ich will nur nicht länger in seiner Nähe sein, das ist alles.« Bei diesen Worten ruckte er mit dem Kopf in meine Richtung.

»Ich werde dafür sorgen, dass er Sie nicht länger belästigt«, versprach Mr. Arrowood ihm und führte den alten Mann zu seinem Tisch. »Bitte, setzen Sie sich doch zu mir. Sie würden mir einen großen Gefallen tun.«

»Na gut«, willigte Ernest ein und setzte sich. »Das kann ja nun wirklich nicht schaden.«

Ich wandte ihnen den Rücken zu und nippte an meinem Bier. Einige Minuten lang fragte Mr. Arrowood Ernest nach hiesigen Besonderheiten aus. Wie weit es bis zum West End war, welche Hotels den besten Ruf hatten, wo sich die Theater befanden und all so was. Als die Kellnerin wieder auftauchte, rief er sie an ihren Tisch.

»Noch ein Glas Wein für mich und einen Gin für meinen Freund bitte, Madam.«

»Tja, noch ein Gin wäre wirklich nicht schlecht«, sagte Ernest.

»Ich kann es nicht leiden, wenn andere unter Druck gesetzt werden«, erklärte Mr. Arrowood. »So etwas gefällt mir gar nicht. Kerle wie er haben nicht das Recht, einen hart arbeitenden Mann wie Sie zu belästigen. Ich vermute doch, dass Sie direkt von der Arbeit kommen, nicht wahr?«

»Ja, ich bin auf direktem Weg hierhergekommen.«

»Und wo arbeiten Sie, Sir?«

»Im Barrel of Beef. Es liegt an der Waterloo Road, falls Ihnen das was sagt.«

»Ah! Ich bin schon einmal dort gewesen. Ein wirklich sehr schönes Lokal, in der Tat. Meiner Ansicht nach einer der besten Orte in der Stadt, um gut zu speisen, jedenfalls habe ich das so gehört.«

»Ich arbeite da in der Küche«, sagte Ernest und stürzte seinen Gin herunter. »Seit ungefähr zehn Jahren jetzt schon.«

»Zehn Jahre! Ihr Arbeitgeber muss sehr zufrieden mit Ihnen sein.«

»Ja, das ist er. Mr. Cream ist sein Name. Er ist ein reicher

Mann, einer der reichsten hier in der Gegend, das können Sie mir glauben.«

»Mir gehört ein Hotel in Gloucester«, behauptete Mr. Arrowood laut. »Zwanzig Zimmer. Ich habe dort einen Mann wie Sie, der von Anfang an für mich gearbeitet hat. Sie können mir glauben, dass ich eher alle anderen entlassen würde, bevor ich es riskiere, ihn zu verlieren. Er kommt nie zu spät und hat noch keinen einzigen Tag gefehlt, wenn er nicht gerade krank war. Gehe ich recht in der Annahme, dass man dasselbe über Sie sagen kann?«

»Ja, Sir. Ich habe auch noch keinen Tag gefehlt.«

»Ich wusste es. Man kann einen guten Mann eben doch an seinen Augen erkennen, und mir war das schon seit dem ersten Augenblick unseres Gesprächs klar. Hören Sie, mein Freund, ich gedachte, mir noch mehr Austern zu bestellen. Kann ich Sie vielleicht davon überzeugen, ebenfalls einen Teller zu essen?«

Nachdem die Austern und weitere Getränke bestellt worden waren, kam Mr. Arrowood zum Thema zurück.

»Nein, ich mag es wirklich nicht, wenn ein Mann unter Druck gesetzt wird. Manch einer hält sich für etwas Besseres, nur weil er jünger oder kräftiger ist. Aber er kann nicht ins Innere eines Menschen blicken. Er sieht nicht die Altersweisheit. Wenn ich sehe, wie ein jüngerer Mann einen älteren belästigt, möchte ich ihm am liebsten den Arm brechen. Das macht mich so wütend.«

»Genau so sehe ich das auch, Sir.«

»Mir kam da gerade eine Idee. Sie würden nicht vielleicht nach Gloucester kommen und für mich arbeiten? Ich gebe Ihnen eine gute Stelle und zahle ein Gehalt, mit dem Sie sehr zufrieden wären. Ich bräuchte noch einen weiteren Mann, dem ich vertrauen kann.«

»Nun ja …«

»Aber natürlich«, unterbrach Mr. Arrowood ihn. »Sie würden Ihren Arbeitgeber niemals im Stich lassen. So ein Mann sind Sie nicht. Nein, nein. Ich hätte das gar nicht fragen dürfen. Bitte entschuldigen Sie, dass ich das Thema überhaupt angesprochen habe. Ah!« Mr. Arrowood keuchte auf und umklammerte sein linkes Bein. »Verflixt! Oh, dieses Knie bereitet mir solche Höllenqualen. In letzter Zeit scheinen all meine Gelenke nur noch zu schmerzen. Es ist keine Freude, alt zu werden, nicht wahr, mein Freund?«

»Nein, Sir«, stimmte Ernest ihm zu. »Ich muss neuerdings sechs oder sieben Mal pro Nacht auf den Topf. Und wenn ich aufwache, bin ich müder als beim Zubettgehen. Das Alter tut dem Körper nicht gut, so viel steht fest.«

»Ach, das klingt aber unangenehm.« Mr. Arrowood schüttelte mitfühlend den Kopf. »Das muss die reinste Qual für Sie sein.«

»Das ist es, Sir. Aber ich will mich nicht beschweren.«

»Sie sehen auch nicht aus wie ein Mann, der sich beschwert. Mir ist aufgefallen, dass Sie sich den Rücken gehalten haben, als Sie hier hereingekommen sind. Bereitet er Ihnen auch Probleme?«

»Ich habe ständig Schmerzen. Opiumessig hilft zwar, aber davon werde ich so müde. Trotzdem muss ich ihn recht häufig nehmen, wie ich zugeben muss.«

»Ich lasse einen Mann, der unter Schmerzen leidet, nicht arbeiten. Mein Mann, den ich bereits erwähnte, leidet ebenfalls unter Rückenschmerzen. Wenn ich sehe, dass sie ihm zu schaffen machen, schicke ich ihn wieder ins Bett. Aber seinen Lohn bekommt er natürlich trotzdem. Das ist eine Frage des Prinzips. Wir werden schließlich alle irgendwann alt. Gehe ich recht in der Annahme, dass es Ihr Arbeitgeber genauso hält?«

»Nein, leider nicht. Er erwartet von mir, dass ich arbeite, selbst wenn ich Schmerzen habe.«

»Was? Und das bei einem treuen Mann wie Ihnen?«

»Ja, Sir.«

Mr. Arrowood schüttelte den Kopf. »Ich muss zugeben, dass mich das überrascht.«

Die Austern und Getränke wurden an den Tisch gebracht, und einige Minuten lang herrschte Schweigen. Schließlich ergriff Mr. Arrowood wieder das Wort.

»Und wie viel bezahlt Ihnen dieser Mr. Cream, wenn Sie mir die Frage erlauben, Sir?«

Während Ernest antwortete, hob Mr. Arrowood sein Glas an die Lippen.

»Ich bekomme sechs Schillinge die Woche.«

Mr. Arrowood verschluckte sich an seinem Getränk und spuckte etwas davon auf den Tisch. Er griff sich hustend und keuchend an die Brust und schüttelte den Kopf.

»Das kann doch nicht wahr sein!«, rief er mit rechtschaffener Wut im Gesicht. »Sechs Schillinge für einen treuen, hart arbeitenden Mann wie Sie? Das ist doch unerhört!«

Ernest nickte.

»Sie, der im Leben noch keinen Tag aufgrund von Krankheit gefehlt hat? Der trotz ständiger Schmerzen arbeitet? Den seine Blase fünf Mal die Nacht aus dem Bett treibt? Sechs Schillinge jede Woche?«

Ernest nickte erneut.

»Ich verliere langsam den Respekt vor diesem Mr. Cream, Ernest. Das tue ich wirklich. Ich gebe es nur ungern zu, da Sie ihm so treu ergeben zu sein scheinen, aber es macht auf mich beinahe den Eindruck, dass dieser Gentleman Sie sehr schlecht behandelt. Bekommen Sie denn wenigstens jedes Jahr eine Gehaltserhöhung?«

»Ich habe noch nie eine bekommen, Sir.«

Mr. Arrowood starrte ihn mit offenem Mund an. Ernest machte ein betretenes Gesicht, kratzte sich im Schritt und trank seinen Gin aus.

»Was, nicht ein Mal in zehn Jahren?«, hakte Mr. Arrowood nach.

»Noch nie, Sir. Jetzt, wo Sie es erwähnen, habe ich allerdings auch das Gefühl, dass längst eine fällig gewesen wäre.«

»Und nicht nur eine, mein Freund. Ich kann es wirklich nicht glauben. Wie sieht es denn mit freien Tagen aus?«

Ein weiteres Mal konnte Ernest nur den Kopf schütteln.

»Damit Sie Ihre Familie besuchen können?«

»Ich habe keine Familie.«

»Dann ist es ja kein Wunder, dass Ihnen Ihr Rücken zu schaffen macht. Sie bekommen nie einen Tag frei?«

»Er sollte mir wirklich hin und wieder mal einen freien Tag geben, nicht wahr?«

»Seinetwegen werden Sie noch ganz krank.«

Mr. Arrowood bestellte erneut Getränke für sie beide. Als die Gläser gebracht wurden, trank er einen großen Schluck und wischte sich den Mund ab.

»Mein Mann bekommt einen halben Sovereign die Woche. Für dieselbe Arbeit, die auch Sie leisten. Ich gebe ihm jedes Jahr einen Penny mehr. Er bekommt jeden Monat zwei Tage frei. Ich hoffe, Sie nehmen mir meine Worte nicht übel, Ernest, aber ich bin der Ansicht, ebenso wie auch viele andere Arbeitgeber, dass jeder Mann Respekt verdient hat. Wenn ein Geschäftsmann guten Profit macht, dann muss er seine besten Arbeiter auch anständig behandeln. Ich würde sogar so weit gehen zu behaupten, dass Sie ausgenutzt werden.«

»Dieser Gedanke ist mir auch gerade gekommen, Sir.«

Mr. Arrowood nickte und musterte den alten Mann freundlich.

»Trinken Sie Ihr Glas aus. Ich bestelle noch etwas. Es ist mir eine große Freude, mich mit Ihnen unterhalten zu können, mein Freund.«

Die nächste Runde wurde gebracht. »Bitte vergeben Sie mir meine offenen Worte, Sir«, sagte Mr. Arrowood, »aber ich kann einfach nicht anders. Ich hoffe doch, ich bin Ihnen nicht zu nahe getreten?«

»Wenn Sie sagen, dass es so ist, dann muss es wohl stimmen, Sir«, erwiderte Ernest, dessen Zunge nach den drei schnell heruntergestürzten Gins lockerer geworden war. »Sie sind ein Gentleman und ein Geschäftsmann, und Sie wissen Bescheid, soweit ich es erkennen kann. Ehrlich gesagt hatte ich selbst schon manchmal das Gefühl, dass er mich nicht gut behandelt, Sir. So geht es mir nun schon seit einiger Zeit. Er lässt es zu, dass sich seine Männer über mich lustig machen, weil ich alt und schwach bin. Einer von ihnen ist der Schlimmste. Er heißt Long Lenny. Den würde ich nur zu gern im Fluss schwimmen sehen, muss ich Ihnen gestehen.«

»Ich wusste es«, erwiderte Mr. Arrowood und schlug mit einer Hand fest auf den Tisch. »Ihre Treue hat Sie bisher daran gehindert, mir das alles anzuvertrauen. Aber ich habe gleich gespürt, dass da noch etwas in Ihnen brodelt.«

Ich hörte, wie der alte Mann gleichzeitig seufzte und keuchte. Mr. Arrowood senkte die Stimme.

»Was wollte dieser Gauner an der Bar von Ihnen, mein Freund? Hatte er etwa vor, Sie zu berauben?«

»Nein. Er wollte mich vielmehr zu einem Streich anstiften.« Ernest war inzwischen ziemlich betrunken und konnte nicht mehr besonders deutlich sprechen. »Er wollte in den Pub einbrechen. Ich sollte nachts ein Fenster offen lassen, ein

Fenster aufmachen. Ja, ganz genau, und er hat mir eine halbe Krone dafür angeboten, jawohl.«

»Dann ist er also ein Einbrecher?«, flüsterte Mr. Arrowood so leise, dass ich ihn kaum noch verstehen konnte.

»Sieht ganz danach aus. Ich habe abgelehnt, aber er hat mich wieder und wieder gefragt. Er will mich einfach nicht in Ruhe lassen.«

»Sehen Sie, was habe ich Ihnen gesagt? Sie sind genau die Art von Mann, die ein Arbeitgeber schätzen sollte.«

»Davon merke ich jedoch nicht viel, wie es den Anschein hat«, murmelte Ernest und rülpste.

»Ich muss Ihnen gestehen, mein Freund, dass sich das alles für mich so anhört, als hätte Mr. Cream es verdient, ausgeraubt zu werden, weil er Sie so behandelt. Möge der Herr mir meine offenen Worte vergeben. Bedenken Sie nur, wie viel Geld er dort verdienen muss, und doch haben Sie in zehn Jahren keine Gehaltserhöhung bekommen! Meiner Meinung nach hätten Sie nach all dem einen Bonus verdient, immerhin leidet Ihr Körper sehr unter der großen Belastung.«

»Da haben Sie völlig recht. Meine Schmerzen sind ziemlich stark, Sir, das kann ich nicht leugnen.«

»Was sagten Sie, wie viel Geld er Ihnen angeboten hat?«

»Eine halbe Krone.«

»Verlangen Sie eine ganze.«

Ernest holte tief Luft und stützte sich auf den Tisch. Er schmatzte mit den Lippen und fuhr sich mit der Zunge über die abgebrochenen Zähne. Es sah nicht so aus, als wäre er überhaupt dazu in der Lage, einen Ton herauszubringen.

»Das haben Sie sich nach all den Jahren mehr als verdient«, fuhr Mr. Arrowood fort. »Vor allem, wenn man bedenkt, wie dieser Mann Sie ausgenutzt hat. Ihr Rücken ist von der vielen Schufterei beinahe ruiniert. Außerdem ist es doch keine große

Sache, ein Fenster offen zu lassen. Niemand wird es erfahren. Wie sieht es aus, soll ich diesen Mann an unseren Tisch rufen?«

Der alte Mann stieß erneut einen Rülpser aus. »Autsch. Entschuldigen Sie, Sir, aber manchmal kommen sie einfach wie aus dem Nichts. Aber Sie ... Sie denken ... es wäre richtig, das mit dem Fenster?«

»Das wäre das Richtigste auf der Welt. Glauben Sie mir. Ich gebe Ihnen diesen Rat als Geschäftsmann. Wenn etwas richtig ist, dann lässt sich das nicht wegreden.«

»Ich schätze, da haben Sie recht.«

Mr. Arrowood stand auf und knöpfte seinen Mantel zu, bevor er dem Mann die Hand schüttelte.

»Meine Knie schmerzen leider derart, dass ich mich jetzt zurückziehen muss, mein Freund. Es war mir eine Ehre, einen so aufrichtigen und hart arbeitenden Mann kennenzulernen, das kann ich nicht anders sagen. Diese Unterhaltung hat mich sehr erfreut. Sollten Sie je nach Gloucester kommen, suchen Sie mich bitte auf. Dann können wir zusammen etwas essen gehen.«

»Ich ...«

»Ja, in der Tat. Es wäre schön, Sie wiederzusehen. Und jetzt sehen Sie her.« Er durchquerte den Raum und tippte mir mit einem Ende seines Gehstocks auf den Rücken. Ich drehte mich um. »Der Preis ist eine Krone, Sie Schuft. Keinen Penny weniger, haben Sie verstanden? Mein Freund dort am Tisch wird tun, was Sie verlangen, aber er will das Geld auf der Stelle.«

»Ja, Sir«, sagte ich. Als ich die Münze aus der Tasche zog, zuckte mir ein heftiger Schmerz durch den Arm. Fluchend trat ich an den Tisch und drückte Ernest die Krone in die gerötete Hand.

»Er wird es morgen Nacht machen«, fuhr Mr. Arrowood fort. »Welches Fenster, mein Freund?«

Ernest blinzelte.

»Welches Fenster?«, knurrte ich.

»Das auf dem Hof ganz an der Seite«, sprudelte es aus Ernest hinaus. »Das kleine direkt neben der Küchentür.«

»Wie klein?«

»Ich schätze, ein Junge würde durchpassen.«

»Ich werde morgen Abend wieder hier sein«, teilte Mr. Arrowood mir mit. »Sollte ich erfahren, dass Sie meinem Freund das Geld wieder abgenommen haben, dann werde ich Sie zur Rede stellen, haben Sie mich verstanden?«

Ich blickte zu Boden, als hätte ich Angst vor ihm, und zog den Hut ein Stück nach unten.

»Gute Nacht, Sir«, sagte Mr. Arrowood und stolperte in die Nacht hinaus.

12

Am nächsten Abend, als alle Pubs und Bierschenken geschlossen hatten und die Menschen ohne Unterkunft in den Gassen unter alten Lumpen lagen und schnarchten und nur noch gelegentlich Hansoms durch die Straßen fuhren, machten wir uns auf den Weg zum Beef. Es war drei Stunden vor Sonnenaufgang. Hinter uns stolperte der kleine Neddy müde über die Pflastersteine. Wir redeten unterwegs nicht viel; dies würde nach vier Jahren das erste Mal sein, dass wir diesen Ort wieder aufsuchten. Ich betrat die Gasse, die hinter dem Haus verlief, in der Nähe des Hintereingangs und versteckte mich so, dass ich die Fenster gut im Blick hatte. Derweil ging Mr. Arrowood mit Neddy die Vorderseite überprüfen.

Im Gebäude war es dunkel, und es drang kein Ton heraus. Als ich mir sicher war, dass sich niemand mehr darin aufhielt, machte ich mich auf die Suche nach den anderen. Wir schlichen die schmale Gasse am Gebäude entlang, bis wir das Tor entdeckt hatten. Ratten huschten von dannen, sobald wir den kleinen Hof betraten. Der Boden war übersät mit Gemüseabfällen, die aus den überquellenden Mülltonnen gefallen waren. In der Mitte des Hofs befand sich ein Kanalgitter, und der Gestank ließ erahnen, dass sich hier die Küchenangestellten erleichterten.

Neben einer schweren Eichentür entdeckten wir das fragliche Fenster, das ich im Nullkommanichts geöffnet hatte.

Neddy stand zitternd neben dem Gitter.

»Ist dir kalt, Junge?«, fragte ich, so leise ich konnte.

»Nur ein bisschen.«

»Dann hast du Angst?«

»Ich habe noch nie bei einem Raub mitgemacht.«

»Dies ist kein Raub, Neddy. Wir wollen nichts stehlen, wir suchen nur nach Hinweisen.«

»Ich weiß das, aber die Polizei wird etwas anderes denken, nicht wahr?«

»Hör mir jetzt gut zu, Neddy, Schatz«, flüsterte Mr. Arrowood, der sich auf eine Stufe setzte und den Jungen bei den Schultern nahm. Seine leise Stimme klang beruhigend. »Du bist ein tapferer Junge, das weiß ich ganz genau. Ich konnte schon bei unserer ersten Begegnung erkennen, dass du etwas ganz Besonderes bist. Das habe ich auch zu Mr. Barnett gesagt. Ich sagte: ›Dieser Junge wird es noch weit bringen.‹ Aus diesem Grund bringen wir dir auch bei, wie man ein guter Privatdetektiv wird.«

»Ich weiß, Sir.«

»So ist es richtig. Es wird nur eine Minute dauern, vielleicht zwei, und dann bist du auch schon wieder draußen. Wir heben dich hoch. Wenn du im Haus bist, öffnest du uns die Tür. Sie ist oben und unten mit Bolzen verschlossen. Stell dich auf einen Stuhl, wenn du nicht herankommst. Sobald du die Tür geöffnet hast, kommst du sofort wieder heraus.«

»Was ist, wenn noch jemand drin ist?« Neddy trat von einem Fuß auf den anderen. Ich bemerkte, dass er einen schwarzen und einen braunen Stiefel trug, die ihm beide viel zu groß waren – sie hätten einem Mann gepasst.

»Es ist niemand mehr da. Sieh doch, nirgendwo brennt Licht.«

weiter zur Treppe. Die unterste Stufe knarrte laut. Ich erstarrte, und Mr. Arrowood zupfte von hinten an meinem Mantel. Falls sich noch jemand im Haus aufhielt, hatte er uns garantiert gehört. Als oben alles ruhig blieb, ging ich weiter, und wir erklommen die Treppe so leise wie möglich. Im ersten Stock stießen wir auf einen großen Speiseraum mit langen Tischen und zahlreichen Stühlen sowie zwei kleineren Privaträumen am Ende des Flurs. Alles war still und dunkel. Eine Etage höher erwartete uns dasselbe Bild. Die Stufen, die weiter nach oben führten, waren durch eine dicke grüne Tür mit einem Fenster in der Mitte versperrt. Ich zückte meinen Dietrich und hatte sie in nicht einmal einer Minute geöffnet. Bevor wir das oberste Stockwerk betraten, verharrten wir erneut und lauschten. Mr. Arrowood keuchte vom Treppensteigen, und auch ich atmete schneller. Von oben war nichts zu hören.

Im obersten Stockwerk befand sich ein Spielzimmer mit einem langen Hazard-Tisch in der Mitte, einem Roulettetisch sowie mehreren kleineren Kartentischen, die im Raum verteilt standen. Entlang einer Wand verlief eine Bar. Während sich Mr. Arrowood umschaute, ging ich zum Fenster und blickte nach unten. Es hatte angefangen zu regnen, und Neddy hockte auf der anderen Straßenseite vor der Tür eines Geschäfts. Er hatte seine Kappe tief ins Gesicht gezogen und die Arme um die Knie geschlungen. Ansonsten war die Straße leer.

Creams Büro befand sich im hinteren Teil des Gebäudes. Mithilfe des Dietrichs hatte ich auch diese Tür schnell geöffnet.

»Sie haben sehr geschickte Finger, Norman«, flüsterte Mr. Arrowood.

Wir lauschten erneut auf Geräusche von unten und traten dann ein.

Mr. Arrowood schwenkte seine Kerze langsam durch den Raum. Vor dem hinteren Fenster stand ein schwerer Schreibtisch, an der Wand daneben war ein Safe neben einem Aktenschrank zu sehen, und gegenüber befand sich ein zweiter, kleinerer Schreibtisch. Im Bücherregal standen zahlreiche Bestandsbücher.

»Wo fangen wir an?«, wollte ich wissen und entzündete nun ebenfalls meine Kerze. Wir mussten uns beeilen. Wenn Creams Männer zurückkamen, solange wir uns noch hier oben aufhielten, säßen wir in der Falle.

»Ich übernehme den Schreibtisch«, erwiderte er. »Sehen Sie sich den Inhalt des Schranks an. Achten Sie auf alles Ungewöhnliche, das etwa zur Zeit von Thierrys Verschwinden notiert wurde. Oder auf Namen, die Sie erkennen, Verbindungen nach Irland sowie alles, was mit Gewehren zu tun hat.«

Sowohl der Schrank als auch der Schreibtisch ließen sich leicht öffnen. Ich hatte das Schlösserknacken als Junge von meinem Onkel Norbert gelernt, der Schlosser gewesen war und mich bei sich hatte einstellen wollen. Doch dann fiel er eines Nachts zwischen zwei Frachtkähne und starb. Angeblich war er betrunken gewesen, und es gab für mich keinen Grund, daran zu zweifeln. Am Gericht hatte ich diese Fähigkeiten nie einsetzen können, aber sie machten mich zu einem umso nützlicheren Assistenten für Mr. Arrowood, solange die Schlösser nicht zu kompliziert waren. Teure Schlösser wie die an den Außentüren des Beef waren zu komplex für mich, aber mit den kleineren und älteren kam ich meist gut zurecht.

Im Schrank standen Hauptbücher, die Jahre zurückreichten. Ich ging sie rasch durch. Dabei handelte es sich um nichts weiter als Geschäftsbücher für das Beef und Creams andere Unternehmen. Getätigte Zahlungen, Rechnungen, aber nichts, was uns weiterhalf.

Mr. Arrowood saß am Schreibtisch und hatte ein dickes rotes Notizbuch vor sich auf dem Tisch liegen, aus dem er Informationen in sein eigenes übertrug. Jedes Knarren und Kratzen und jeder Windstoß ließen uns erstarren, da wir jederzeit damit rechneten, dass Creams Männer unten eintrafen. Ich versuchte es mit dem Safe, auch wenn ich mir sicher war, dass ich ihn nicht aufbekommen konnte. Diese Kunst hatte mir Norbert nicht beigebracht, und so machte ich mit den Regalen weiter.

Auf einmal hörten wir unten Glas zersplittern.

»Zeit zu gehen«, zischte Mr. Arrowood.

Wir verließen das Büro augenblicklich. Am obersten Treppenabsatz blieben wir stehen und spitzten die Ohren. Von unten drang kein Geräusch herauf. Wir schlichen hinab und achteten darauf, die Füße auf den Rand der Stufen zu stellen, damit diese nicht knarrten. Am nächsten Treppenabsatz verharrten wir erneut.

Jetzt konnten wir sie hören, die gedämpften Geräusche von Männern, die sich weiter unten unterhielten, und etwas Schweres, das über den Boden schleifte. Wir warteten, Mr. Arrowood versuchte, sein Keuchen in den Griff zu bekommen, und mein Herzschlag dröhnte wie Hammerschläge in meinen Ohren.

»Verstecken?«, flüsterte ich ihm zu.

»Wir müssen hier raus«, raunte er mir leise ins Ohr.

Ich wusste, dass er recht hatte. Creams Männer waren mit Messern und Pistolen bewaffnet. Wenn sie uns entdeckten, waren wir geliefert.

Die Männer schienen immer wieder hinauszugehen und hereinzukommen. Erneut schleifte etwas über den Boden. Mr. Arrowood stieß mich an, und wir schlichen weiter nach unten in die nächste Etage. Nun drangen die Geräusche lauter an unsere Ohren.

Wieder warteten wir. Mr. Arrowood nahm meine Hand und deutete auf eines der privaten Speisezimmer weiter hinten.

»Dort rein«, flüsterte er.

Bevor wir Zeit hatten, uns zu verstecken, ertönte unten ein Schrei, gefolgt vom Donnern schwerer Stiefel, die aus dem Haus und auf die Straße rannten.

Wir nutzten die Gelegenheit und liefen rasch nach unten, durch die Küche und in die Gasse, in der wir die Richtung einschlugen, die uns vom Eingang des Beef wegführte. Mr. Arrowood konnte in seinen Schuhen und ob seines Gewichts nicht so gut rennen, daher verlangsamten wir unseren Schritt, sobald wir das Ende der Gasse erreicht hatten und davon überzeugt waren, dass uns niemand folgte, um durch die Straßen hinter dem Beef und weiter zur Waterloo Road zu marschieren. Der Regen hatte inzwischen zugenommen, der Mond war hinter den Wolken verschwunden, und in den Straßen konnte man nicht die Hand vor Augen sehen. Wir bahnten uns den Weg durch die Gassen auf der Nordseite, bis wir ein Stück vom Pub entfernt wieder auf der Straße erschienen. Dort verbargen wir uns hinter dem Geröll eines halb zerstörten Gebäudes.

Vor dem Beef stand Creams Landauer, und der Kutscher hatte unter einem Türsturz Zuflucht gesucht und rauchte. Daneben hatte der Wagen eines Böttchers angehalten, auf dem sich Fässer sowie einige lange Kisten stapelten. Eine klapprige Mähre stand davor und wurde vom Regen ganz durchnässt, während sie den Kopf erbärmlich hängen ließ, als wäre sie der Ansicht, sie sei zu alt, um sich so spät noch draußen aufzuhalten. Die Tür des Beef stand offen, und wir konnten leise Männerstimmen im Haus hören. Schwaches Licht fiel auf die Straße.

»Das war ja ein Spaß«, flüsterte mir Mr. Arrowood zu, sobald er wieder normal atmen konnte.

»Wir hatten großes Glück«, erwiderte ich.

Ich rutschte ein wenig herum, damit ich es auf dem Haufen nasser Ziegelsteine etwas bequemer hatte. Mein Rücken schmerzte an der Stelle, an der mich der Polizist geschlagen hatte, und ich hoffte darauf, dass Mr. Arrowood diese Mission für beendet erklären würde, damit ich nach Hause und ins Bett konnte. Etwa zehn Minuten lang geschah rein gar nichts.

»Sagen Sie mal, Barnett«, flüsterte er und ließ sich ebenfalls auf einem Steinhaufen nieder. Der Regen tropfte von seiner Hutkrempe herunter. »Was haben Sie gedacht, als Miss Cousture vorschlug, wir sollen ins Beef einbrechen?«

»Ich war überrascht, dass eine Dame wie sie so etwas überhaupt in Erwägung zieht.«

»Miss Cousture besitzt erstaunlich harte Charakterzüge, finden Sie nicht auch? Ich wüsste zu gern, wie sie auf diese Idee gekommen ist.«

»Vermutlich in einem dieser Groschen-Schauerheftchen«, vermutete ich.

Er wollte schon etwas erwidern, als drei Männer aus der Tür kamen. Einer von ihnen war Cream, der einen Regenschirm in der Hand hielt. Er nahm seinen Hut ab, glättete sein Haar und setzte ihn wieder auf. Hinter ihm stand Long Lenny, den ich während meiner Observierung des Beef im Betsy-Fall des Öfteren gesehen hatte. Den anderen Mann kannte ich nicht. Er hatte sich gut vor dem Regen geschützt, einen Schal vor das Gesicht gebunden und seine schwarze Kappe tief in die Stirn gezogen. Dieser Mann sprang hinten auf den Wagen und drückte die Deckel wieder auf die Fässer, was jedes Mal ein lautes Klicken erzeugte, das weit durch die Luft hallte.

Cream stieg in seinen Landauer, und die Pferde setzten sich in Bewegung. Nachdem die Kutsche verschwunden war, zogen die beiden Männer eine der langen Kisten vom anderen Wagen und trugen sie ins Haus. Sie kamen wieder heraus und schleppten auch die zweite hinein, um kurz darauf mit einer schweren Truhe wieder aufzutauchen, die sie neben die Fässer auf den Wagen stellten. Der Mann mit dem Schal sprach kurz mit Lenny, stieg dann auf den Wagen und fuhr davon. Lenny verschwand im Beef.

Wir warteten noch einige Zeit, ob Lenny wieder abhauen und wir erneut hineingehen konnten. Es regnete unaufhörlich, und die Straße hatte sich in eine Fläche aus Pfützen und Schlamm verwandelt. Wasser strömte aus dem verstopften Rinnstein und lief an den Mauern der Gebäude um uns herum herunter. Unsere Kleidung war völlig durchnässt. Nach einer halben Stunde stieß mich Mr. Arrowood mit dem Ellenbogen an und deutete auf ein Fenster im ersten Stock, in dem ein apfelgroßes Loch prangte, von dem aus sich spinnennetzartig Risse über die Scheibe ausbreiteten.

»So ein guter Junge«, sagte er. »Dafür werde ich ihm noch einen Schilling geben. Haben Sie in den Büchern etwas entdecken können?«

»Leider nicht.«

»Ich habe im Notizbuch möglicherweise etwas Hilfreiches gefunden.«

Während er das sagte, trat eine dunkle Gestalt ein Stück weiter die Straße entlang aus einer Tür und kam schnellen Schrittes durch den Regen auf uns zu. Ich drückte Mr. Arrowoods Kopf hinter den Steinhaufen. Als der Mann an uns vorbeigegangen war, spähte ich ihm hinterher.

Zuerst glaubte ich, ich hätte mich aufgrund der Dunkelheit und der Tatsache, dass er sich die Mütze so weit ins Gesicht gezogen hatte, geirrt, aber sein selbstsicherer Gang verriet mir, dass es sich um denselben Mann handelte. In mir stieg heiße Wut auf, als ich mich daran erinnerte, wie er mit lodernden Augen über mir gestanden und mich mit seinem Knüppel geschlagen hatte, ohne dass mir Zeit geblieben war, mich zu wehren. Wie gern hätte ich diesem Polizisten die große, schmerzhafte Prellung vergolten, die sich wie eine Brandwunde auf meinem Rücken abzeichnete und die mich nachts nicht schlafen ließ.

Ich zückte meinen Totschläger und stand auf. Doch als ich einen Schritt machte und zum Angriff übergehen wollte, traf mich plötzlich ein heftiger Schlag auf den Oberschenkel, und ich schrie überrascht auf. Sofort taumelte ich hinter die spitzen Steine zurück, während sich mein Bein immer tauber anfühlte und mir speiübel wurde.

Die Schritte des Polizisten hallten durch die Nacht, als er die Flucht ergriff. Mr. Arrowood stand über mir und hatte ein altes Rohrstück in einer Hand.

»Tut mir sehr leid, Barnett, aber das wäre wirklich keine gute Idee gewesen.«

Ich knirschte mit den Zähnen und rieb mir das Bein, bis es sich wieder halbwegs normal anfühlte.

»Ist alles in Ordnung?«, erkundigte er sich und warf das Rohr weg. »Soll ich einen Hansom rufen?«

»Wenn Sie so etwas noch einmal tun, schlage ich Ihnen die Zähne aus, Mr. Arrowood, darauf können Sie sich verlassen.«

»Das verstehe ich, Norman.«

Ich ließ mir von ihm aufhelfen, und wir wankten über die Straße, bis wir eine der wenigen Kutschen entdeckten, die so früh am Morgen bereits unterwegs waren. Die Kirchenglocken schlugen gerade vier Uhr.

»Würde es Ihnen etwas ausmachen, wenn er mich zuerst absetzt?«, fragte Mr. Arrowood leise, als wir uns gesetzt hatten. »Mein Zipperlein, Sie verstehen.«

»Ihr Zipperlein ist mir momentan ziemlich gleichgültig«, entgegnete ich, beugte mich vor und nannte dem Kutscher meine Adresse.

13

Am folgenden Nachmittag traf ich im Salon auf Ettie, die sechs Damen zu Besuch hatte. Sie saßen auf Stühlen, die aus dem Laden herübergeholt worden waren, und hatten jeweils eine Tasse Tee in der Hand. Die Kühle war endlich aus der Luft verschwunden und von Schwüle ersetzt worden. Das Fenster stand weit offen.

»Darf ich Ihnen die Damen der London Mission vorstellen, Mr. Barnett?«, begrüßte mich Ettie. »Mrs. Boothroyd, Miss Crosby, Mrs. Campbell, Mrs. Dewitt, Miss James und unsere Organisatorin Mrs. Truelove.«

Ich nickte den Damen freundlich zu.

»Ich habe schon viel über Ihr gutes Werk gehört«, sagte ich.

»Wir sind Instrumente des Herrn, Mr. Barnett«, erwiderte Mrs. Truelove, die den Kopf leicht schräg legte und faszinierend schimmernde Augen besaß. »Dafür gebührt uns kein Lob. Es gibt noch so viel zu tun.«

»Haben Sie Mrs. Barnett meine Einladung überbracht?«, fragte Ettie.

»Sie ist momentan leider ein wenig unpässlich.«

»Ach herrje. Hoffentlich nichts Ernstes.«

»Danke für Ihre Besorgnis, Miss Arrowood.«

»Bitte richten Sie ihr meine aufrichtigen Genesungswünsche aus.«

Ich nickte. Sämtliche Damen beäugten mich, wie ich mit dem Hut in der Hand vor der Tür stand.

»Er ist oben«, teilte mir Ettie endlich mit.

Mr. Arrowood lag auf seinem Bett, hatte die Weste aufgeknöpft, und ein dicker roter Zeh ragte aus einem Loch in seiner gelben Socke heraus. Sein Glatzkopf war von der Hitze rot angelaufen und schweißüberströmt. Er hatte ein Buch in der Hand.

»Sie haben mich rausgeworfen«, beschwerte er sich. »Aber ihr Gegacker dringt sogar durch die Bodendielen.«

»Sie wollen doch nur etwas Gutes tun.«

»Das tun sie auch, Barnett. Verstehen Sie mich nicht falsch. Ich bin nur erbost, dass ich an diesem Nachmittag noch keine Tasse Tee trinken konnte.«

Ich setzte mich auf das andere Bett. Der Vorhang, der die beiden Betten normalerweise voneinander trennte, war aufgezogen und an der Wand befestigt worden. Das kleine Fenster zur Gasse gab den Blick auf eine von Ruß geschwärzte Ziegelwand frei. Es kam nicht einmal eine Brise herein, um die Hitze etwas erträglicher zu machen.

Mr. Arrowood deutete auf ein Tablett, das auf der Truhe stand.

»Ich habe auch etwas für Sie gekauft. Haben Sie schon gegessen?«

Ich schüttelte den Kopf.

»Gut. Dann essen wir zusammen. Na los, greifen Sie zu.«

Es gab eine dicke Scheibe Schinken, ein Paket mit noch warmen Kartoffeln, einen schönen Laib Brot und ein halbes Pfund Käse. Ich füllte mir einen Teller und setzte mich erneut aufs Bett. Er stand mit einem Grunzen auf und tat es mir nach.

Wir aßen und lauschten den Fetzen der Diskussion, die zu uns heraufdrangen. Ich nahm mir noch etwas Schinken und verspeiste ihn genüsslich. Er schmeckte köstlich, und ich hatte schon seit einer Weile nichts so Gutes mehr gegessen. Mir war auch bewusst, dass es Mr. Arrowoods Art war, sich zu entschuldigen. Seine Entschuldigungen wurden immer in Form von Schinken ausgesprochen.

»Wussten Sie, dass wir als Kinder eine Haushälterin hatten?«, fragte er mich mit vollem Mund und mit einem feuchten Brotkrümel am Kinn. »Es wäre für meine Mutter nicht schicklich gewesen, sich um den Haushalt zu kümmern. Am liebsten würde ich wieder eine einstellen, aber ich vermute, dass diese Zeiten für mich vorbei sind. Gehe ich recht in der Annahme, dass Sie nie eine Haushälterin hatten, Barnett?«

»Meine Mutter war die Haushälterin von jemand anderem.«

»Ach ja, das haben Sie mir schon mal erzählt.«

Ja, das hatte ich ihm erzählt. Allerdings hatte ich verschwiegen, dass sie nur so lange als Haushälterin gearbeitet hatte, bis ihr Arbeitgeber, der alte Dodds, verstarb. Danach konnte sie keine neue Stelle mehr finden, denn wer nahm schon so eine hässliche Dienerin bei sich auf, deren Gesicht auf der einen Seite völlig verbrannt war und aussah wie ein Pfund rohe Leber? Und wer hatte ihr Gesicht jeden Abend an den Kochtopf gehalten, wenn nicht der alte Mr. Dodds höchstpersönlich. Ich war etwa zehn Jahre alt gewesen, als wir nach Weavers Court in Bermondsey zogen, und das war ein großer Schock für uns beide. Da ich für mein Alter sehr groß war, lernte ich schnell, wie die Dinge auf diesem stinkenden Hof liefen. Ich musste lernen, mich anzupassen und meine Fäuste zu benutzen. Aus diesen jungen Jahren begleiteten mich zwei Dinge, die mir noch als erwachsener Mann nützlich waren. Das Erste war ein Vorurteil gegen all jene, die ihre Dienstboten schlechter behandelten als ihre Gleichgestellten, und das Zweite waren schwere Schuldgefühle aufgrund einiger Dinge, die ich in den drei Jahren, die meine Mutter und ich dort lebten, hatte tun müssen.

»Ich habe etwas sehr Interessantes gelesen«, sagte Mr. Arrowood, stellte seinen Teller weg und griff nach einem Buch. »Henry Maudsley, der Psychiater, hat viel über Verbrechen und Wahnsinn zu sagen.« Er blätterte in dem Band, bis er die richtige Stelle gefunden hatte. »Er schreibt, dass es zwei Arten von kreativen Menschen gibt, jene von Ernst und hohem Intellekt und jene mit begrenztem Intellekt, aber viel Energie. Das sind die beiden Arten, die die Welt beeinflussen. Aber hören Sie sich das an. Sie werden mir zustimmen, dass diese Worte auf meine Schwester zutreffen. Zur zweiten Art gehören ›Personen, die nicht klug, sondern flatterhaft sind, talentiert, aber instabil, intensiv, aber eingeschränkt, ernst, jedoch fanatisch; allen Arten von Menschen, die sich in neue Bewegungen stürzen, seien sie gut oder schlecht, und sie mit dem leidenschaftlichen Eifer verfolgen, mangelt es an einem Gleichgewicht ihrer Fähigkeiten.‹ So. Das beschreibt sie doch perfekt, finden Sie nicht auch?«

»Dafür kenne ich sie nicht gut genug, Sir.«

»Es ist einfach unglaublich und kommt mir beinahe so vor, als wäre Maudsley mit ihr verheiratet.«

»Es fällt Ihnen bloß schwer, das Gute in Ihrer Schwester zu sehen, Sir.«

Er blickte mich überrascht an, widmete sich dann aber weiter seinem Essen.

»Haben Sie etwas von Petleigh gehört?«, erkundigte ich mich nach einiger Zeit.

»Rein gar nichts. Ich werde ihm eine Nachricht schicken, wenn Neddy herkommt, um sich seine Bezahlung abzuholen.«

»Neddy ist noch nicht hier gewesen?«

Mr. Arrowood bemerkte sofort, dass ich alarmiert war.

»Er wird auf der Straße Brötchen verkaufen«, beruhigte er mich. »Oder etwas reparieren, das seine Mutter kaputt gemacht hat.«

»Normalerweise kann es der Junge doch kaum abwarten, sein Geld zu bekommen.«

»Es sind bestimmt fünf Minuten vergangen zwischen dem eingeschlagenen Fenster und Ihrem Hinauslaufen auf die Straße. Neddy ist kein Dummkopf. Er ist gewiss schon in dem Augenblick, in dem er den Kieselstein geworfen hat, losgerannt.« Er legte sein Buch zurück auf den Frisiertisch. »Der Junge hat einen klugen Kopf.«

»Das weiß ich. Ich würde mich nur gern vergewissern, dass er in Sicherheit ist.« Ich stellte meinen Teller zurück auf die Truhe. »Verraten Sie mir jetzt, was Sie in Creams Notizbuch entdeckt haben?«

»Es war eine Liste mit Daten, die einige Jahre zurückreichten. Größtenteils Preise und Namen, aber selten beides zusammen. Es gab nur einen Punkt, der mir ins Auge sprang. Sagt Ihnen der Name Longmire etwas, Barnett? Colonel Longmire?«

Ich schüttelte den Kopf.

»Wenn es sich um den Mann handelt, für den ich ihn halte, dann ist er ein hoher Beamter im Kriegsministerium«, fuhr er fort. »Der Name ist im Laufe der letzten vier oder fünf Jahre unregelmäßig aufgetaucht. Da standen keine Informationen, nur Daten und der Name.«

»Könnte das eine Verbindung zu der Patrone sein?«

Er nickte. »Möglicherweise hat es etwas mit unserer Martha zu tun. Falls es derselbe Longmire ist.«

Wir hörten Schritte die Treppe heraufkommen, dann wurde die Tür aufgerissen, und Ettie trat ein.

»Da unten ist eine Frau, die dich wegen Neddy sprechen will«, teilte sie ihrem Bruder mit. »Sie wartet im Laden.«

Mr. Arrowood nickte.

»Ich ziehe mir die Schuhe an. Bitte sie doch herein.«

»Mir wäre es lieber, wenn sie im Laden bleibt, William.«

»Du, wir...«

»Sie ist aufgebracht«, unterbrach sie ihn mit spitzer Stimme.

Er seufzte.

»Richte ihr bitte aus, dass wir gleich bei ihr sind.«

Zu dieser Tageszeit herrschte im Puddinggeschäft immer viel Betrieb, heute aber war es noch voller als sonst. Alberts dünnes und trauriges Gesicht war schweißüberströmt, während die Kunden versuchten, seine Aufmerksamkeit zu erregen. Er war ein langsamer Mann und eignete sich nicht für eine solche Hektik. Seine Frau, Mrs. Pudding, rührte soeben in einem gewaltigen Bottich voller Teig, während ihre Söhne John und der kleine Albert sich um die Öfen und Kochtöpfe kümmerten.

»Was ist denn hier passiert?«, erkundigte ich mich, als wir durch die Tür im hinteren Teil des Ladens traten.

»Bei Gleason hat es gebrannt«, antwortete John und hielt kurz inne. »Letzte Nacht. Daher kommen heute alle hierher. Wir sind dem Ansturm nicht gewachsen. Noch dazu ist heute der heißeste Tag des Jahres.«

»Keine Müdigkeit vorschützen!«, bellte Albert. »Würde es Ihnen etwas ausmachen, aus dem Weg zu gehen, Mr. Arrowood? Es ist ein Notfall, wie Sie ja sehen können. Gleasons Kunden sind jetzt alle hier.«

145

»Aber natürlich«, murmelte Mr. Arrowood, den das Gewühl ganz benommen zu machen schien.

Als sie Mr. Arrowoods Namen hörte, kam Neddys Mutter aus der Menge auf uns zu.

»Mr. Arrowood?«, fragte sie. Ihre Stimme klang seltsam und schrill, als wäre ihre Zunge am Gaumen festgeklebt. Ihr Haar sah verfilzt aus und hing ihr wie ein Bündel verrottender Säcke aufgetürmt auf dem Kopf. Ihr Hals war schmutzig, der Großteil ihrer Zähne fehlte, und die noch verbliebenen waren braun und gelb. Das lange Kleid, das unter ihrem sehr alten Mantel herausragte, sah aus, als hätte es einst einer reichen Dame gehört. Sie war die Einzige im Laden, die einen Mantel trug.

»Passen Sie mal auf.« Sie kam sofort zur Sache. »Es macht mir nichts aus, dass er Ihnen zur Hand geht und etwas lernt oder so, daran ist nichts falsch, es ist sogar gut für ihn und für uns als seine Familie, und ich bin sehr glücklich, dass er jemanden wie Sie hat, und auch wie Sie, Sir«, bei diesen Worten nickte sie mir kurz zu, »solange er seine Familie nicht vergisst, seine Schwester mit ihrem verdrehten Fuß und die andere, die einfach nicht lernt, anständig zu sprechen. Solange er etwas hinzuverdient, ein paar Schillinge hier und da, von denen wir uns Kartoffeln oder etwas in der Art kaufen können, Sir, solange er sich um uns, seine Verwandten kümmert, wenn ich krank werde, wie es immer wieder passiert, weil ich eine schwache Lunge habe.« Sie warf sich in die Brust und hüstelte jämmerlich.

»Warum wollten Sie mich sprechen, Madam?«, fragte Mr. Arrowood und versuchte, ihre Klaue, mit der sie seinen Arm hielt, abzustreifen. Aber sie ließ nicht los, sondern zog ihn nur noch dichter an sich heran. »Sie wissen, dass ich Sie nicht bezahlen kann, auch wenn ich es noch so gern tun würde.«

»Die Sache ist die, Sir, sorgen Sie dafür, dass er daran denkt, uns jeden Tag oder auch jede Woche das Geld zu schicken, wo immer er auch ist. Heute haben wir jedenfalls nichts bekommen, und die Kinder könnten etwas von diesem Pudding vertragen, da sie den ganzen Tag noch nichts gegessen haben.«

»Schicken Sie ihn einfach zu mir, dann bekommt er sein Geld. Er hat es sich verdient.«

Sie hielt in ihrem Monolog inne und kniff die Augen zusammen.

»Ich habe ihn nicht gesehen. Deswegen bin ich ja hier.«

»Er ist letzte Nacht nicht nach Hause gekommen?«, fragte Mr. Arrowood.

»Ich habe ihn nicht mehr gesehen, seit er gestern für einen Auftrag zu Ihnen gekommen ist.«

Mr. Arrowood warf mir einen Seitenblick zu.

»Sind Sie ganz sicher, dass er nicht nach Hause gekommen ist?«, hakte er nach. »Könnte er woanders hingegangen sein? Zu einer Tante oder zu Freunden?«

»Sie wissen nicht, wo er ist?« In ihrer Stimme schwang Panik mit.

»Nein. Er hat uns gegen drei verlassen.«

»O Gott.« Sie stöhnte auf. »O großer Gott.«

Die anderen Kunden beobachteten sie jetzt, während sie auch noch Mr. Arrowoods andere Hand nahm.

»Er wurde von der Polizei festgenommen, das muss es sein«, sagte sie, und ihre Stimme klang jetzt schneidend. »Was musste er um diese Uhrzeit noch für Sie tun? Ich habe Ihnen vertraut, Sir. Ich habe Ihnen vertraut. Oder er wurde verprügelt. Was haben Sie getrieben? Hm? So spät nachts mit einem kleinen Jungen? Was genau ist passiert?«

»Es ging um eine Lieferung, das ist alles, Missus«, schaltete ich mich ein. »Und jetzt hören Sie mir bitte gut zu. Gibt es jemanden, zu dem er gegangen sein könnte?«

»Nein. Er ist nie zu irgendjemandem gegangen. O Gott. Die Polizei hat ihn bestimmt eingesperrt, weil er so spät noch auf der Straße rumgelaufen ist. Sie werden ihm vorwerfen, er hätte etwas Unrechtes tun wollen. Was sollen wir nur machen, wenn er im Gefängnis landet?«

Ich fischte in meiner Tasche herum und reichte ihr ein paar Pennys.

Sie riss sie mir aus der Hand und ließ sie in einer Manteltasche verschwinden.

»Dann muss ich ihn jetzt wohl suchen gehen«, erklärte sie und wandte sich zum Gehen. »Großer Gott, was ich alles durchmache.«

Wir blickten ihr schweigend hinterher, während die Kunden sich verzweifelt um ihre Gebäckstücke stritten und sich lautstark um uns herumdrängten. Ohne Mr. Arrowood anzusehen, wusste ich doch, dass in ihm dieselbe Panik aufstieg wie in mir.

14

Wir warteten auf dem Polizeirevier, bis Inspector Petleigh eintraf. Er führte uns nach hinten und über eine schmale Treppe in ein dunkles Büro. Das Fenster wurde mit einem Holzblock offen gehalten, aber es war dennoch kochend heiß im Raum. Ohne sich hinzusetzen, berichtete Mr. Arrowood sofort von Neddy. Petleigh ließ sich auf den Stuhl hinter seinem durchgebogenen Schreibtisch fallen und hörte zu. Als Mr. Arrowood geendet hatte, legte der Inspector die Fingerkuppen aneinander und schob seinen Stuhl zurück.

»Sie sind wahre Narren«, sagte er.

»Sie müssen den Pub durchsuchen, Inspector«, verlangte Mr. Arrowood, der immer wieder die Fäuste ballte und lockerte. »Geben Sie Cream zu verstehen, dass Sie wissen, wo Neddy festgehalten wird. Wir dürfen keine Zeit verlieren. Grundgütiger, ich kann nur hoffen, dass es nicht längst zu spät ist.«

»Hm.«

»Lassen Sie uns gehen.« Mr. Arrowood setzte seinen Hut wieder auf und ging zur Tür. »Auf der Stelle.«

»Ich nehme meine Befehle vom Chief Inspector entgegen, Arrowood, nicht von Ihnen.«

»Bitte, Inspector. Wäre die Angelegenheit nicht so dringend, würde ich sie nicht derartig drängen. Aber Sie wissen,

»Vielleicht schlafen sie.«

»Sie schlafen nicht in der Küche«, versicherte ich ihm. »Jetzt komm schon. Gib mir solange deine Mütze.«

Der Junge war tapfer. Wir hoben ihn ans Fenster, und er schlüpfte geschwind hindurch. Dann hörten wir, wie er auf der anderen Seite mit dem Kopf voran zu Boden fiel und leise stöhnte. Nach wenigen Augenblicken hatte er die Tür auch schon geöffnet und stand wieder vor uns.

»Guter Junge«, lobte ich ihn. »Du machst uns stolz.«

Er schniefte, und ich konnte im schwachen Licht erkennen, dass ihm bei dem Sturz Tränen in die Augen gestiegen waren. Außerdem rieb er sich einen Ellenbogen.

»Tapferes Kerlchen«, sagte Mr. Arrowood. »Warte vorn an der Straße auf uns. Und gib gut Acht. Wenn du siehst, dass im Haus Licht angeht, oder wenn jemand kommt und die Tür aufschließt, dann möchte ich, dass du das hier gegen ein Fenster wirfst.«

Er reichte dem Jungen einen Kieselstein.

»Aber was ist, wenn ich das Glas zerbreche?«

»Ich möchte, dass du das Glas zerbrichst. Wir müssen es ja hören. Und dann läufst du weg. Renn nach Hause, so schnell du kannst.«

»Ja, Sir.«

Mr. Arrowood zerzauste ihm das Haar.

»Und jetzt geh nach vorn.«

In der Küche war es warm, da die Glut der Herdfeuer noch nicht erloschen war. Wir blieben einen Augenblick stehen und lauschten, aber das Einzige, was wir hörten, war das Geräusch einer herumhuschenden Maus hinter der Wand. Mr. Arrowood zündete den Kerzenstummel an, den er mitgebracht hatte, und wir schlichen über den Steinfußboden in einen Korridor und wie gnadenlos Cream sein kann. Er wird dem Jungen wehtun und auch noch Freude daran haben.«

»Ich habe Ihnen gesagt, dass Sie sich da nicht einmischen sollen!«

Mr. Arrowoods Augen drohten aus ihren Höhlen zu treten.

»Hören Sie mich an, Petleigh! Wir haben einen schrecklichen Fehler begangen, das gebe ich zu. Aber Cream wird aus der Haut fahren, sobald er feststellt, dass jemand bei ihm eingebrochen ist. Er wird alle Hebel in Bewegung setzen, um herauszufinden, wer das gewesen ist. Er wird den Jungen in Stücke reißen, bis er den Mund aufmacht, und ihn dann in den Fluss werfen. Sie müssen sofort etwas unternehmen!«

Petleigh starrte uns einige Augenblicke an, bevor er etwas erwiderte.

»Ich halte es für klüger, eine Weile zu warten, bevor wir dem Barrel of Beef einen Besuch abstatten. Höchstwahrscheinlich hat Neddy nur einen Freund getroffen und wurde abgelenkt. Ein Junge wie er hat vielleicht Gefallen am Einbrechen gefunden, meinen Sie nicht auch? Oder er ist mit einem Pferdeomnibus ins West End gefahren. Wenn er, sagen wir, bis morgen Abend nicht zurückgekehrt ist, dann denken wir darüber nach, Mr. Cream aufzusuchen.«

»Was?« Mr. Arrowood war fassungslos.

»Haben Sie vergessen, dass wir in einem Mordfall ermitteln? Unsere Männer sind mit den Nachforschungen beschäftigt, und ich bin davon überzeugt, dass der Junge im Handumdrehen wieder auftauchen wird.«

Mr. Arrowood schlug mit einer Faust auf den Tisch. »Nein!«, brüllte er. »Das reicht mir nicht! Es war drei Uhr früh. Um diese Uhrzeit fahren keine Pferdeomnibusse, und da ist er auch keinem Freund begegnet. Die Straßen waren leer.

Und Neddy ist eine ebenso ehrliche Haut wie Sie. Der Junge schwebt in Gefahr, das können Sie mir glauben!«

»Schreien Sie mich nicht an, Arrowood.« Petleigh strich sich mehrfach gereizt über seinen Schnurrbart. »Ich lasse mich nicht umstimmen.«

»Ich werde schreien, solange das Leben dieses Jungen gefährdet ist! Gehen Sie zum Beef, Sie fauler Schweinehund!«

»Verlassen Sie mein Büro!«, schrie Petleigh und sprang auf.

»Erst, wenn Sie mir versichert haben, dass Sie Ihre Arbeit machen werden!«

»Ich entscheide selbst, wie ich meine Arbeit mache!«

»Ich werde Sie in der *Gazette* bloßstellen, wenn dem Jungen ein Leid geschieht! Ihr Name wird in aller Munde sein!«

»Raus! Raus!« Petleigh ging zur Tür und brüllte die Treppe hinunter: »PC Reid! Kommen Sie sofort her!«

»Machen Sie Ihre Arbeit!«, schrie Mr. Arrowood erneut. Er sah aus, als würde er vor Wut platzen, und sein Gesicht war purpurn angelaufen. Ich nahm seinen Arm und schob ihn aus dem Büro.

»Warten Sie draußen auf mich«, flüsterte ich ihm entschlossen zu. »Und sagen Sie bloß kein Wort mehr.«

Trotz seiner Wut wusste er, dass er mir jetzt nicht widersprechen durfte. Reid tauchte am unteren Treppenabsatz auf.

»Sorgen Sie dafür, dass dieser Gentleman das Gebäude verlässt, Reid«, verlangte Petleigh und zog sich in sein Büro zurück. Ich folgte ihm und schloss die Tür hinter mir.

»Bitte entschuldigen Sie diesen Auftritt, Inspector«, sagte ich. »Mr. Arrowood ist ein sehr gefühlsgeleiteter Mann. Manchmal spricht er mit dem Herzen und nicht mit dem Verstand, aber er hat es nicht so gemeint.«

»Ich könnte ihn wegen Beamtenbeleidigung verhaften lassen.«

»Und niemand würde es Ihnen verdenken.«

Er ließ sich ermattet auf seinen Stuhl sinken. Der Mann machte auf mich den Eindruck, als würde eine große Last auf ihm liegen. Ich setzte mich auf den Stuhl, der neben der Tür stand.

»Sie haben eine schwere Aufgabe«, stellte ich fest.

»Sie haben ja nicht die geringste Ahnung, wie schwer sie wirklich ist.«

Er wischte sich die Stirn mit einem Taschentuch ab, holte dann eine Zigarre hervor und zündete sie an.

»Der Junge ist wie ein Sohn für ihn«, erklärte ich. »Neddys Vater ist tot, und seine Mutter ist recht schlichten Gemüts. Mr. Arrowood hat die letzten Jahre auf ihn achtgegeben. Nun ist er außer sich vor Sorge, und er hat sich nur derartig aufgeregt, weil er genau weiß, dass Sie den Jungen finden können. Er weiß ganz genau, wozu Sie fähig sind.«

Petleigh nickte und zog an seiner Zigarre.

»Barnett«, sagte er schließlich. »Sie müssen mich für dumm halten.«

Ich musterte ihn.

»Dann haben Sie nur mit ihm gespielt?«, fragte ich.

»Ja, ich gebe es zu. Seine Wutausbrüche amüsieren mich. Ich werde dem Beef selbstverständlich einen Besuch abstatten. Cream ist ein Geschwür, das in diesem Teil Londons wuchert, und ich würde ihn nur zu gern hinter Gittern sehen. Aber ich mag es gar nicht, wenn mir jemand wie Arrowood Befehle erteilen will. Ich nehme sie schon sehr ungern vom Stellvertretenden Commissioner entgegen.«

Ich erhob mich.

»Haben Sie den Namen des Constables herausgefunden, der mich verprügelt hat?«

»Es war nicht der Mann aus Elephant and Castle, den wir

im Sinn hatten. Der arme Kerl leidet an Schwindsucht und konnte schon seit Monaten nicht mehr arbeiten. Aber es gibt bei Scotland Yard einen Mann, auf den Ihre Beschreibung passt, jedenfalls hat mir das der Detective erzählt, mit dem ich mir dieses Büro teile. Sie haben zusammen an einer Zeremonie teilgenommen, wurden einander jedoch nicht vorgestellt, sodass ich seinen Namen nicht kenne. Er ist allerdings kein Constable, auch wenn ich mir seiner Position nicht ganz sicher bin.«

»Können Sie das herausfinden?«

»Ich werde mich umhören.«

»Danke, Inspector. Wann werden Sie zurück sein?«

»Wir brechen sofort auf. Kommen Sie doch gegen sechs wieder.«

Er holte noch eine Zigarre aus der Tasche und reichte sie mir.

»Rauchen Sie sie draußen, ja, Barnett? Dann können Sie Ihren Arbeitgeber auch gleich von seinem Leid erlösen.«

Ich kehrte um sechs zum Polizeirevier zurück, aber Petleigh war noch nicht wieder da. Eine gute Stunde lang saß ich auf der Bank und sah zu, wie die guten Bürger von Southwark kamen und gingen, Beschwerde einlegten, von ihrem Unglück berichteten, warteten, protestierten, sich stritten. Endlich kam Petleigh mit PC Reid im Schlepptau herein. Er bedeutete mir, ihm nach oben in sein Büro zu folgen.

»Cream ist sehr verärgert«, teilte er mir mit, sobald die Bürotür geschlossen war. »Irgendetwas geht dort vor sich, das spüre ich ganz genau. Etwas, das ihm Sorgen bereitet.«

»Haben Sie den Jungen gefunden?«

Er schüttelte betrübt den Kopf. »Wir haben überall gesucht. Wenn sie ihn haben, dann halten sie ihn woanders fest.«

»Wir haben beobachtet, wie sie etwas auf einen Wagen verladen haben. Mr. Arrowood vermutet, dass er in der Kiste gesteckt haben könnte. Haben Sie Creams Männer verhört?«

»Ja, Piser und Long Lenny. Es kam jedoch nichts dabei heraus.«

»Können Sie sie nicht herholen?«

»Und sie zusammenschlagen?«, fragte er und starrte mich entrüstet an.

»Ja.«

»Nein, Barnett. Derartige Methoden werden auf diesem Revier nicht eingesetzt.«

»Aber der Junge!«

»Wir können sie nicht schlagen, Barnett, und das wissen Sie. Jedenfalls wissen sie jetzt, dass wir sie verdächtigen. Das könnte ausreichen, um dem Jungen das Leben zu retten.«

»Es ist nicht genug, Inspector.«

»Haben Sie eine bessere Idee?«

Ich drehte mich auf dem Absatz um und ging hinaus.

Das Beef hatte für die Nacht geschlossen. Ich wartete auf der anderen Straßenseite und versteckte mich wieder hinter demselben Geröllhaufen. Cream war vor einiger Zeit elegant wie immer herausgekommen und mit Piser und Boots im Landauer weggefahren. Hinter den Fenstern in den oberen Stockwerken wurde es dunkel, dann kamen die Kellnerinnen, die Küchenarbeiter und die Schankkellner heraus. Ernest tauchte wie immer ganz allein auf, aber ich ließ ihn gehen. An diesem Abend hatte ich es nicht auf ihn abgesehen. Endlich wurde die Tür erneut geöffnet und Long Lenny verließ das Haus. Obwohl es noch immer warm war, trug er wie immer seinen Regenmantel und hatte die Kappe tief in die Stirn geschoben.

Ich folgte ihm im Abstand von mehreren Hundert Fuß, während er die leere Straße entlangging. Geschrei aus einem Fenster über einem Pfandleiher ließ ihn innehalten und nach oben blicken, doch dann marschierte er weiter. Hinter mir waren Hufschläge zu hören, da mir der Einspänner folgte.

Wir passierten die geschlossenen Geschäfte an der Lambeth Road und der langen Mauer von Bethlehem. Lenny drehte sich nicht einmal um. Er war müde und wollte nur noch ins Bett, fort von allem, was er den ganzen Tag über von Cream und den anderen ertragen musste. Als ich im Betsy-Fall ermittelt hatte, hatte ich auch mehrmals trinkend im Beef gesessen und Informationen über alle gesammelt, die dort arbeiten, und über das, was sie taten. Ich war Lenny einige Male gefolgt, wenn er etwas auslieferte. Er hatte mich nie geschlagen, und als wir uns zu erkennen gaben, hatte man ihn bei einem Überfall geschnappt und eingesperrt. Lenny war grob, mehr jedoch nicht. Er tat, was man ihm sagte. Er machte Fehler und wurde deswegen angebrüllt. Er traf selbst keinerlei Entscheidungen, aber er tat eine ganze Menge, und das so gut, dass die Diebe und die Huren ihm aus dem Weg gingen, wenn sie ihn kommen sahen.

Er bog in eine Gasse ein, sodass ich ihn nicht mehr sehen konnte. Ich musste rennen, um ihn wieder einzuholen. Als ich um die Ecke bog, war er nur noch zwanzig Meter von mir entfernt.

Mit einem Mal blieb er stehen und sah mich über die Schulter mit zusammengekniffenen Augen an, schien mich ob der Dunkelheit jedoch nicht zu erkennen.

»Was wollen Sie?«, knurrte er. Anscheinend vermutete er, dass ich ihn ausrauben wollte.

»Ich komme, um mich zu entschuldigen, Jack«, sagte ich nuschelnd und taumelte auf ihn zu, als wäre ich betrunken.

»Fahr zur Hölle«, murmelte er und wollte schon weitergehen. »Ich bin nicht Jack.«

Im nächsten Augenblick presste ich ihm auch schon das Tuch mit dem Chloroform auf den Mund, umklammerte mit der anderen Hand sein Handgelenk und zog ihm den Arm ruckartig auf den Rücken. Lenny mochte größer sein als ich, aber ich war stärker. Er wehrte sich, wurde jedoch immer schwächer, sobald das Mittel Wirkung zeigte. Ich wusste, dass ich einen so großen Mann wie ihn nicht mit Chloroform bewusstlos machen konnte, aber er war so verwirrt, dass sein Kampfgeist erschlaffte.

In der Herberge hinter uns wurde ein Fenster aufgerissen, und jemand schüttete einen Eimer voller Exkremente auf die Straße. Kaum war es wieder geschlossen, hielt auch schon der Einspänner am Eingang der Gasse, und mein Schwager Sidney sprang vom Kutschbock herunter.

Er nahm Lennys Beine und ich seine Arme, und gemeinsam schleiften wir ihn zur Kutsche. Es war nicht leicht, da Lenny so groß und noch halb wach war, aber es gelang uns, ihn einzuladen. Die Straße war menschenleer – das Glück war uns hold.

Ich stieg in die Kutsche, in der Mr. Arrowood bereits auf mich wartete. Er kümmerte sich um Lennys Handgelenke, während ich seine Fußgelenke mit einer dicken Kordel fesselte. Als sich der Mann nicht mehr bewegen konnte, zwang Mr. Arrowood ihn, den Mund zu öffnen, und goss ihm eine Phiole voll Äther in den Rachen.

Sidney stieg wieder auf den Kutschbock, und wir fuhren los. Obwohl er heute als Kutscher arbeitete, war Sidney in seiner Jugend mehrere Jahre zur See gefahren und hatte dort Geschmack am Faustkampf gefunden. Mit zwei Kindern und einer im Kindbett verstorbenen Frau hatte mein Schwager schon Höhen und Tiefen erlebt, aber er war stets bereit, uns zu helfen, wenn wir einen dritten Mann benötigten.

Der Einspänner fuhr jetzt schnell, und wir holperten über die unebenen Pflastersteine. Schon bald erreichten wir die Stufen am Kai neben der London Bridge. Es war Flut, und die vertäuten Boote tanzten auf dem dunklen Fluss. Ich ließ Lenny noch einmal an dem in Chloroform getauchten Tuch riechen, und dann zerrten wie ihn auf den hintersten Kai und dort bis ans Ende, wo uns ein Frachtkahn vor Blicken vom Ufer verbarg. Lenny murmelte etwas vor sich hin, bereitete uns jedoch keine großen Schwierigkeiten, da er von dem Mittel völlig verwirrt war. Am Ende des Kais legten wir ihn so hin, dass sein Hosenbund genau an der Kante des Holzpiers lag, und Sidney und ich setzten uns auf seine Beine.

Als sein Kopf das Wasser berührte, kam er schnell wieder zu sich. Er fing an zu zucken, mit den Beinen zu wackeln und zu schreien. Aber je mehr er sich wehrte, desto weiter tauchte er mit dem Kopf unter. Er kam hustend und röchelnd wieder an die Wasseroberfläche, spuckte das stinkende Wasser aus, zuckte mit den Schultern und versuchte, die Hände zu befreien, die hinter seinem Rücken gefesselt waren. Wir blieben geduldig – so würde er nicht lange durchhalten, da ihn allein seine Bauchmuskeln über Wasser hielten.

»Jetzt hör mir mal gut zu, Lenny«, sagte ich, packte sein nasses Haar und hielt seinen Kopf fest. »Wenn du uns sagst, was wir wissen wollen, dann holen wir dich raus und sind wieder die besten Freunde.«

»Holt mich raus«, krächzte er. »Ich arbeite für Mr. Cream. Er wird euch umbringen.«

»Wir möchten dir nur einige Fragen stellen.«

Er begann zu schreien, und ich trat mit ganzer Kraft auf

seinen Fußknöchel, was ihm ein Stöhnen entlockte. Sein Kopf tauchte erneut ins Wasser.

Als er keuchend wieder emporkam, wackelte er heftig mit den Beinen, holte tief Luft und fiel erneut in den Fluss. Einen Augenblick später tauchte er würgend und röchelnd wieder auf. Sidney packte seine Mantelfront und hielt ihn über Wasser.

»Wenn du uns nicht sagst, was wir wissen wollen, tauchen wir dich wieder ins Wasser«, teilte ich ihm ausgesprochen höflich mit. »Hast du verstanden, Lenny? Die Strömung hier ist stark und schnell, nicht wahr?«

»Trügerisch«, stimmte mir Mr. Arrowood zu und zündete sich eine Zigarre an. Er stand am Frachtkahn Wache und behielt die Straße im Auge.

»Und deine Hände und Füße sind gefesselt«, fuhr ich fort. »Mehr muss ich wohl nicht sagen, oder?«

»Cream wird euch erwischen«, stieß er heiser aus und stöhnte.

»Die Polizei wird davon ausgehen, dass Cream das getan hat«, entgegnete ich. »Und Cream wird nie erfahren, dass wir es gewesen sind. Ein Mann wie er hat mehr als genug Feinde.« Ich tätschelte Lennys nasse Brust. »Wie du siehst, steckst du in einer kniffligen Lage, mein Freund.«

Ich drückte seinen Kopf erneut unter Wasser.

Er schlug wild um sich, als ich ihn etwas länger als angemessen nach unten drückte. Dann zerrte ich ihn wieder heraus, und er keuchte und schnaufte.

»Wo ist der kleine Junge? Der Junge, der letzte Nacht euer Fenster zerbrochen hat. Wo steckt er?«

»Ich weiß es ni…«

Ich drückte seinen Kopf wieder unter Wasser. So langsam wurde es zur Routine. Er zappelte wie wild. Ich zog ihn wieder heraus.

»Bitte«, flehte er, als er wieder zu Atem gekommen war, und fing an zu weinen.

»Wo ist der Junge?«

Er bekam einen Hustenanfall, und Wasser flog ihm aus dem Mund. Ich bohrte ihm einen Ellenbogen fest in die Magengrube, bis er aufschrie. Selbst Sidney stöhnte auf, als er das mit ansehen musste.

»Ich weiß es nicht«, stieß Lenny stöhnend und schluchzend aus. »Wirklich nicht. Ich habe keinen Jungen gesehen.«

»Letzte Nacht, als du im Beef warst, hast du einen Jungen mitgenommen. Wo steckt er?«

»Ich habe keinen Jungen gesehen!«, jammerte Lenny. »Ihr müsst mir glauben. Bitte.«

»Verstehe«, erwiderte ich überfreundlich. »Du möchtest Cream noch in die Augen sehen können, weil du uns nichts erzählt hast. Dann stelle ich dir eben eine einfachere Frage.«

»Ich weiß nichts von dem Jungen!«

»Halt den Mund! Und hör mir zu! Wohin ist der Wagen letzte Nacht gefahren? Nachdem er das Beef verlassen hat? Wohin wurde die Kiste gebracht?«

Lenny starrte mich benommen an, und ich packte seinen Mantel und wollte ihn schon wieder in den Fluss drücken.

»Ich verrate es euch!«, schrie er. »Zieht mich rauf, dann verrate ich es euch!«

Sidney half mir, ihn wieder auf den Pier zu ziehen, und dann saß Lenny da, mit gefesselten Armen und Beinen, und atmete schwer. Das Wasser rann aus seiner Kleidung und versickerte im Holz.

»Zu Milky Sals Haus an der Southwark Bridge Road«, sagte er mit heiserer Stimme. »Nummer hundertzwölf.«

»Wird da auch der Junge festgehalten?«

Lenny würgte noch eine Ladung Wasser heraus.

Ich hockte mich hin und starrte ihm in sein jämmerliches Gesicht.

»Ist der Junge bei Milky Sal, Lenny?«, verlangte ich zu erfahren.

»Ich sagte doch schon, dass ich nichts von einem Jungen weiß«, erwiderte er. »Wirklich nicht. Wir haben keinen Jungen gesehen.«

»Wenn er nicht dort ist, sehen wir uns wieder, Lenny.«

Sein Kampfgeist war jetzt vollkommen erloschen, und er sah mich nur noch an.

»Was ist mit Terry, dem Konditor, passiert?«, fragte ich.

»Was?«

»Was ist mit dem Franzosen geschehen?«

»Wer seid ihr?«

»Beantworte die Frage.«

»Ich habe all eure verdammten Fragen beantwortet. Jetzt lasst mich gehen.«

Sidney packte Lennys Mantel und ich seine Beine, und wir zogen ihn erneut zum Rand des Piers.

»Nein!«, kreischte er, wand sich und versuchte, weiter vom Wasser wegzukriechen.

Wir drückten seinen Kopf in den Fluss.

»He!«, rief jemand von der Straße herüber. Wir blickten auf. Ein Polizist stand an der Kaimauer und sah zu uns herüber. Es war eine dunkle Nacht, und das Licht seiner Lampe reichte bei Weitem nicht bis zu uns herüber. Lennys zuckender Körper war vom Ufer aus nicht zu sehen.

»Helfen Sie uns, Constable«, rief Mr. Arrowood. »Dieser Mann ist ins Wasser gefallen.«

Wir zogen Lenny heraus. Er war erschlafft, und kurz glaubte ich schon, er wäre ertrunken.

»Haben Sie ihn rausgezogen?«, rief uns der Constable über das Wasser hinweg zu.

»Ja, das haben wir. Er ist betrunken.«

Wir hörten den Polizisten fluchen und zurück zu den Stufen gehen. Sidney durchtrennte rasch die Fesseln mit seinem Messer und warf sie ins Wasser. Lenny fiel keuchend und schnaufend auf die Seite.

Dann standen wir drei auf und traten dem Polizisten entgegen.

»Wir haben ihn von der Straße aus gesehen«, behauptete Mr. Arrowood. »Er hatte großes Glück, dass wir hier vorbeikamen, als er hineingestürzt ist. Er scheint völlig betrunken zu sein.«

»Ich nehme ihn besser mit aufs Revier«, sagte der Polizist.

»Ein Glück, dass es Menschen wie Sie gibt«, erwiderte Mr. Arrowood und tätschelte seine Schulter. »Sie sind ein feiner junger Mann.«

»Vielen Dank, Sir.«

»Dann machen wir uns jetzt wieder auf den Weg. Dieser Trunkenbold ist schuld, dass wir zu spät zu unserer Verabredung kommen.«

15

Milky Sals Haus reichte drei Stockwerke nach oben und eins nach unten. Wir konnten nirgendwo Lampen entdecken, aber der Tag brach bereits an, und die Bewohner würden schon bald aufwachen. Wir warteten, bis Petleigh und seine Männer in zwei Gefängniswagen eingetroffen waren. Sie vergeudeten keine Zeit, sondern hämmerten sofort mit ihren Schlagstöcken an die Tür. Kurz darauf wurde sie von einem Portugiesen in weiter Hose und mit langem Schnurrbart geöffnet, hinter dem Milky Sal blass, müde und mit einer gelben Nachtmütze auf dem Kopf auftauchte. Als Petleigh erklärte, was sie hergeführt hatte, fing sie an, ihm die schmutzigsten Schimpfwörter an den Kopf zu werfen. Der Inspector nickte den Constables hinter sich zu, die an Milkys flatternden Armen vorbei ins Haus stürmten.

Sidney war inzwischen nach Hause gegangen, daher wartete ich nur noch mit Mr. Arrowood an meiner Seite neben den Polizeikutschen. Aus dem Gebäude waren Schreie zu hören, Frauenstimmen, die protestierten, weil sie so plötzlich aus dem Schlaf gerissen wurden, sowie schwere Stiefel, die die Treppe nach oben und nach unten stürmten.

Die Kellertür ging auf, und drei junge Frauen, die sich Mäntel über die Nachthemden geworfen hatten, schlichen langsam die Stufen zur Straße hinauf. Sie blieben wie angewurzelt stehen, als sie uns entdeckten. Sobald sie jedoch erkannten, dass wir sie in Ruhe lassen würden, huschten sie von dannen.

Kurz darauf wurden zwei Mädchen, die nicht älter als vierzehn Jahre sein konnten, herausgebracht und in eine der Kutschen gesetzt.

»Ist der Junge da?«, fragte Mr. Arrowood einen der Polizisten.

»Wir haben keinen Jungen gesehen, Sir, dafür aber jede Menge Frauen.«

Der Constable schloss den Wagen ab und kehrte ins Haus zurück.

Gerade wurde der Portugiese abgeführt. Als er mit nacktem Oberkörper aus dem Haus kam, konnte man eine lange Narbe an seinem Arm erkennen. Dem Polizisten, der ihn in Handschellen herausbrachte, strömte Blut über eine Wange. Er schleuderte den Mann die Stufen hinunter, sodass dieser schmerzhaft auf den Pflastersteinen landete, zerrte ihn dann grob wieder auf die Beine und stieß ihn in den anderen Wagen.

»Haben Sie den Jungen gesehen?«, wollte Mr. Arrowood wissen.

»Nein, Sir.«

Das war zu viel für ihn. Er stürmte die Stufen hinauf und ins Haus.

»Was haben Sie noch gefunden?«, fragte ich den Polizisten.

»Das ist ein Bordell.« Er kicherte. »Ich habe noch nie so viele Damen im Nachthemd gesehen.«

»Was ist mit den jungen Mädchen?«

»Vermutlich illegal.«

Die Tür ging erneut auf, und Milky Sal wurde von zwei Constables herausgeführt, die ihre Arme festhielten. Sie trug ein enges schwarzes Kleid und hatte sich einen kleinen Hut auf den Kopf gesetzt, von dem ein höchst eleganter Schleier vor ihr Gesicht fiel. Und sie beschwerte sich bitterlich.

»Sie belästigen eine Frau, die nur ihr Geschäft führen will. Sie sollten sich schämen, dass Sie all meine Mädchen stören, wo sie doch ihren Schönheitsschlaf brauchen. Es gibt da einige wichtige Männer, denen es gar nicht gefallen wird, dass Sie mich festnehmen, das kann ich Ihnen versichern.«

Die Polizisten sagten nichts.

»Hören Sie auf, mich zu kneifen!«, keifte sie und entzog dem größeren der beiden ihren Arm.

»Ja, Madam«, erwiderte er.

»Was glotzt du so, Mann?«, fuhr sie mich an, als man sie an mir vorbei zur Kutsche führte.

»Haben Sie den Jungen gefunden?«, fragte ich die Polizisten, nachdem sie sie in den Wagen verfrachtet hatten.

»Da drin ist kein Junge«, antwortete der Kleinere. Er wischte sich das Gesicht mit einem Tuch ab und blickte zu den dunklen Sturmwolken hinauf, die sich nördlich der Stadt zusammenballten. »Es zieht ein Sturm auf. Bei dieser Hitze bekommt man ja keine Luft mehr.«

Als ich das Haus betrat, kam Mr. Arrowood soeben die Kellertreppe hinauf. Sein Gesicht hatte die Farbe von Roter Bete angenommen.

»Kein Glück gehabt?«

Er schüttelte den Kopf.

»Was ist da unten?«, wollte ich wissen.

»Eine Küche und ein Kohlenkeller.«

»Was ist mit dem Hof?«

»Da hängt nur die Wäsche.«

Petleigh trat soeben aus einem der vorderen Zimmer.

»Was hat Milky Sal gesagt?«, fragte Mr. Arrowood.

»Sie hat überhaupt nichts gesagt«, erwiderte Petleigh, der sehr unzufrieden aussah. »Sie behauptet, nichts von einem Jungen zu wissen und auch die jungen Mädchen noch nie gesehen zu haben. Von Cream hat sie selbstverständlich auch noch nie etwas gehört.«

»Lassen Sie mich mit ihr reden«, verlangte Mr. Arrowood.

»Stellen Sie meine Geduld nicht auf die Probe, Arrowood. Keines der Mädchen hat einen Jungen gesehen, darin sind sie sich einig. Hätten wir die jungen Mädchen nicht gefunden, wäre das hier die reinste Zeitverschwendung gewesen. Sie können sich glücklich schätzen.«

Während Mr. Arrowood noch protestierte, beschloss ich, mich einmal im Haus umzusehen. Im Keller stieß ich als Erstes auf eine große Küche, die fast das ganze Geschoss einnahm. Vorn gingen die Fenster und die Tür zur Straße hinaus, die Hintertür grenzte an einen Hof, während man durch eine weitere Tür in die Speisekammer gelangte. Die Fenster waren derartig verschmutzt, dass kaum Licht hereindrang. An der hinteren Wand stand ein langer Tisch. Der Steinfußboden klebte, und in den Ecken lagen Krümel und Gemüseschalen herum.

Vor dem Herd stand eine alte Frau und rührte in einem großen Kochtopf herum. Sie sah mich teilnahmslos an und widmete sich dann wieder ihrem Haferschleim.

»Haben Sie hier gestern einen Jungen gesehen?«, erkundigte ich mich.

»Mich müssen Sie nicht nach einem Jungen fragen«, erwiderte sie und wandte mir weiterhin den Rücken zu. »Ich gehe nie nach oben und kenne nur die, die zum Essen hier runterkommen.«

»Sind Sie schon lange hier?«

»Lange genug.«

»Haben Sie Kinder, Köchin?«

»Was geht Sie das an?« Sie klopfte den Kochlöffel seitlich am Topf ab und legte ihn dann hin.

»Vermutlich nichts.«

Ich setzte mich an den Tisch.

»Jemand hat einen kleinen Jungen entführt, der etwa zehn Jahre alt ist«, berichtete ich ihr. »Er ist ein gewitzter Bursche. Uns wurde erzählt, dass man ihn hierhergebracht hat.«

Sie legte einen Deckel auf den Topf und wischte sich die Hände an ihrer Schürze ab.

»Man wird ihm wehtun«, fügte ich hinzu.

»Ich hatte sieben«, sagte sie. »Sechs starben, bevor sie fünf waren. Mein letzter Junge fährt zur See.«

Sie kam langsam zum Tisch und setzte sich mir gegenüber. Ihr graues Haar war sehr dünn, und sie hatte eine Wucherung am Bauch, als wäre sie schwanger, doch ihre Gliedmaßen waren spindeldürr.

»Hat er Kinder?«, fragte ich.

Endlich lächelte sie und zeigte mir ihre letzten beiden schief stehenden Zähne im Oberkiefer.

»Vier. Ich habe sie letztes Weihnachten gesehen und jedem von ihnen ein Holzpferd geschenkt.« Sie kicherte. »Sie wollen mich nächsten Monat mit zum Pferderennen nehmen.«

»Das wird bestimmt ein schöner Ausflug. Mögen Sie Pferde?«

»Die mochte ich schon immer, schon als kleines Mädchen.«

Ich beugte mich etwas vor und deutete auf einen Deckenhaufen neben der Hintertür.

»Schlafen Sie hier unten?«

»Auf dem Boden.«

»Ganz schön hart, was?«

Sie zuckte mit den Achseln.

»Ich bin es eben gewöhnt. Immerhin hab ich ein Feuer, das ist schon mehr, als manch anderer hat.«

Sie zuckte zusammen und hielt sich den Bauch.

»Sie sind krank, nicht wahr, Köchin?«

»Wer ist das nicht?«

»Ich bin kein Polizist, müssen Sie wissen.«

»Sie könnten auch einer ohne Uniform sein. Woher soll ich das wissen?«

»Ich möchte den Jungen nur retten, bevor sie ihm wehtun.«

Sie nickte und sah mich mit umwölkten Augen an.

»Haben Sie vor zwei Nächten irgendetwas gehört?«, fragte ich. »Ist jemand hergekommen? Es muss gegen Morgen gewesen sein.«

Sie überlegte kurz und tippte dabei mit den Fingern auf den Tisch.

»Der Wagen kam. Der Portugiese hat sie reingelassen. Es war schon fast Morgen, wie Sie gesagt haben.«

»Wissen Sie, was sie dann getan haben?«

»Sie haben etwas vom Wagen abgeladen – es muss schwer gewesen sein, da sie dabei sehr gestöhnt haben. Ich kann ohnehin nicht gut schlafen, aber ich bin nicht aufgestanden, um es mir genauer anzusehen, falls Sie das als Nächstes fragen wollen.«

»Haben Sie einen Jungen gehört?«

Sie schüttelte den Kopf. »Ich habe kein Kind gehört oder gesehen. Kurz danach ist der Wagen auch schon wieder weggefahren.«

»Gibt es hier im Haus Stellen, an denen man einen Jungen verstecken könnte?«

»Ich bin nie oben gewesen, daher kann ich Ihnen nur versichern, dass er nicht hier unten ist.«

»Und Sie haben ganz bestimmt nicht gesehen, was sie abgeladen haben?«

»Ich konnte nur die Beine des Pferds durch das Fenster da erkennen.« Sie deutete auf das schmutzige Fenster, durch das man die Kellertreppe sah und weiter oben durch das Geländer die Räder der Polizeikutsche und die Beine des Zugpferds. »Es war ein großes weißes Pferd mit schwarzen Fesseln.«

»Wer fährt den Wagen?«

»Sparks. Er hat eine Böttcherei unten am Cutler's Court. Seine Mähre ist wirklich hübsch, aber er behandelt sie nicht gut. Weder mich noch die Mähre.« Sie kicherte erneut. »Oh, wir verstehen einander. Manchmal bringe ich ihr etwas nach oben, wenn sie da rumstehen muss. Eine alte Mohrrübe oder so etwas. Und etwas Wasser, wenn es heiß ist.«

Ich stand auf.

»He, Mister, Sie werden Sal doch nicht verraten, dass ich mit Ihnen gesprochen habe, oder?«

»Natürlich nicht. Gehen Sie damit zu einem Arzt?«

Sie krümmte die Schultern und verzog das Gesicht zu einer hässlichen braunen Grimasse.

»Ich hoffe, Sie finden den Jungen«, sagte sie und drückte sich beim Aufstehen stöhnend vom Tisch ab.

16

Auf den Straßen herrschte viel Verkehr. Frauen schleppten große Bündel aus Regenschirmgestellen und Hutstoffen in oder aus den Fabriken, die sich in diesem Teil der Stadt ballten, und unzählige Dock- und Lohnarbeiter waren unterwegs. Die ersten Regentropfen fielen vom Himmel, aber die Hitze ließ sie sofort wieder verdampfen, sodass es drückend und stickig blieb. Ich machte mir Sorgen um Mr. Arrowood; er keuchte, weil er so schlecht Luft bekam, humpelte und schwitzte so stark, dass sich Schweißflecken auf seiner dünnen blauen Jacke abzeichneten. Man konnte ihm das geballte Unbehagen deutlich ansehen, und ich wurde schon müde, wenn ich ihn dabei beobachtete, wie er sich an diesem Morgen durch die geschäftigen Straßen schleppte. Ich hatte ihm geraten, nach Hause zu gehen, und vorgeschlagen, mir von Sidney helfen zu lassen, aber er hatte nur das Gesicht verzogen und wütend seinen Gehstock geschwenkt.

»Er ist jetzt einen Tag und eine Nacht verschwunden«, sagte er. »Der Junge muss außer sich vor Furcht sein.«

Und so ging er weiter, wobei sich die Schuldgefühle auf seiner Leidensmiene abzeichneten. Wir hatten nicht über das gesprochen, was wir beide befürchteten: dass sich Neddy bereits im Ausland befand, weil Cream ihn an einen fremdländischen

Gentleman verkauft hatte – oder dass er längst tot war.

»Wir werden ihn finden«, versicherte ich ihm.

Wir marschierten weiter.

»Ich habe darüber nachgedacht, wie Neddy verschwunden ist«, knurrte er. Seine Atemzüge waren kurz und gepresst. »Was ist, wenn er nicht nach Hause gelaufen ist, nachdem er den Stein geworfen hatte?«

»Wir haben ihm gesagt, er soll weglaufen, sobald er uns gewarnt hat.«

»Aber Neddy möchte mich gern beeindrucken, nicht wahr? Er versucht immer, mehr zu tun, als wir von ihm verlangen. Ihm reicht es nicht, für seine Schwestern und seine Mutter zu sorgen; er will auch etwas für mich tun, mich zufriedenstellen. Was ist, wenn er herausfinden wollte, was Creams Männer vorhaben?«

Wir waren um die letzte Ecke vor der Böttcherei gebogen, als Mr. Arrowood mich ohne Vorwarnung am Hemd packte und in eine schmale Seitenstraße zerrte.

»Grundgütiger«, murmelte er und spähte um die Ecke auf die Straße. »Da ist sie.«

»Wer?«

»Meine Schwester«, flüsterte er. »Und die anderen Frauen. Lassen Sie sich bloß nicht sehen.«

Wir verbargen uns in einem Hauseingang, als die Frauen auf der Hauptstraße an uns vorbeimarschierten. Sie waren alle da: Ettie, Mrs. Truelove, Miss James, Mrs. Campbell, Miss Crosby, Mrs. Boothroyd und Mrs. Dewitt. Sie schritten mit entschlossenen Gesichtern voran, und jede der Damen hatte einen Korb im Arm. Nachdem sie die Böttcherei passiert hatten, bogen sie nach rechts in eine andere Gasse ein.

»Was befindet sich dort?«, erkundigte sich Mr. Arrowood flüsternd.

»Cutler's Court.«

Er stöhnte auf. »Das hätte ich mir besser merken sollen. An dem Ort will sie doch alle retten.«

Als auch das letzte Häubchen und der letzte Rockzipfel verschwunden waren, traten wir wieder auf die Straße hinaus. Die breiten Scheunentore der Böttcherei standen weit offen. Im Gebäude hämmerten Männer heiße Metallbänder in Form, während andere Sägen bedienten. Vor der Tür stand ein Wagen, an den ein großes weißes Pferd mit schwarzen Fesseln angeschirrt war, wie es auch die alte Köchin beschrieben hatte. Die Augen des Tiers sahen trüb und gequält aus, es ließ den großen Kopf hängen und hatte Schaum an den schwarzen Lippen.

Wir überquerten die Straße und betraten die Werkstatt. Die Hitze, die von der kleinen Esse ausging, war beinahe unerträglich. Die Männer arbeiteten mit nacktem Oberkörper. Zahlreiche große und kleine Fässer standen auf dem Steinfußboden oder waren an den Wänden gestapelt. Überall befanden sich Sägen, Hämmer, Äxte, Holzbretter mit rauen, zackigen Kanten, deren Schnittstellen im Feuerschein feucht und rosafarben leuchteten; sie hingen an den Wänden, lagen auf Fässern oder wurden von den Männern benutzt. Zwei weitere offen stehende Scheunentüren an der Rückwand gaben den Blick auf einen Hof frei, in dem mehrere Fassreihen zu erkennen waren. Wir entdeckten Sparks etwas weiter hinten im Raum, wo er mit einem der Kutscher sprach.

»Was kann ich für Sie tun, Gentlemen?«, fragte er, als wir näher kamen. Sein Gesicht war von Sommersprossen übersät, und er trug eine Jacke, jedoch kein Hemd darunter. Seine Zehen lugten aus den abgewetzten Stiefelspitzen hervor.

»Wir sind wegen des Jungen hier«, erklärte Mr. Arrowood. Sparks runzelte die Stirn.

»Hier gibt es keine Jungen, Sir.«

»Wir wissen, dass er hier ist«, sagte ich. »Geben Sie ihn uns.«

»Ich sagte doch, dass es hier keinen verdammten Jungen gibt. Und jetzt verschwinden Sie.«

Hinter uns hörte das Hämmern auf, und die Männer wandten sich uns zu. Es waren grobe Gesellen, vernarbt, übel zugerichtet, mit Ruß beschmiert. Und sie waren deutlich in der Überzahl.

»Sir«, sagte Mr. Arrowood. »Wir werden Ihnen keine Schwierigkeiten machen, wenn Sie ihn uns einfach übergeben. Aber wir müssen ihn zurückhaben. Ich bitte Sie ganz höflich, aber wir werden nicht ohne ihn wieder gehen.«

»Männer!«, bellte Sparks. »Kommt doch mal her.«

Ein großer Glatzkopf legte seine Säge beiseite und trat zu uns. Ein weiterer, der aussah, als wäre er der Bruder des ersten, kam von der anderen Seite herüber und hielt einen alten Polizeischlagstock in der Faust. Zwei jüngere Männer, einer mit einem Schürhaken, der andere mit einer Zange, kamen von der Esse angelaufen. Vier weitere versperrten uns den Weg zur Tür.

»Na, na«, murmelte Mr. Arrowood, verlagerte das Gewicht und klang bei Weitem nicht mehr so selbstsicher wie zuvor. »Es gibt doch keinen Grund für Feindseligkeiten, Sir. Sagen Sie uns einfach, wo der Junge ist. Ansonsten müssen wir die Polizei rufen, damit sie hier alles durchsucht.«

Ich erkannte sofort, dass Mr. Arrowood einen großen Fehler begangen hatte. Auf den Lippen des Böttchers zeichnete sich kurz der Anflug eines Grinsens ab, war aber sofort wieder verschwunden. Wir waren allein hergekommen, was er ganz genau wusste.

»Wer seid ihr beiden Wichte eigentlich?«, wollte Sparks

wissen und musterte uns von Kopf bis Fuß, bevor er ein abfälliges Schnauben ausstieß.

»Wir sind seine Vormunde«, antwortete Mr. Arrowood und hakte die Daumen in seine Weste, als wolle er Selbstbewusstsein ausstrahlen, was sein unkontrolliertes Muskelzucken jedoch Lügen strafte. »Machen Sie uns die Sache doch nicht so schwer. Wo ist er?«

Sparks nickte den grobschlächtigen Kerlen zu, und die beiden Brüder packten meine Arme und hielten mich fest. Die jüngeren Männer ergriffen Mr. Arrowood. Ein Kerl mit Lockenkopf und dem Körperbau eines Straßenkämpfers schlenderte lässig auf uns zu und schwang einen großen Vorschlaghammer.

»Schließ die Türen, Dennis«, verlangte Sparks.

Während ein kleiner Mann die Türen zur Gasse schloss, baute sich der Straßenkämpfer vor uns auf. Er hielt den Eisenhammer quer vor der Brust, hatte den Kopf schief gelegt und wartete. In seinen blassen Augen war keine Spur von Güte zu entdecken.

»Meine Herren«, sagte Mr. Arrowood, der immer unsicherer klang, »die Sache muss nicht in Gewalt ausarten. Sie verschlimmern dadurch nur Ihre Lage.«

Ich versuchte mich dem Griff der Männer zu entwinden, doch sie drehten mir einen Arm auf den Rücken und zogen ihn hoch, bis ich vor Schmerz aufstöhnte. Mr. Arrowood wirkte immer alarmierter, während zwei der jungen Männer seine Arme umklammerten.

Sparks kratzte sich durch die Jacke die Achsel. Die Türen fielen ins Schloss.

»So, meine Herren«, sagte er langsam. »Jetzt erzählen Sie mir mal, wer Sie sind und was zum Teufel hier eigentlich vor sich geht.«

»Ihr Wagen wurde letzte Nacht gesehen«, erwiderte Mr. Arrowood schnell und aufgeregt. »Vor Milky Sals Haus.«

»Und was hat das mit irgendeinem Jungen zu tun?«

»Die Polizei hat einen Tipp bekommen, dass er sich dort aufhalten sollte, doch er war nicht da. Sie haben ihn mitgenommen, bevor die Polizisten dort eintrafen.«

»Ach, habe ich das?«, entgegnete Sparks.

»Wir gehen davon aus«, erklärte Mr. Arrowood.

Hinter uns schlug jemand mit einem Hammer gegen ein Fass, dann hieb ein anderer auf einen Amboss, was sich anhörte wie zwei Uhren, die nicht im Einklang waren. Sparks starrte Mr. Arrowood an, während die Geräusche durch die große Werkstatt hallten. Ich versuchte ein weiteres Mal, meine Arme freizubekommen, aber die Männer hielten mich fest. Der Straßenkämpfer legte sich den Vorschlaghammer auf die Schulter und schien mich mit dem Blick aus seinen kalten Augen zu durchbohren. Das langsame Hämmern hörte nicht auf, und Mr. Arrowood zuckte jedes Mal zusammen. Auch mir setzte dieser nervtötende Klang langsam zu.

»Wer hat der Polizei den Tipp gegeben?«, verlangte Sparks zu erfahren.

»Das wissen wir nicht«, antwortete Mr. Arrowood rasch. »Das hat man uns nicht mitgeteilt. Wir wurden nur gebeten, ebenfalls zum Haus dieses Weibes Milky Sal zu kommen.«

Sparks nickte den beiden Männern zu, die Mr. Arrowood festhielten. Einer trat Mr. Arrowood die Beine weg. Er stieß einen Schrei aus und fiel zu Boden. Der junge Mann zog Mr. Arrowood einen Arm auf den Rücken, während sich der andere auf seine Füße setzte. Das Hämmern wurde lauter.

»Lassen Sie mich aufstehen!«, verlangte Mr. Arrowood.

Sparks stellte einen Stiefel auf Mr. Arrowoods Hals und

presste sein Gesicht auf den Boden. »Wieso glauben Sie, ich hätte diesen Jungen mitgenommen?«

»Die Polizei hat Sal und alle anderen mit aufs Revier genommen«, sagte ich. »Wir wollten gerade gehen, da kamen die Nachbarn vor die Tür, und einer von ihnen hat uns von Ihrem Wagen berichtet.«

Sparks verschränkte die Arme vor der Brust und blickte auf Mr. Arrowood hinab, der auf den Boden gedrückt wurde. Er schien nachzudenken.

»Das bedeutet also, die Bullen wissen nicht, dass ihr hier seid«, stellte er fest und warf dem Lockenkopf mit dem Hammer einen Blick zu. »Irgendwie klingt das alles verdammt seltsam, findest du nicht auch, Robbie?«

»Es ist wirklich seltsam«, stimmte ihm der Straßenkämpfer zu.

Sparks trat vor mich und starrte mir mit hartem Blick ins Gesicht. Seine Haut war schweißnass, und seine Augen sahen leicht gelblich aus.

»Ich würde vorschlagen, dass wir mit dem Großen hier anfangen«, meinte er.

Ich wehrte mich aus Leibeskräften und versuchte die Männer, die mich festhielten, zu Boden zu schleudern, aber sie waren viel zu kräftig.

»Sie wissen, dass wir hier sind«, kreischte Mr. Arrowood und hob den Kopf vom Boden. Seine Brille baumelte ihm an einem Ohr herunter. Die beiden Männer hielten ihn weiterhin fest. »Wir haben ihnen eine Nachricht geschickt, bevor wir hergekommen sind.«

Sparks starrte ihn an, und mit einem Mal flog seine Hand ohne Vorwarnung durch die Luft. Ich sah den Schlag kommen, aber die Brüder hielten mich so fest, dass ich nicht ausweichen konnte. Er traf mich mitten im Gesicht.

Ich stieß einen Fluch aus und spuckte Blut auf den Steinboden.

»Sie glauben doch nicht wirklich, wir wären hier einfach so hereinspaziert?«, fragte Mr. Arrowood. »So ganz allein? Wir sind keine Narren, Sparks.«

Sparks überlegte kurz und sah angewidert auf Mr. Arrowoods rotes Gesicht herab. Ich behielt seine Pranke im Auge, während er sich die Knöchel rieb. Er setzte zum nächsten Schlag an, und ich zuckte bereits zusammen, aber er führte die Bewegung nicht zu Ende, sondern schnaubte, als wäre ich ein Feigling.

»Werft sie raus, Männer.«

»Nein!«, kreischte Mr. Arrowood, als sie ihn hochhievten. »Geben Sie uns den Jungen, Sparks!«

Sparks packte Mr. Arrowoods Mantel und zog ihn so dicht an sich heran, dass sich ihre Nasenspitzen beinahe berührten.

»Ich weiß nicht das Geringste über irgendeinen Jungen«, zischte er. »Verschwinden Sie, und schätzen Sie sich glücklich, dass ich Sie nicht einfach in die Esse werfe.«

Trotz Mr. Arrowoods Gegenwehr schleiften sie uns zur Tür und schoben uns ins Freie. Dennis nahm die Zügel des Pferds und brachte es mitsamt Wagen in die Böttcherei. Dann wurden die Türen wieder zugeknallt.

Ich spuckte erneut Blut und war so wütend, wie ein Mann nur sein konnte. Mr. Arrowood wischte sich den Staub von der Kleidung.

»Er ist auf jeden Fall da drin«, sagte ich. »Haben Sie bemerkt, wie Sparks zusammengezuckt ist, als Sie den Jungen erwähnten?«

»Ja, das ist mir auch aufgefallen«, bestätigte Mr. Arrowood und drehte sich zur Böttcherei um. »Aber ich war mir nicht sicher … Wie geht es Ihrem Mund?«

»Vergessen Sie meinen Mund. Wie wollen wir an den Jungen herankommen?«

»Die Sache mit Lenny bereitet mir noch immer Sorgen, Barnett. Auf mich hat der Mann den Eindruck gemacht, als wüsste er tatsächlich nichts über Neddy. Ich bin mir nicht sicher, ob seine Willenskraft ansonsten groß genug gewesen wäre, um die Tortur, der Sie ihn unterzogen haben, so lange durchzustehen.«

Ich wollte eigentlich gar nicht über Mr. Arrowoods Worte nachdenken. Dies war vermutlich unsere einzige Chance, Neddy zu finden. Wenn er nicht in der Böttcherei festgehalten wurde, dann wusste ich nicht, wie wir weiter vorgehen wollten.

»Sparks hat irgendetwas vor«, sagte ich. »Warum sollte er an einem heißen Tag wie diesem die Türen schließen lassen? Dort drinnen befinden sich eine Esse und zehn schwitzende Männer. Und warum holt er ein Pferd, das dringend einer Abkühlung bedarf, hinein? Ich vermute, er wird versuchen, Neddy von hier wegzuschaffen.«

Mr. Arrowood marschierte nachdenklich hin und her.

»Oder er will Diebesgut beseitigen, bevor die Polizei hier eintrifft«, überlegte er.

Die Sonne brannte in der staubigen Gasse auf uns herab, und meine Verärgerung über Mr. Arrowood wuchs zunehmend.

»Wir müssen sofort etwas unternehmen!«, verlangte ich. »Wenn er da drin ist, wird Sparks ihn in den nächsten Minuten wegschaffen.«

»Das weiß ich!«, bellte er mich an. »Verflixt! Wir müssen da irgendwie wieder rein, Barnett. Uns bleibt keine Zeit, nach der Polizei zu schicken.«

Er ging verzweifelt auf und ab, und sein Hemdkragen war

inzwischen schweißnass. Mit einem Mal bemerkte ich ein Glitzern in seinen Augen.

»Ich habe einen Plan. Rasch, folgen Sie mir.«

Er stolperte schnell an der Böttcherei vorbei und nahm den Eingang auf den Hof. Ich folgte ihm. Hier war es dunkel, da die Gebäude dicht nebeneinanderstanden und an allen vier Seiten so hoch in den Himmel ragten, dass sie das Sonnenlicht aussperrten. Dazwischen befand sich eine lang gezogene Fläche voller Schlamm mit einem offenen Kanalgitter in der Mitte. Der Gestank war unerträglich. Überall lagen Austernschalen, und Hunde liefen zwischen nackten Kindern herum.

Keines der Gebäude hatte Türen; da waren nur klaffende Löcher an den entsprechenden Stellen. Die Fenster im Erdgeschoss jedes Hauses waren zugenagelt. Ein betrunkenes altes Weib saß mit geschlossenen Augen auf einer Türschwelle und sang schief ein Lied, wobei es an jede Zeile ein Schimpfwort anhängte. Mehrere Gammler in dreckigen Hemden beäugten uns. Hier und da stand eine der Missionarinnen in einer Türöffnung und sprach mit einem der Hofbewohner. Eine junge Frau lauschte Mrs. Truelove missmutig und hatte ein braunes Paket in der Hand. Ein ausgesprochen dürrer Mann unterhielt sich lautstark und hastig mit Mrs. Dewitt, die immer weiter vor ihm zurückwich, als würde sie befürchten, sich mit dem anzustecken, was den Ausschlag in seinem Gesicht hervorgerufen hatte. Zwei Mütter mit Babys in den Armen nickten höflich, während Mrs. Campbell ihnen etwas erklärte.

Mr. Arrowood ging auf Ettie zu, die einem alten Mann, der auf einer Kiste hockte, soeben ein Stück Karbolseife überreichte.

»William!«, rief sie aus. »Wie hast du mich gefunden?«

»Wir befinden uns in einer misslichen Lage, Schwester. Neddy wurde entführt. Creams Männer halten ihn in der

Böttcherei gleich um die Ecke fest.« Er zückte sein Taschentuch und wischte sich den Schweiß vom Gesicht. »Sie haben den guten Barnett hier geschlagen und wollten auch mich windelweich prügeln.«

Sie keuchte auf und schlug sich eine Hand an die Brust.

»Wir brauchen eure Hilfe, damit wir ihn suchen können. Ich bezweifle, dass sie Hand an eine Frau legen werden.«

»Du willst, dass wir da hineingehen und ihn retten?«

Der alte Mann keckerte los, was jedoch rasch in ein entsetzliches Röcheln überging.

»Ich vermute, dass sie ihn in eine Truhe gesteckt haben«, erläuterte Mr. Arrowood. »Aber möglicherweise wurde er auch irgendwo festgebunden. Wir müssen das ganze Gebäude durchsuchen.«

»Das ist doch sehr gefährlich, William. Wie viele Männer halten sich dort auf?«

»Etwa zehn.«

»Und wir sind nur zu siebt.«

»Ich kann mir nicht vorstellen, dass sie einer Frau etwas antun. Erst recht nicht, wenn man eure Kruzifixe sieht.«

»Oh, William. Liest du denn nicht die Zeitung? Jeden Tag werden Frauen von Männern getötet. Du musst zur Polizei gehen.«

»Dafür ist keine Zeit mehr. Die Gang glaubt, die Polizei wäre bereits unterwegs. Wir müssen jetzt handeln, bevor sie den Jungen wegschaffen.«

Ettie rang die Hände und blickte sich mit gerunzelter Stirn auf dem Hof um.

»Handelt es sich dabei um die Leute, gegen die du ermittelst?«

»Ja, Ettie.«

»Ich habe dir gesagt, dass du den Jungen nicht für solche

Aufträge einsetzen sollst, William. Habe ich es dir nicht gesagt?«

»Bitte, Ettie. Sie wollen ihn von hier wegbringen. Das könnte unsere einzige Gelegenheit sein, ihn zu retten.«

Sie starrte ihn weiterhin mit finsterer Miene und bebenden Nasenflügeln an. Dann drehte sie sich plötzlich zu den Frauen um und klatschte in die Hände, und im nächsten Augenblick waren auch schon alle aus den Häusern getreten und schauten zu ihr herüber.

»Meine Damen!«, rief sie. »Mein Bruder braucht unsere Hilfe. In der Böttcherei wird ein kleiner Junge festgehalten. Wir müssen versuchen, ihn zu befreien.«

Die Damen sahen sie mit entrüsteten Gesichtern an.

»Der Teufel ist hier unter uns«, verkündete Mrs. Dewitt.

»Er ist zehn Jahre alt und heißt Neddy«, fuhr Ettie fort. »Wir müssen hineingehen und ihn suchen. Halten Sie nach einer Truhe Ausschau oder nach Ecken, in denen man ein Kind verstecken könnte. In der Böttcherei arbeiteten mehrere Männer, denen wir jedoch keine Beachtung schenken werden.«

»Werden diese Männer versuchen, uns aufzuhalten?«, wollte Mrs. Truelove wissen.

»Das ist durchaus möglich«, antwortete Ettie. »Wir müssen schnell handeln und auf den Herrn vertrauen. Er wird uns leiten und uns Kraft gewähren.« Mrs. Truelove klatschte in die Hände.

»Gehen wir, meine Damen!«, ordnete sie an.

Wir folgten ihnen, als sie vom Hof marschierten und an die Tür der Böttcherei hämmerten. Sobald diese geöffnet wurde, stürmten die Damen wortlos hinein, verteilten sich und fingen an, in die herumstehenden Fässer zu blicken. Wir blieben in der Gasse stehen und warteten.

»He!«, brüllte Sparks, der vom Hof hereingestürmt kam. »Was soll das denn bitte schön werden?«

»Lassen Sie uns, Sir«, entgegnete Mrs. Truelove. »Wir suchen den Jungen.«

»Hier ist kein Junge!« Sparks war jetzt fuchsteufelswild, sein Gesicht lief rot an, und er warf die Hände in die Luft. »Ich habe seinen Vormunden bereits gesagt, dass er nicht hier ist. Und jetzt gehen Sie! Verlassen Sie meine Werkstatt!«

Mrs. Truelove würdigte ihn keines Blickes. Die Damen suchten weiter, hoben Fassdeckel an, spähten in Ecken und riefen Neddys Namen. Die Arbeiter standen mit ihren nackten Oberkörpern da und schienen nicht zu wissen, wie sie reagieren sollten. Mrs. Truelove marschierte zu den an der Wand gestapelten Fässern und machte sich daran, einen Blick in jedes einzelne davon zu werfen. Mit einem Mal hielt sie inne.

Sie klatschte erneut in die Hände.

»Meine Damen, suchen Sie bitte nach einer Truhe! Und sehen Sie nur in die mit einem Deckel verschlossenen Fässer. Mrs. Dewitt, Miss James, sehen Sie doch mal nach, ob es hier irgendwo einen Lagerraum gibt.«

Sparks lief zu ihr, packte ihren Arm und zerrte grob daran. Ettie, die sich gerade noch im Stall aufgehalten hatte, stand im nächsten Augenblick neben ihm.

»Lassen Sie sie sofort los!«, verlangte sie und zupfte an seiner Jacke.

Aber Sparks ignorierte sie und schlug Mrs. Truelove fest ins Gesicht, während er weiterhin versuchte, sie zur Tür zu ziehen. Sie wehrte sich aus Leibeskräften, aber er war weitaus stärker als sie und konnte sie auf die Straße hinausschieben.

»Raus mit Ihnen, und zwar allesamt!«, brüllte er und drehte sich wieder zur Werkstatt um. »Männer, ergreift sie, und schafft sie hier raus!«

Die Arbeiter verteilten sich in der ganzen Böttcherei. Mrs. Dewitt schrie auf, als sie von einem der Brüder zu Boden geworfen wurde. Sie landete auf einem Haufen Bolzen, hob eine Hand und starrte diese entsetzt an, da sich darauf bereits ein blutiger Schnitt abzeichnete. Der große Mann packte ihren Fuß und zerrte sie über den Boden. Gleichzeitig hatte Sparks Miss James am Ende einer langen Fässerreihe in die Enge getrieben. Er packte sie am Haar und zog sie in Richtung Tür. Sie jaulte auf, schlug um sich und kratzte ihm ins Gesicht, woraufhin er laut fluchte.

»Verdammt, hilf mir mal, Robbie!«, brüllte er dem Straßenkämpfer zu.

Wir halfen Mrs. Truelove auf die Beine. Ihr Mund schwoll bereits an, aber sie rückte nur ihre Röcke zurecht und marschierte sofort wieder in die Böttcherei. Mr. Arrowood und ich folgten ihr, und wir waren gerade durch die Tür getreten, da tippte mir Mr. Arrowood auf den Arm und deutete auf den Wagen, vor den noch immer die weiße Mähre gespannt war und der vor der Esse stand. Man hatte dieselben langen Holzkisten darauf geladen, die wir schon in der Nacht zuvor vor dem Beef gesehen hatten, allerdings waren es jetzt mehr, bestimmt um die dreißig Stück. Eine Plane lag zusammengeknüllt auf dem Boden.

Während die Männer den Frauen hinterherjagten, machten wir uns auf die Suche nach der Truhe. Mrs. Truelove, deren mütterliches Gesicht jetzt Zorn widerspiegelte, hatte sich soeben eine Kohleschaufel geschnappt und lief hinter Sparks her, doch dann erscholl auf dem Hof ein Schrei.

»Er ist hier!«, rief eine Frauenstimme mit schottischem Akzent. Es war Mrs. Campbell. »Ich habe ihn gefunden!«

Plötzlich rannte der Junge durch die Werkstatt und flitzte mal hier- und mal dorthin, während die Männer dumm herumstanden und nicht zu wissen schienen, ob sie nun die Frauen hinauswerfen oder den Jungen aufhalten sollten. Sein Gesicht war mit Ruß verschmiert, und seine Augen waren vom Weinen rot gerändert. Seine Schuhe waren ebenso verschwunden wie seine Kappe.

»Haltet ihn fest!«, brüllte Sparks und ließ Miss James los. »Was zum Teufel steht ihr da rum?«

Aber es war zu spät. Neddy hatte die Tür bereits erreicht.

»Lauf weiter!«, rief Mr. Arrowood. »Verschwinde von hier!«

»Renn weg, Junge!«, brüllte ich.

Der Junge rannte die Straße hinunter, und als Sparks seine Männer endlich dazu gebracht hatte, die Verfolgung aufzunehmen, war Neddy bereits um die Ecke gebogen und in der Menschenmenge untergetaucht.

17

Als wir in der Coin Street ankamen, saß Neddy auf einem Stuhl im Laden und aß einen großen Pudding. Er schenkte uns ein so fröhliches Lächeln, wie es ihm mit seinen geschwollenen Lippen möglich war, und Mr. Arrowood ging zu dem kleinen Frechdachs hinüber und nahm ihn in die Arme, ohne auch nur ein Wort zu sagen.

»Oh«, sagte Mrs. Pudding und hielt in ihrer Rührerei inne, »ist das nicht süß. Ich habe ihm einen Pudding gegeben, da er halb verhungert aussah, als er reingekommen ist, Ettie.«

»Danke«, erwiderte Ettie. »Er war die ganze Nacht in einem Fass eingesperrt.«

Ettie und ich beobachteten, wie Mr. Arrowood den Jungen umarmte. Wir betrachteten seinen großen, unförmigen Kopf, der vom vielen Herumlaufen und von der Hitze puterrot war, sein verspanntes Gesicht und wie er die Augen hinter den Brillengläsern zusammenkniff. Eine einzelne Träne quoll unter seinem rechten Augenlid hervor und lief ihm über die dralle Wange.

Er ließ den Jungen sofort los und wischte die Träne weg.

»Neddy, Neddy, mein guter Junge. Was bist du doch für ein tapferes Kerlchen.«

»Das war doch gar nichts, Sir.«

Erst jetzt bemerkten wir, dass dem Jungen ein Schneidezahn fehlte.

»Haben sie dir den Zahn ausgeschlagen?«, fragte ich.

»Das Fass ist vom Wagen gefallen«, berichtete er. »Aber es
hat nicht wehgetan, Sir.«

»Sehen Sie nur, wie tapfer er ist«, erklärte Mr. Arrowood
und strahlte vor Stolz.

»Ich bin froh, dass Sie mich gefunden haben, Sir. Es war gar
nicht schön in dem Fass.«

»Ich würde auch nicht gern in einem Fass stecken.« Mr. Arrowood betrachtete Neddy mitfühlend. »Erst recht nicht an
einem so heißen Tag wie heute.«

»Es war wirklich heiß da drin. Ich dachte schon, ich werde
gekocht. Und ich wusste nicht, wo ich bin.«

»Erzähl uns, was passiert ist, Neddy.«

»Es tut mir leid, Sir. Ich hätte weglaufen sollen, wie Sie gesagt haben.«

Mr. Arrowood drehte sich erneut zu mir um, nickte und
hatte ein triumphierendes Lächeln auf den Lippen.

»Aber als sie nach draußen kamen, dachte ich, ich könnte
sie belauschen«, fuhr Neddy fort. »Sie redeten über etwas,
und es schien sehr wichtig zu sein. Ich wollte es für Sie herausfinden, Mr. Arrowood. Daher bin ich unter den Wagen ge-
schlichen. Ich habe darauf geachtet, dass mich niemand sieht,
wie Sie es mir beigebracht haben.«

»Und wie ging es weiter, Neddy?«

»Dann kam der Landauer und hielt direkt vor dem Wagen.
Ich dachte, sie hätten mich gesehen, und bin schnell in eines
der Fässer geklettert. Aber dann kamen weitere Männer raus,
haben es verschlossen, und ich saß in dem Fass fest.«

»Haben sie dir wehgetan, Junge?«

»Sie wussten nicht, dass ich in dem Fass bin, Sir. Ich bin die ganze Nacht ganz leise gewesen, auch als sie das Fass bewegt haben. Ich wusste, dass Sie kommen und mich retten, Mr. Arrowood. Darum habe ich auch nicht geschrien. Ich wusste, dass Sie kommen.«

»Du hattest großes Glück, Neddy«, erklärte Mr. Arrowood ernst. »Wie lange hättest du es in dem Fass noch ausgehalten?«

»Nicht mehr lange«, gab der Junge zu und wurde ganz kleinlaut. »Ich war schon kurz davor, einfach zu schreien, damit sie mich da rausholen. Es war so heiß, dass ich beinahe eine Kruste bekommen hätte, Sir.«

»So etwas darfst du nie wieder tun, hast du verstanden? Ich bin sehr enttäuscht von dir. Ist dir eigentlich bewusst, dass dich diese Männer leicht hätten töten können?«

Neddy ließ den kleinen Kopf sinken.

»Dann hätten wir dich nie gefunden.«

Mr. Arrowood blickte einige Zeit auf Neddys gesenkten Kopf hinab. Die Schultern des Jungen zuckten. Ettie trat neben mich und raunte mir ins Ohr: »Weint er?«

Ich nickte.

Sie stieß Mr. Arrowood an.

»Weißt du was, Neddy«, sagte er leise und legte dem Jungen die Hände auf die Schultern. »Lass uns die ganze Sache einfach vergessen. Du hast versucht, uns zu helfen, und das verstehe ich. Du warst sehr tapfer.«

Neddy nickte.

»Tut dir die Lippe weh?«, erkundigte sich Ettie.

»Das ist nicht so schlimm, Missus. Das ertrage ich schon.«

»Würde dir ein Stück Kuchen vielleicht dabei helfen?«

Endlich blickte er auf. Seine Augen waren ganz verquollen.

»Vielleicht ein bisschen, Missus.«

»Dann iss deinen Kuchen auf, damit wir nach hinten gehen können.«

»Ich hätte ihnen nichts verraten, Sir«, sagte Neddy, nachdem er sich wieder gefasst hatte. »Ich hätte behauptet, dass ich die Kochtöpfe klauen und verkaufen wollte. Ich hatte mir schon alles genau zurechtgelegt.«

»Gut mitgedacht«, lobte Mr. Arrowood ihn und fummelte an seiner Geldbörse herum. »Aber denk beim nächsten Mal an die oberste Detektivregel: Bring dich nicht in Gefahr. Hier hast du den Schilling, den ich dir versprochen habe.«

Neddy nickte ernst, nahm die Münze entgegen und steckte sie ein.

»Sir?«, fragte ich.

Als mich Mr. Arrowood fragend ansah, starrte ich ihn nur vielsagend an.

Er tätschelte dem Jungen den Kopf und umarmte ihn noch einmal kurz.

»Das ist mein Junge«, murmelte er.

»Sir?«, wiederholte ich.

»So, mein Junge«, sagte Mr. Arrowood und ignorierte mich. »Deine Mutter hat sich große Sorgen gemacht. Hol dir dein Stück Kuchen und geh nach Hause. Bring deiner Familie etwas Erbsenpudding mit. Nein, noch besser, Albert wird dir einen übrig gebliebenen Pudding mitgeben. Ich zahle, Albert. Mit dem üblichen Rabatt, selbstverständlich.«

»Sie hatten da noch einen Bonus erwähnt«, merkte ich an.

»Bonus? Von einem Bonus war nie die Rede.«

»Sie sagten, Sie würden ihm für seine Mühe noch einen Schilling extra geben. Immerhin hat er zu allem Überfluss auch noch seine Schuhe verloren.«

»Ich erinnere mi…«

»Ja, William«, fiel ihm Ettie ins Wort und zwinkerte mir zu. Wir grinsten einander an. »Gib ihm diesen extra Schilling, den du ihm versprochen hast.«

Mr. Arrowood schnaubte und holte widerwillig eine weitere Münze aus seinem Geldbeutel.

»Danke, Sir«, sagte Neddy mit glänzenden Augen, der gar nicht fassen konnte, wie reich er auf einmal war.

»Sehr gern geschehen«, erwiderte Mr. Arrowood. »Und jetzt lauf in den Salon, dann kann dir Ettie das Gesicht waschen.«

Petleigh war noch auf dem Polizeirevier, als wir dort eintrafen. Er war hocherfreut zu hören, dass wir Neddy gefunden hatten.

»Tja, und ich kann Ihnen mitteilen, dass Sie meine Zeit nicht vollends vergeudet haben«, berichtete er. »Eines der jungen Mädchen, die wir dort angetroffen haben, berichtete, dass es von mehreren Männern misshandelt worden sei. Es war ihr nicht gestattet, das Haus zu verlassen. Endlich können wir Sal dank dieser Beweise vor den Magistrat bringen. So hat sich aus Ihrer falschen Spur doch noch etwas Produktives ergeben, Arrowood. Sie ist eine kleine Französin, gerade mal vierzehn Jahre alt. Und nun möchte sie nur noch nach Hause.«

Mr. Arrowood schüttelte seinen unförmigen Kopf. »Ich befürchte, dass sie ihres Lebens nicht mehr froh werden wird.«

»Glauben Sie nicht daran, dass jemand geläutert werden kann, William?«, fragte Petleigh.

Mr. Arrowood zuckte mit den Achseln. »Sie hat als Hure gelebt. Ihr Geist hat sich verändert. Kann das rückgängig gemacht werden?«

Es gefiel mir nicht, wenn er so redete. Zwar war ich in dieser Hinsicht kein Experte, doch es machte auf mich den Anschein, als würden einige seiner Ansichten nicht zueinanderpassen. Hin und wieder war er bereit, das Gute in der erbärmlichsten Kreatur Londons zu sehen, um dann wieder einige der unverzeihlichsten Meinungen seiner Klasse so selbstverständlich auszusprechen, als wären sie unumstößlich.

»Tja«, meinte Petleigh schließlich. »Das sind keine Fragen, um die sich die Polizei kümmern muss. Wir haben sie immerhin gerettet, und mehr können wir nicht für sie tun.«

»Wie ist sie in die ganze Sache hineingeraten?«, erkundigte ich mich.

»Ihr Vater ist am Fieber gestorben. Ihre Mutter war in Anstellung. Vier jüngere Brüder. Die Großmutter hat sie aufgezogen, bis die Mutter ihre Stelle verloren hat. Ohne das Gehalt konnte die Großmutter sie nicht länger durchbringen.« Petleigh seufzte und lehnte sich auf seinem Stuhl zurück. »Sie hörten von einer Engländerin, die Mädchen einstellen wollte. Anscheinend bevorzugen einige der hiesigen Gentlemen Französinnen, da sie höflicher und ehrlicher sind, zumindest ist das der allgemeine Glaube. Jedenfalls war das alles ein falsches Spiel. Bei der Frau handelte es sich um Milky Sal. Sie holte das Mädchen aus Rouen hierher, fort von der Familie, und damit war die Kleine wehrlos. Das andere Mädchen stammt ebenfalls aus Frankreich, will jedoch nicht reden.«

Mr. Arrowood und ich sahen einander an.

»Stammen sie beide aus Rouen?«, wollte Mr. Arrowood wissen.

»Ja.«

»Das Jungfrauenopfer?«, fragte ich.

Petleigh nickte.

»Ich befürchte, dass diese Sitte trotz anderslautender Zeitungsberichte noch immer nicht ausgestorben ist. Der Handel verläuft überdies in beide Richtungen. Unsere jungen Mädchen werden nach drüben geschafft und ihre hierher. Leider haben wir nicht genug Männer, um allen in dieser verdammten Stadt begangenen Verbrechen nachzugehen.« Die Haut um seinen schwarzen Schnurrbart war schweißnass. Er stand auf und öffnete die Tür, um wenigstens ein bisschen Zugluft im Büro zu haben. Sein Fenster wurde inzwischen von einem Gurkenglas offen gehalten. »Diese widerliche Hitze«, knurrte er und tat seine unerwartete Verärgerung kund, indem er gegen den Weidenkorb trat, der neben seinem Schreibtisch stand.

»Lassen Sie mich mit Sal reden«, schlug Mr. Arrowood vor und erhob sich.

»Ich habe sie bereits verhört.«

»Geben Sie mir nur fünf Minuten mit ihr.«

»Sie behauptet, nichts über den Mord zu wissen.«

»Ich möchte sie auch noch etwas anderes fragen.«

»Geht es um den Mord?«

»Es geht um unseren Fall, könnte Ihnen aber ebenfalls weiterhelfen.«

Petleigh stieß einen verzweifelten Seufzer aus. Er zog seinen schwarzen Mantel aus und hängte ihn über die Rückenlehne seines Stuhls.

»Wir kommen auch ohne Ihre Hilfe zurecht, Arrowood.«

»Wir haben den Jungen gefunden«, rief ihm Mr. Arrowood in Erinnerung.

»Sie haben ihn auch erst verloren!«

»Da fällt mir noch etwas ein: Als Sparks glaubte, die Polizei wäre unterwegs, ließ er die Kisten, die sie in der Nacht zuvor aus dem Beef geholt hatten, wieder auf den Wagen laden. Er verbirgt irgendetwas.«

»Ach, Arrowood. Wir ermitteln in einem Mordfall. Denken Sie wirklich, ich hätte noch Zeit, mich um Diebesgut zu kümmern?«

»Lassen Sie mich einfach mit Sal reden.«

»Ich sagte es doch bereits: Nein!«

»Verdammt noch mal, Petleigh!«, rief Mr. Arrowood, der sich wieder einmal sehr über den eigensinnigen Polizisten ärgerte. Er wischte sich das Gesicht ab. »Der Junge, den wir suchen, stammt aus Rouen. Sal weiß vielleicht etwas, das uns weiterhilft.«

Petleigh verschränkte die Arme vor der Brust und machte ein trotziges Gesicht.

»Ich habe langsam genug«, erklärte er. »Verschwinden Sie aus meinem Büro, und zwar Sie beide. Wir haben nichts mehr zu besprechen.«

»Hören Sie, Petleigh …«, begann Mr. Arrowood.

»Sir«, unterbrach ich ihn und nahm seinen Arm, »das führt doch zu nichts.«

»Raus«, forderte Petleigh und strich sich hektisch über den Schnurrbart. »Verschwinden Sie. Ich habe keine Zeit für Ihre Wutanfälle.«

Erst als wir auf der Straße standen, ergriff ich erneut das Wort.

»Beim nächsten Mal werde ich Petleigh allein aufsuchen, Sir. Sie können Ihr Temperament einfach nicht im Zaum halten. Für jemanden, der anderen Menschen in die Seele blicken kann, erweisen Sie sich bei diesem Mann als erschreckend blind.«

Mr. Arrowood knurrte nur und winkte ab.

»Dieser Mann treibt mich auf die Palme.«

Auf der anderen Straßenseite befand sich ein Kaffeehaus, und der Duft der Backwaren drang zu uns herüber. Mr. Arrowood nahm meinen Arm und führte mich hinüber.

Lewis war ebenfalls schlecht gelaunt. Seine Höhle, die bis zur Decke mit Waffen und Dingen zugestellt war, die er nie würde verkaufen können, war heißer als eine Garküche, und es gab weder eine Hintertür noch ein Fenster, um etwas Luft hereinzulassen. An den Türpfosten baumelten von außen mehrere Boxhandschuhe und Pistolenhalfter. Am Türsturz hingen unzählige Jagdmesser. Auf dem Boden standen Kisten mit Schwertern, Bögen, Gehstöcken und Regenschirmen herum, während im Fenster ein ganzes Arsenal an Handfeuerwaffen ausgelegt worden war. Lewis saß inmitten seiner Waren in der Sonne, mit aufgeblähtem, glänzendem Gesicht, während ihm das fettige Haar am Schädel klebte. Er schwitzte so stark, dass sein dicker, schwarzer Mantel nass aussah und der Schweiß auf den heißen Fußboden tropfte. Als er das Paket mit frischem Fisch in meiner Hand entdeckte, merkte er auf. Wir zogen eine Bank auf die schattige Seite der Straße und aßen. Als wir fertig waren, fragte Mr. Arrowood ihn, ob er Longmire kenne.

»Der aus dem Kriegsministerium? Von dem Mann habe ich schon gehört.«

Lewis schleuderte das fettige Papier quer durch die Gasse, stand ächzend auf und verschwand in seinem Laden. Als er wieder herauskam, hielt er ein Buch in der Hand.

»Ah, ja, natürlich«, murmelte er, während er darin herumblätterte. »Colonel Montague Longmire. Dient in der Abteilung des Master-Generals der Artillerie unter Sir Evelyn Wood.« Er blickte auf. »Hat das etwas mit der Patrone zu tun?«

»Das wäre durchaus möglich. Was können Sie uns noch über den Mann sagen?«

»Er ist der zweite Sohn von Lord Longmire. Einer Familie aus Gloucester. Wenn ich mich recht erinnere, ist er ein guter Freund des Oberbefehlshabers.«

»Hat er in Irland gedient?«, wollte Mr. Arrowood wissen.

»Das kann ich Ihnen nicht sagen.«

»Katholik?«

»Das bezweifle ich.«

»Ist er verheiratet?«

»Welcher angesehene Mann ist das nicht?«

»Sie zum Beispiel, Lewis«, antwortete Mr. Arrowood.

Der dicke Mann lachte.

»Haben Sie etwas von Isabel gehört?«, erkundigte er sich.

Mr. Arrowood schüttelte traurig den Kopf und reichte seinem Freund das Notizbuch.

»Kennen Sie einen dieser Namen?«

Lewis ging die Liste durch.

»Nein«, sagte er dann. »Nur Longmire.«

Wir zündeten uns Zigarren an, saßen eine Weile schweigend da und beobachteten die Wagen, die in die Lagerhäuser entlang der Straße hineinfuhren und wieder herauskamen. Lewis erkundigte sich nach dem Fall, und wir berichteten ihm alles, was wir wussten. Dabei konzentrierte er sich sehr auf jedes Detail und stellte unzählige Fragen. In der Vergangenheit hatte er uns schon des Öfteren mit einem Vorschlag oder einer zusätzlichen Information weiterhelfen können. Als wir ihm berichteten, wie uns die Frauen dabei geholfen hatten, Neddy aus Sparks Böttcherei zu befreien, lachte er laut los.

»Über diesen Sparks kann ich so einiges erzählen«, sagte er und wurde wieder ernst. »Die Böttcherei ist eines von Creams sicheren Verstecken. Man kann leicht Diebesgut in einigen wenigen der vielen Fässer verstecken, und die Polizei muss dann Hunderte durchsuchen, bis sie das richtige entdeckt. Außerdem besteht keine Gefahr, beraubt zu werden.«

Mr. Arrowood starrte ins Leere und nickte, während er darüber nachdachte.

»Und auf einem Böttchereiwagen lassen sich die Dinge auch unauffällig durch die Stadt transportieren«, merkte er an.

»Cream ist kein Dummkopf«, fuhr Lewis fort. »Er hat seine Methoden.«

Mr. Arrowood stand auf, als ein mit Teekisten beladener Wagen in Richtung Pier davonfuhr.

»Wenn Sie noch etwas anderes hören, wären wir über eine Nachricht sehr dankbar, mein Freund.«

»Seien Sie vorsichtig, William«, erwiderte der Waffenhändler. »Die Feniers sind Fanatiker. Für sie ist die Sache wichtiger als alles andere. Wenn Sie denen in die Quere kommen, werden die Sie ohne zu zögern beseitigen.«

»Ich kenne die Feniers, Lewis«, sagte Mr. Arrowood leise.

»Sind Sie sicher, dass dieser Fall nicht eine Nummer zu groß für Sie ist?«

Mr. Arrowood sah mich bei dieser Frage an, und in seinen Augen war eine Spur von Schwäche zu erkennen.

»Wir werden Marthas Mörder finden«, entgegnete er und hielt meinem Blick stand. »Was danach passiert, steht jedoch in den Sternen.«

18

Fontaine unterhielt sich gerade mit einem Gentleman, als wir hereinkamen. Der Fremde hatte einen breiten Schnurrbart in einem pinkfarbenen Gesicht und trug einen grauen Zylinder mit schwarzem Band zu einem feinen Gehrock. Trotz der Hitze hatte er nicht auf die weißen Handschuhe verzichtet. Vor der Tür stand eine glänzende schwarze Kutsche mit einem Kutscher in Livree. Die beiden davorgespannten weißen Pferde schnaubten und scharrten mit den Hufen, als könnten sie es kaum erwarten, endlich wieder loszulaufen. Der Gentleman warf uns einen kurzen Blick zu, als wir eintraten, und wandte sich dann ab, als wolle er nicht erkannt werden.

»Sie werden mir auf jeden Fall eine Nachricht zukommen lassen«, sagte er und beeilte sich, das Gespräch zum Abschluss zu bringen.

»Selbstverständlich, Sir. Es dauert höchstens zwei Tage, keinesfalls länger.«

Fontaine verbeugte sich und eilte um die Ladentheke, um dem Gentleman die Tür zu öffnen. Während er das tat, kam Miss Cousture hinter dem Vorhang hervor.

»Meine Herren«, sagte Fontaine, bevor sie die Gelegenheit bekam, das Wort zu ergreifen, »wie schön, Sie zu sehen. Ich kann Ihnen die freudige Mitteilung machen, dass das Porträt fertig ist.«

Er rieb sich lächelnd die Hände.

»Das ist ja wunderbar!«, erwiderte Mr. Arrowood, der sich rasch von seiner durch die Hitze bedingten Erschöpfung erholte. »Bringen Sie es bitte her. Ich kann es kaum noch erwarten, es endlich bewundern zu dürfen.«

»Ich denke, Sie werden hocherfreut sein, Sir. Ich bin gleich wieder da.«

Sobald er hinter dem Vorhang verschwunden war, drückte ich Miss Cousture eine Nachricht in die Hand, die sie rasch in ihrem Ärmel verschwinden ließ.

»Haben Sie mir etwas zu sagen?«, fragte sie leise.

»Lesen Sie die Nachricht«, flüsterte ich zurück.

Da kam Fontaine auch schon mit dem großen Bild zurück.

»Ich bin sehr zufrieden mit dem Ergebnis«, erklärte er und stellte das Bild grunzend ab. »Das Porträt adelt Sie und würde sich in den feinsten Landhäusern vorzüglich machen.«

»Lassen Sie es uns sehen!«, verlangte Mr. Arrowood.

»Bitte helfen Sie mir, Caroline.«

Sie stellten das Bild auf die Theke und entfernten vorsichtig das braune Packpapier, in das es eingeschlagen war.

Dann hatten wir Mr. Arrowood vor uns, der vor einem blässlichen Hintergrund stand und einen Arm auf ein Pult stützte. Hinter seiner Schulter war ein Papagei auf einer Schaukel zu sehen. Mr. Arrowood hatte wie Napoleon eine Hand in die Knopfleiste seines Mantels gesteckt.

»Bravo, Mr. Fontaine!«, rief Mr. Arrowood aus. »Ich hätte mir kein besseres Resultat erhoffen können.«

Ich bemerkte, dass die Brauntöne zahlreiche Falten und Unregelmäßigkeiten seines ochsenartigen Gesichts ausglichen. Es glich beinahe einem Wunder.

»Ich bin der Ansicht, dass ich Sie gut zur Geltung gebracht habe. Ihr Geist wurde hervorragend eingefangen, Mr. Arrowood. Abenteurer. Held. Adliger. Da sind Sie so zu sehen, wie Sie wirklich sind.«

Mr. Arrowood bewunderte das Porträt weiterhin nickend und murmelte Lobesworte vor sich hin.

»Ich hoffe, es macht Ihnen nichts aus, Sir, dass ich mir die Freiheit erlaubt habe, das Bild meinem guten Freund Mr. Flint zu zeigen, der eine Position an der Akademie der schönen Künste innehat. Er ist ein großer Bewunderer der menschlichen Gestalt. Ich war so außerordentlich zufrieden mit diesem Porträt, dass ich es ihm einfach präsentieren musste.«

»Ist dem so? Natürlich. Und was hat er gesagt?«

»Er hat etwas in Ihnen gesehen, das ihn an Moses erinnert hat, Sir.«

»An Moses!«, rief Mr. Arrowood aus. »Ist das denn die Möglichkeit?«

»Er sprach von einer verblüffenden Ähnlichkeit.«

»Moses«, wiederholte Mr. Arrowood nickend, legte eine Hand ans Kinn und verschlang das Bild förmlich mit den Augen. »Soso. Ich fühle mich geehrt. Was denken Sie, Barnett? Wird es meiner Schwester gefallen?«

»Sie wird es lieben, Sir.«

Doch er schien mich gar nicht gehört zu haben, sondern seufzte zufrieden und wandte sich an Fontaine. »Mir ist, als wäre ich mit einem seit Langem verloren geglaubten Freund wiedervereint worden.«

Fontaine strich sich mit den Fingern durch sein glänzendes Haar und lächelte erneut. »Es war mir eine Ehre, Sir. Mit einem Motiv wie Ihnen sind die ganzen eintönigen Sitzungen weitaus lohnenswerter. Sie haben mir einen Gefallen getan, Sir.«

»Barnett, Sie müssen sich auch ablichten lassen. Mrs. Barnett würde sich gewiss sehr darüber freuen. Es sei denn …« Er warf Fontaine einen Blick zu. »Es sei denn, Sie sehen in ihm nicht das, was Sie auch in mir gesehen haben, Mr. Fontaine?«

»*Au contraire*, Sir«, erwiderte Fontaine, der den Blick jetzt langsam von meiner Nase bis zu meinen Stiefelspitzen wandern ließ. »Ich könnte Sie auf ähnliche Weise adeln, Mr. Barnett. Sie sind ein so stattlicher Mann.«

»Aber gewiss nicht mit mir vergleichbar?«, hakte Mr. Arrowood nach und betrachtete mich missbilligend. »Gewiss nicht. Dennoch könnten Sie Mrs. Barnett damit eine Freude machen, denke ich.«

»Ich kann mir so etwas nicht leisten.«

»Oh«, murmelte Fontaine und wandte sich sofort von mir ab. »Nun denn. Darf ich Sie zu einer Kutsche begleiten, Mr. Arrowood? Vielleicht möchten Sie auch noch ein Porträt Ihrer Schwester anfertigen lassen?«

Wir warteten in Mrs. Willows' Kaffeehaus auf Miss Cousture. Das wieder in braunes Papier eingewickelte Porträt stand hinter dem Tisch an der Wand, und Mr. Arrowood hatte daneben Platz genommen. Erneut war er mit den Zeitungen beschäftigt und hatte sich die beiden, die er gerade nicht las, unter einen Oberschenkel geklemmt.

»Das ist ein interessanter Fall«, sagte er und glättete den *Daily Chronicle* auf dem Tisch. »Miss Susan Cushing, eine fünfzigjährige Witwe aus Croydon, hat per Post ein Paket mit zwei Ohren erhalten. Auf einem Bett aus Salz. Lestrade bearbeitet die Sache.«

»Menschenohren?«

»Natürlich Menschenohren«, bestätigte er sofort. Er las sich den Artikel interessiert durch und rieb sich erfreut die

Hände. »Das ist vielleicht ein Fall, Barnett! Warum bekommen wir nie solche Fälle? Die verdächtigen drei Medizinstudenten, die von dieser Frau aus der Herberge geworfen wurden. Es sei ein Akt der Rache, heißt es. Soso. Doch das erklärt noch lange nicht das Salz. Anscheinend ist ihnen das entgangen. Ich könnte mir vorstellen, dass das Salz der Dame etwas sagt. Aber was könnte das sein?« Er blätterte um und schnaubte. »Ah. Keine weitere Information.«

Rena brachte jedem von uns ein Rindfleischsandwich und ein Stück Kuchen. Der einzige andere Gast, ein Diener, trank seinen Kaffee aus und ging wieder.

»Sie berichten noch immer über Marthas Tod«, sagte Mr. Arrowood, während wir aßen. »Allein in dieser Zeitung auf ganzen drei Seiten.«

»Steht dort auch etwas Nützliches?«

»Nichts als Klatsch und Tratsch. Ein Nachbar behauptet, sie wäre Waliserin gewesen. Diese Idioten. Und hier, ein Constable sagt, es könnte der Ripper gewesen sein. Er wurde unterbrochen, bevor er sie aufschlitzen konnte. Und auf zwei Seiten werden die Whitechapel-Morde erneut in allen widerlichen Details beschrieben. Ach herrje. Ich dachte, wir hätten das hinter uns.«

»Gibt es noch andere Theorien?«, erkundigte ich mich.

»In *Lloyd's Weekly* wird vermutet, dass sie kürzlich eine Versicherung abgeschlossen habe und alles auf den Vater hindeuten würde.«

»Wo haben sie denn diese Information her?«

»Das steht da nicht«, antwortete Mr. Arrowood. »Allerdings würde das wenigstens zu der These passen, dass es sich bei dem Mörder um einen angeheuerten Attentäter handelt.«

»Cream oder die Feniers werden nirgends erwähnt?«

»Nein.«

Die Tür wurde geöffnet, und Miss Cousture kam herein. Ihr Gesicht war von der Hitze ganz gerötet, und sie atmete schwer.

»Mr. Arrowood«, begann sie, noch bevor sie sich gesetzt hatte. »Bitte sagen Sie mir, was es Neues gibt. Ich habe nicht sehr viel Zeit.«

»Wir haben einige Fortschritte gemacht, Miss«, erwiderte er. »Es hat ganz den Anschein, als würde Cream mit einem Colonel Longmire Geschäfte machen, der im Kriegsministerium tätig ist. Das könnte die fehlende Verbindung zu der Patrone sein.«

»Falls diese Patrone überhaupt von Bedeutung ist«, entgegnete sie spitz. »Sind Sie sicher, dass es da eine Verbindung gibt?«

»Cream und Longmire haben sich im Laufe des letzten Jahres häufig getroffen. Wir wissen außerdem, dass die Patrone zu einem Gewehr gehört, das bisher nur bei der Armee Verwendung findet.«

»Und?«

»Cream nutzt eine Böttcherei, um Diebesgut zu lagern. Er bewegt es auf dem Wagen des Böttchers von einem Ort zum anderen. Wir wissen außerdem, dass ihm ein Bordell gehört, das von einer Frau namens Milky Sal geleitet wird.«

Er hielt inne und biss von seinem Sandwich ab. Miss Cousture, die sich noch immer nicht hingesetzt hatte, starrte ihn angespannt an und umklammerte ein kleines Taschentuch mit beiden Händen.

»Bitte setzen Sie sich doch, Miss.«

»Sie sind in einem Bordell gewesen?«

»Ja, das sind wir.«

»Und was haben Sie herausgefunden?«

Ein Schlachter, der noch immer seine blutbefleckte Schürze

trug, versuchte, die Tür aufzudrücken. Ich versperrte sie mit einem Stiefel und schüttelte den Kopf, woraufhin er schnaubte, aber von dannen zog. Rena war gnädig und sagte nichts, sondern zog sich in ihr Hinterzimmer zurück.

»Darf ich Ihnen einen Kaffee bestellen, Miss?«, fragte ich und schluckte das letzte Stück meines Sandwichs herunter.

Sie schien mich gar nicht gehört zu haben.

»Was haben Sie in diesem Bordell gefunden?«, verlangte sie zu erfahren, wobei sie Mr. Arrowood weiterhin anstarrte. »Irgendwelche Hinweise, die uns zu Thierry führen können?«

Mr. Arrowood kaute emsig weiter und sah ihr ins blasse Gesicht. Endlich hatte er den Bissen hinuntergeschluckt. »Möchten Sie uns vielleicht etwas mitteilen, Miss?«

»Wie meinen Sie das?«

»Sie scheinen sich nicht für die Patrone zu interessieren, obwohl das einer unserer besten Hinweise ist. Sie wollen auch nichts über Creams Diebesgut oder die Böttcherei hören. Aber kaum hatte ich das Bordell erwähnt, sind Sie auf einmal ganz Ohr.«

»Ich interessiere mich für die Patrone. Selbstverständlich tue ich das, aber ich begreife schlichtweg nicht, wie sie mir helfen soll, meinen Bruder wiederzufinden. Das ist alles.«

»Aber kaum erwähne ich das Bordell, ist Ihr Interesse geweckt.«

Sie schwieg einen Augenblick und blickte auf die Straße hinaus.

»Der Grund dafür ist, dass mein Bruder Bordelle aufsucht«, gab sie schließlich zu. »Daher ist es durchaus möglich, dass Sie dort Hinweise auf ihn finden können.«

»Ich verstehe«, murmelte Mr. Arrowood, dessen Stimme nun sanft und voller Mitgefühl war. »Aber ich muss Sie noch einmal fragen, ob es da etwas gibt, das Sie uns verschweigen?«

Sie runzelte die Stirn, und ihre Nasenflügel bebten. Dann atmete sie tief ein.

»*Mon dieu!* Sie nehmen jedes Mal aufs Neue mein Geld, ohne mir etwas dafür zu liefern.«

»Miss Cousture«, erwiderte Mr. Arrowood, der weiterhin freundlich blieb. »Ich weiß, dass Sie eine sehr schwere Zeit durchmachen. Sie sind verzweifelt, und in dieser großen Stadt weiß man nie, wem man trauen kann. Aber wir können Ihnen nicht dabei helfen, Ihren Bruder zu finden, wenn Sie uns nicht die Wahrheit sagen.«

»Ich habe Ihnen die Wahrheit gesagt.«

Er schnaufte und setzte erneut seinen Trick ein: geschürzte Lippen unter einem überaus freundlichen Blick. Dann wartete er, und das Schweigen hing derartig vielsagend in der Luft, dass selbst die Fliegen innehielten, um auf das Resultat zu warten. Doch anstatt zu gestehen, verschränkte Miss Cousture die Arme und weigerte sich, Mr. Arrowood anzusehen.

»Bitte setzen Sie sich doch einen Moment«, bat er sie erneut.

Sie stieß die Luft aus und machte eine erboste Miene, ließ sich dann aber doch auf dem Stuhl ihm gegenüber nieder. Ich blieb an der Tür stehen.

»Wir wissen, dass nicht Ihr Onkel Ihnen diese Stelle vermittelt hat, sondern dass Sie sie über einen Geistlichen bekommen haben.« Mr. Arrowood machte eine kurze Pause und rührte seinen Kaffee um. Er pustete hinein und trank schlürfend einen Schluck. Nachdem er die Tasse wieder auf den Tisch gestellt hatte, sprach er weiter. »Sie sind überhaupt nicht nach London gekommen, um Ihren Beruf auszuüben, nicht wahr, Miss Cousture?«

Sie warf mir einen Blick zu, und in mir keimte Mitgefühl für sie auf.

»Woher wissen Sie das?«, flüsterte sie.

»Von Ihrem Arbeitgeber, Mr. Fontaine.«

Sie runzelte die Stirn. »Natürlich.«

»Bitte glauben Sie mir, Miss, dass wir Ihnen diese Täuschung nicht übel nehmen. Sie hatten gewiss Ihre Gründe dafür.«

Sie nickte, sagte jedoch nichts.

Mr. Arrowood tätschelte ihre Hand und flüsterte: »Warum haben Sie gelogen?«

»Ach, Mr. Arrowood«, antwortete sie leise und senkte den Blick auf die Tischplatte, »es ist mir so peinlich, die Wahrheit über mein Leben zuzugeben. Eric behandelt mich so schlecht. Und er bezahlt mir einen Hungerlohn. Ich bin wie seine Sklavin.«

»Und was ist mit dem Geistlichen?«

»Das Haus, in dem ich lebe, gehört einer Mission. Es bietet unverheirateten Frauen in der Stadt einen Unterschlupf, wie ich Ihnen ja bereits gesagt habe. Ich bin sehr dankbar dafür, denn ich muss Ihnen gestehen, dass ich auf wohltätige Hilfe angewiesen bin.« Nun sah sie ihm in die Augen. »Auch dafür schäme ich mich sehr. Als ich nach London kam, dachte ich, ich könnte mehr aus mir machen. Meine Familie ist sehr stolz, und ich bin es ebenfalls. Ich wollte mich gar nicht mit Eric abgeben, aber der Reverend hat mir die Stelle angeboten, und ich konnte nicht ablehnen, da man mich sonst auf die Straße gesetzt hätte. Er gestattet keine Uneinigkeit. Aber ich habe beschlossen, nicht nach Frankreich zurückzukehren, bevor ich das Handwerk erlernt habe. Eines Tages werde ich dieses Geschäft verlassen und heimkehren, und dann werde ich möglicherweise die erste Photographin Frankreichs sein.«

Während sie redete, steckte Mr. Arrowood sein Messer in den Senftopf und schmierte geistesabwesend eine dicke Schicht der gelblichen Paste auf sein Sandwich. Danach wiederholte er das Ganze und trug eine zweite und danach noch eine Senfschicht auf, bis diese dicker als das Rindfleisch war.

»Mr. Arrowood«, begann ich.

Er winkte nur ab.

»Wenn Sie ein derart geringes Gehalt beziehen, wie kommt es dann, dass Sie über so viel Geld verfügen?«, wollte er wissen.

»Bitte stellen Sie mir diese Frage nicht«, flehte Miss Cousture ihn an. »Ich habe das Geld nicht gestohlen.«

»Das hatte ich auch nicht angenommen.«

»Bitte fragen Sie mich das nicht.«

»Aber woher soll ich wissen, dass das nicht ebenfalls eine Lüge ist?«

»Ich sage Ihnen doch die Wahrheit.« Sie rieb die Hände aneinander. »Keine Lügen mehr.«

»Woher kommt das Geld?«, wollte ich wissen.

Sie drehte sich zu mir um, und ihre braunen Augen sahen so rein und sanft aus. Einige Haarsträhnen ragten unter ihrem Hut hervor und umspielten ihren blassen Hals, auf dem Schweißtropfen schimmerten. Sie schüttelte den Kopf.

»Das kann ich Ihnen nicht sagen.«

Mr. Arrowood und ich sahen uns an und dachten beide dasselbe. Es war nicht ungewöhnlich, dass sich eine alleinstehende Frau auf diese Weise etwas dazuverdiente. Ich konnte es ihr nicht verdenken und wusste, dass Mr. Arrowood ähnlich dachte.

»Sie haben uns erzählt, Sie würden mit Ihrem Bruder zusammenleben«, sagte er.

»Das habe ich nur getan, um Sie davon zu überzeugen, den Fall anzunehmen. Aber bitte, Mr. Arrowood, Sie müssen mir glauben, dass er in Schwierigkeiten steckt. Davon bin ich überzeugt.«

»Machen Sie sich keine Sorgen, Miss«, versicherte ich ihr. »Wir haben bereits genug herausgefunden, um das bestätigen zu können.«

»Ich möchte Sie jetzt etwas fragen«, teilte Mr. Arrowood ihr mit, und seine Stimme schien nichts als Güte und Mitgefühl zu vermitteln, »und ich möchte, dass Sie uns die Wahrheit sagen.«

Miss Cousture nickte.

»Was wissen Sie über Milky Sal?«

»Ich kenne diese Milky Sal nicht!«, rief sie aus. »Wer ist sie? Warum fragen Sie mich das erneut?«

»Wir haben Sie bisher noch nicht danach gefragt.«

Sie stutzte kurz.

»Oh. Dann muss ich mich geirrt haben.«

»Erzählen Sie mir, was Sie bewogen hat, nach England zu kommen. Aber dieses Mal möchte ich die Wahrheit hören.«

»Ich kam zusammen mit meinem Bruder hierher. Er hatte zu Hause Ärger, wie ich Ihnen ja bereits sagte. Weil er gestohlen hatte. In Rouen sind grausame Männer auf der Suche nach ihm.«

Während sie erzählte, tat Mr. Arrowood etwas höchst Seltsames. Er hielt sich sein Sandwich an die Lippen, neigte es dabei ein wenig und drückte fest zu. Ein dicker Senfspritzer schoss daraus hervor und landete auf seinem Hemd, wo er eine gelbe Bahn über seinen Bauch zog. Dann breitete er die Arme aus, lehnte sich zurück und legte das unangetastete Sandwich auf seinen Teller.

Miss Cousture ließ sich durch diese seltsame Darbietung nicht von ihrem Bericht abbringen. Obwohl sie ihn die ganze Zeit über ansah, schien sie sein Verhalten nicht einmal zu bemerken.

»Mein Bruder ist nicht besonders vernünftig, und ich war besorgt, dass er bald nach Frankreich zurückkehren könnte, wenn ich nicht hier bei ihm in London wäre und ihn davon abhielte. Wir kamen zusammen her, und ich bin für ihn verantwortlich. Aus diesem Grund bin ich hier. Nicht, weil ich als Photographin arbeiten möchte. Ich gebe es jetzt zu, habe bisher jedoch ...«

»Wurden Sie in Rouen eingestellt, um hier in England als Dienstmädchen zu arbeiten?«, fiel Mr. Arrowood ihr ins Wort. Er hatte die Arme noch immer ausgebreitet, sodass man den Senffleck wie eine gelbe Wunde auf seinem Hemd deutlich sehen konnte.

Sie schluckte schwer.

»Nein, Sir.«

»Wissen Sie von irgendwelchen Mädchen aus Rouen, die von einer Engländerin eingestellt wurden, damit sie hier in London für sie arbeiten?«

»Nein, Sir.«

»Ich muss Ihnen mitteilen, dass es in diesem Fall eine seltsame Verbindung gibt, Miss Cousture. Cream besitzt ein Bordell, das von Milky Sal geleitet wird. Sie war in Rouen und hat vorgegeben, Mädchen zu suchen, die in England als Dienstmädchen für sie arbeiten wollen. Als diese jedoch hier ankamen, wurden sie natürlich im Bordell eingesetzt. Man hat sie schlecht behandelt und eingesperrt.«

Er versuchte es erneut mit seinem vielsagenden Schweigen, scheiterte jedoch auch dieses Mal. Miss Cousture sah aus dem Fenster auf die Straße hinaus und beobachtete die Pferde, die ob der Hitze die Köpfe hängen ließen, und die Kinder, die leise und in sich zusammengesunken am Kaffeehaus vorbeiliefen. Sie kratzte mit einem dünnen Fingernagel über den Tisch. Der Senf, der durch die Wärme immer wässriger wurde, lief weiter an Mr. Arrowoods Hemd herunter.

»Wir müssen diese Verbindung verstehen«, erläuterte er.

Sie schüttelte den Kopf und starrte weiter durch das Fenster auf die Wagen und Karren hinaus, die über die staubige Straße bewegt wurden. »Ich weiß nicht das Geringste über diese Sache, Sir. Das hat nichts mit alledem zu tun. Es sei denn …«

Sie überlegte einen Moment.

»Es sei denn, Milky Sal kennt die Männer, die hinter meinem Bruder her sind.« Sie riss vor Aufregung die Augen auf und sah erst mich und dann Mr. Arrowood an. »Ja, ja. Das muss es sein! Sie hat ihnen erzählt, dass er im Beef arbeitet. Sie muss sie aus Frankreich kennen. Arbeiten Sie weiter in dieser Richtung, Mr. Arrowood. Sie weiß, wo Thierry ist! Bitte, finden Sie mehr über ihre Geschäfte heraus. Bringen Sie in Erfahrung, mit wem sie verkehrt und wer ihre Kunden sind. Stellen Sie Nachforschungen über sie an, Mr. Arrowood.«

Sie zückte ihre Geldbörse und holte zwei Guineen heraus.

Mr. Arrowood räusperte sich und wandte den Blick ab, während ich das Geld von ihr entgegennahm.

Nachdem sie gegangen war, bat mein Arbeitgeber Rena um einen feuchten Lappen, mit dem er sein Hemd abwischte.

»Ettie wird nicht erfreut darüber sein«, stellte er geknickt fest. »Das war alles, woran ich in diesem Augenblick denken konnte.«

»Dann haben Sie das mit Absicht gemacht?«, fragte ich.

In diesem Moment wurde die Tür aufgerissen, und drei Gassenkinder stürmten herein.

»Habt ihr überhaupt Geld, ihr kleinen Schlingel?«, erkundigte sich Rena.

»Ja, haben wir«, sagte das kleine Mädchen und hielt eine Münze hoch. »Und wir hätten gern Früchtekuchen. Schön dicke Scheiben, wenn Sie so freundlich wären. Wir haben den ganzen Tag Säcke genäht.«

»Genau, und wir haben einen Riesenhunger, Missus«, fügte ein Junge hinzu, der nur halb so groß war wie sie.

Mr. Arrowood hob die Stimme, als wollte er die Kinder übertönen.

»Ist Ihnen aufgefallen, dass sie überhaupt nicht auf mein Missgeschick reagiert hat, Barnett?«

»Ja, das war höchst merkwürdig.«

»Es war eigentlich gar nicht so merkwürdig, wenn man einiges über den menschlichen Verstand weiß. Wir können davon ausgehen, dass es schwerer ist zu lügen, als die Wahrheit zu sagen. Wenn man sich also darauf konzentriert, etwas zu erfinden und das zu verbergen, dann achtet man nicht so sehr auf andere Dinge.«

»Dann war dies also ein Test, ob sie uns anschwindelt?

»Ganz genau. Und sie hat ihn nicht bestanden.«

»So etwas haben Sie noch nie zuvor versucht.«

»Es war mir auch eben erst eingefallen.«

»Möglicherweise haben Sie etwas falsch verstanden und das Gehirn ist aufmerksamer, wenn jemand lügt.«

»Das ist durchaus denkbar, aber wie ließe sich ihr Verhalten dann erklären?«

»Mit Höflichkeit?«

Er runzelte die Stirn.

»Oder es war ihr peinlich?«

»Ach, Barnett. Sie müssen doch zugeben, dass sie nicht im Geringsten peinlich berührt gewirkt hat.«

Ich hatte Mr. Arrowood schon sehr lange nicht mehr so selbstzufrieden erlebt.

Wir gingen zusammen zurück in die Coin Street. Zu Mr. Arrowoods großer Enttäuschung zeigte sich Ettie nicht besonders angetan von seinem Porträt. Vielmehr wirkte sie erbost und drang in ihn, weil sie wissen wollte, wie viel Geld er dafür ausgegeben hatte. Er weigerte sich jedoch, es ihr zu verraten, und als ich gerade gehen wollte, beruhigte sie sich auf einmal und überredete mich, noch auf eine Tasse Tee und ein Stück Mandelkuchen zu bleiben. Als wir im Salon saßen, fragte sie Mr. Arrowood über die neuesten Entwicklungen in unserem Fall aus. Ettie interessierte sich sehr für alles, was passiert war, aber Mr. Arrowood gab ihr nur einen groben Überblick. Das stellte sie bei Weitem nicht zufrieden, und sie drängte ihn, ihr mehr zu verraten. Während ich dort saß, die kühle Abendbrise genoss, die durch die geschlossenen Fensterläden hereindrang, und dem Wortgefecht der Geschwister lauschte, traf ein Junge mit einer Nachricht ein.

»Der Polizist hat gesagt, Sie sollen gleich mitkommen, Sir«, sagte der Junge, der nach Atem rang. »Ich bin den ganzen Weg gerannt, Sir. So schnell ich kann, hat er gesagt.«

Mr. Arrowood reichte ihm einen Halfpenny und schickte ihn fort. Er riss den Umschlag auf, und als er die Nachricht las, klappte ihm die Kinnlade herunter.

»Schnüren Sie Ihre Stiefel zu, Barnett«, forderte er mich auf und erhob sich.

»Was ist denn los?«, erkundigte sich Ettie.

»Die Nachricht ist von Petleigh«, erwiderte er und reichte sie mir.

Kommen Sie sofort ins Leichenschauhaus am Dufours Place, stand da. *Wir haben möglicherweise Ihren Franzosen gefunden.*

19

Wir nahmen einen Hansom und stiegen zwanzig Minuten später vor dem Leichenschauhaus aus. PC Reid stand auf dem Flur vor dem Raum, hatte seinen Helm auf den Stuhl neben sich gelegt und hielt ein kleines Päckchen Kekse in der Hand.

»Der Inspector sagte, Sie sollen gleich reingehen«, teilte er uns mit und fegte sich die Kekskrümel von der Uniform.

Petleigh saß gleich hinter der Tür und wartete auf uns. Am anderen Ende des kalten, gewölbeartigen Raums stand ein Mann mit einer braunen Schürze. Er war groß und grauhaarig und hatte einen krummen Rücken. Vor ihm konnten wir auf einem Holztisch einen verunstalteten, nackten weißen Körper ausmachen.

»Das könnte Ihr Mann sein, William«, sagte Petleigh.

»Die Leiche hat einige Tage im Wasser gelegen«, erklärte der Arzt, der sich gerade die Hände an einem Lappen abwischte. »Sie ist ziemlich aufgedunsen, und der Großteil der Haare fehlt. Im Schritt und unter den Achseln ist nichts mehr vorhanden, auf dem Kopf nur noch wenige Strähnen. Das Fleisch ist entweder aufgequollen oder nicht mehr vorhanden. Das Gesicht ist derart aufgebläht, dass ich die Augäpfel entfernen musste, um die Augenfarbe herauszufinden. Kommen Sie her, vielleicht können Sie ihn ja trotzdem identifizieren.«

Mr. Arrowood blieb an Ort und Stelle stehen und starrte den Arzt mit offenem Mund und glasigem Blick an.

»Kommen Sie, William«, forderte Petleigh ihn auf und ging zum Tisch. »Sehen Sie sich die Leiche an.«

Aber Mr. Arrowood rührte sich noch immer nicht.

»Haben Sie noch nie eine Leiche gesehen, Mr. Arrowood?«, bellte der Arzt. »Ich hatte den Eindruck, Sie wären eine Art Detektiv.«

»Ich bin auch Detektiv«, murmelte er. »Ich habe allerdings noch nie eine Wasserleiche gesehen, das ist alles.«

»Wo haben Sie ihn gefunden?«, wollte ich wissen.

»Jenseits von Dartford«, antwortete Petleigh. »Ein Kahnführer hat ihn im Schilf entdeckt und rausgezogen.«

»Gibt es einen bestimmten Grund dafür, dass Sie ihn für Thierry halten?«, fragte ich.

»Nun, der Großteil seiner Kleidung ist verschwunden, bis auf einen Ärmel. Aber er hatte einen Strick um den Hals, der am anderen Ende mit einer Fassdaube und einem Eisenkragen beschwert war. Da musste ich natürlich sofort an Ihren Böttcher denken, verstehen Sie? Aber kommen Sie doch her, dann können Sie herausfinden, ob die Beschreibung auf ihn passt.«

Ich ging langsam auf den Tisch zu und hörte, wie Mr. Arrowood mir zögernd folgte. Der Polizeiarzt trat zurück und verschränkte die Arme. Selbst aus größerer Entfernung konnte ich erkennen, dass die Leiche in einem schrecklichen Zustand war, und der Anblick wurde umso furchtbarer, je näher ich dem Tisch kam. Der Gestank bewirkte beinahe, dass ich meinen Tee wieder ausspuckte. Die wenige verbliebene Haut war leuchtend rot, jedoch grau unterlegt, und Teile der Arme und Beine sahen so aufgebläht aus, dass zu befürchten war, sie würden bald explodieren. An anderen Körperstellen waren lange Hautfetzen abgezogen worden, sodass wir die Muskeln und Knochen darunter erkennen konnten. Ein großer Schnitt verlief vom Hals bis zum Bauch, und das Fleisch war geöffnet worden, damit der Arzt die Organe untersuchen konnte. Mr. Arrowood machte einige Schritte und ließ sich schwer auf einen Stuhl an der Wand fallen.

Mein Blick wurde von den Innereien des Mannes förmlich angezogen, und es dauerte einige Augenblicke, bis ich den Kopf genauer betrachten konnte. Erst nach weiteren Momenten hatte ich mich weit genug gefasst, um einen Ton hervorzubringen.

»Aber wo ist das Gesicht?«, fragte ich.

Der Arzt deutete mit seinem Skalpell auf einige Stellen. »Sehen Sie, das hier ist die Nase. Die Wangen haben sie eingequetscht.« Er steckte den Griff seines Werkzeugs in eine Falte und zog sie auseinander. »Können Sie die Nasenlöcher darin erkennen? Und dieser lilafarbene Fleck, das sind die Lippen.« Nun schob er sein Skalpell hinein und drückte mit der anderen Hand den Kinnknochen fest herunter, an dem sich weder Haut noch Fleisch befanden. In dem Fleck kamen kleine gelbe Zähne zum Vorschein. »Das Auge ist hier. Das war die einzige Möglichkeit, die Augenfarbe herauszufinden.«

Er nahm eine kleine Porzellanschüssel aus dem Regal hinter sich und zeigte sie mir. Das Auge lag darin und starrte mich an. Es handelte sich um eine dunkelrote Masse, die eine zerdrückte Kugel umgab, aus der schwanzartig ein Gewirr aus Nervensträngen herausragte. Die Iris war braun.

»Ist er das?«, fragte Petleigh.

»Wie sollen wir ihn identifizieren?«, entgegnete ich. »Er hat kein Gesicht mehr.«

»Aber was ist mit dem Auge?«

»Ich soll ihn anhand eines einzigen Auges identifizieren?«

»Wir haben ihn doch nie gesehen«, warf Mr. Arrowood von seinem Stuhl aus ein.

»Sie haben ihn nie gesehen?«, rief der Arzt aus. »Was in aller Welt machen Sie dann hier? Wieso haben Sie sie herrufen lassen, Petleigh?«

Der Inspector zuckte zusammen.

»Hat Ihnen Ihr Klient seine Augenfarbe genannt?«, fragte er.

»Nein«, antwortete ich. »Aber er hat ein Brandmal am linken Ohr.«

Der Arzt nahm beide Kopfseiten gründlich in Augenschein.

»Es ist nicht mehr genug Fleisch an den Ohren, als dass ich das feststellen könnte. Sie müssen diese Verwandte herholen, um ihn zu identifizieren, Petleigh. Mir ist völlig schleierhaft, wieso Sie das nicht gleich getan haben.«

»Wir können nicht ausschließen, dass es sich bei diesem Verwandten um den Täter handelt, Mr. Bentham«, erwiderte Petleigh. »Das ist eine unserer Theorien.«

»Nein, sie war es nicht!«, rief Mr. Arrowood. »Sie ist nicht die Mörderin. Warum sollte sie uns dann noch engagieren? Ist das Ihr Ernst, Petleigh? Ich fasse es nicht!«

»Dann ist es also eine Frau!«, stellte Petleigh fest und erweckte den Eindruck, er hätte uns hereingelegt, damit wir ihm das verrieten. »Nennen Sie mir ihren Namen. Sie sind dazu verpflichtet.«

Ich warf Mr. Arrowood einen Seitenblick zu. Er seufzte und nickte schließlich.

»Miss Caroline Cousture«, sagte ich. »56 Lorrimore Road, Kennigton. Sie wohnt in einem Missionshaus. Es handelt sich bei ihr um die Schwester des Vermissten.«

»Reid!«, brüllte Petleigh.

Als der junge Constable hereingestürmt kam, schickte Petleigh ihn sofort los.

»Begleiten Sie ihn, Barnett«, verlangte Mr. Arrowood. »Möglicherweise benötigt sie Trost.«

»Nein, Reid geht allein«, bestimmte Petleigh.

Mr. Arrowood stand mühsam auf. »Aber, Inspector! Sie wird völlig aufgelöst sein.«

»Ich werde Ihnen gestatten, auf dem Korridor auf die Dame zu warten. Und dafür sollten Sie mir danken.«

»Können wir das nicht morgen früh erledigen?«, wollte Bentham seufzend wissen.

»Tut mir sehr leid, Sir, aber das kann nicht warten.«

Der Arzt runzelte die Stirn. »Ich werde mir im Hand and Flower eine Erfrischung holen. Lassen Sie mich rufen, sobald die Dame eingetroffen ist.«

Der Polizeiarzt kehrte eine Stunde später wieder zurück, ohne dass wir nach ihm schicken mussten, und roch nach Hammelfleisch und Wein. Er war jetzt freundlicher, wollte uns jedoch nicht in die Augen sehen, da er offenbar unsicher war, wie stark seine Angetrunkenheit auffiel. Kurz nachdem er mit Petleigh auf den Fersen hereingekommen war, traf auch PC Reid mit Miss Cousture ein, die er rasch durch den Korridor zu uns führte. Ihr Gesicht war hinter einem schlecht geflickten schwarzen Schleier verborgen, der schief von ihrem Hut herabhing. Mr. Arrowood war besorgt gewesen, wie sie auf den Leichnam reagieren würde, und wollte sie darauf vorbereiten, aber sie blieb nicht stehen und reagierte auch nicht, als er sie ansprach. Wir wollten hinter ihr die Leichenhalle betreten, aber Petleigh versperrte uns den Weg.

»Sie warten draußen«, bestimmte er und schloss die Tür.

Wir ließen uns wieder auf den harten Holzstühlen nieder und warteten. Nur wenige Minuten später wurde die Tür erneut geöffnet und Miss Cousture kam heraus. Sie hatte ihren Schleier hochgeschlagen.

»Das ist er nicht«, sagte sie.

Der Ansatz eines Lächelns umspielte ihre Lippen, und mit einem Mal verdrehte sie die Augen. Mr. Arrowood konnte gerade noch rechtzeitig aufspringen und sie unter den Achseln festhalten, um sie auf einen Stuhl zu setzen, als sie in sich zusammensackte.

»Entschuldigen Sie«, murmelte sie, schlug jedoch nicht die Augen auf. »Diese arme Seele.«

Sie zog ein graues Taschentuch aus ihrem Ärmel und hielt es sich vor den Mund.

»Dieser Geruch.«

»Sind Sie sicher, dass er es nicht ist, Miss?«, hakte Petleigh nach.

»Ja, das bin ich. Mein Bruder hat weizenblondes Haar. Das da drin auf dieser Leiche ist schwarz. Es sind nur wenige Strähnen, aber sie sind nicht blond. Das ist er nicht.«

»Es tut mir sehr leid, dass Sie das sehen mussten«, sagte Petleigh.

Sie sah Mr. Arrowood an.

»Hatte ich nicht gesagt, dass er blond ist?«

Dann warf sie mir einen fragenden Blick zu.

Ich starrte Mr. Arrowood an und erkannte an seiner betretenen Miene, dass ihm diese Sache ebenso peinlich war wie mir. Wie unangenehm! Der Anblick dieser Leiche hatte uns derart entsetzt, dass keiner von uns die wenigen Haarsträhnen genauer in Augenschein genommen hatte. Was waren wir doch für jämmerliche Detektive.

»Sie hatten ihnen seine Haarfarbe beschrieben?«, fragte

Petleigh. Er drehte sich zu uns um. »Und Sie sind nicht auf die Idee gekommen, das zu erwähnen?«

»Ich muss gestehen, dass mich dieser Anblick sehr mitgenommen hat«, gestand Mr. Arrowood.

Unverhofft kam mir ein Gedanke, als ich mich an etwas erinnerte, das mir zuvor aufgefallen war. Ohne darauf zu warten, dass sich Mr. Arrowood ausgiebiger rechtfertigte, stürmte ich zurück in die Leichenhalle und ging über den kalten Boden auf die unförmige Gestalt auf dem Tisch zu. Der Arzt wollte gerade eine Decke darüberlegen.

»Warten Sie«, forderte ich ihn auf.

»Was hat er vor?«, fragte Petleigh, der hinter mir angerannt kam.

Ich schluckte schwer und ergriff das kalte Handgelenk. Noch bevor ich es berührte, drehte sich mir der Magen um. Es fühlte sich an, als hielte ich Kutteln in der Hand, und augenblicklich stieg mir der widerliche Geruch in die Nase. Da, am Zeigefinger, war ein zertrümmerter Nagel, der nun jedoch nicht mehr wütend wirkte. Vielmehr sah er weich und unschuldig aus, als gehörte er einem Baby mit einer zerschmetterten Hand.

»Ich weiß, wer das ist«, sagte ich. »Das ist der Polizist in Zivil, der mich verprügelt hat. Der von Scotland Yard.«

»Er ist Polizist?«, wiederholte der Arzt, der nicht mehr sehr deutlich sprechen konnte. »Großer Gott.«

»Was ist, Mr. Bentham?«, wollte Petleigh wissen.

»Ich muss Ihnen noch etwas anderes zeigen.«

Der Arzt hob die Decke von den Beinen des Toten.

»Sie bezeichnen sich als Detektive, dann versuchen Sie doch bitte, mir das zu erklären.«

Er schob das Ende eines Besenstiels unter die Waden des Leichnams und hob beide Beine an. Dabei fielen die Füße herunter und hingen in einem ungewöhnlichen Winkel an den Fußknöcheln, als wären sie nur noch durch dünne Fäden damit verbunden. Der Arzt nahm mit der anderen Hand einen Fuß und verbog ihn, bis die Ferse an die Rückseite der Wade stieß.

Miss Cousture keuchte auf.

Mr. Arrowood stöhnte.

»Können Sie mir das erklären?«, wollte Bentham wissen.

»Haben sich die Knochen im Wasser aufgelöst?«, wagte ich eine Vermutung.

Der Arzt winkte ab.

»Petleigh?«, fragte er mit grimmigem Gesicht.

»Sagen Sie es uns einfach, bevor wir uns noch unseres Mageninhalts entledigen.«

»Beide Achillessehnen wurden durchtrennt und die Fußknöchel zertrümmert. Das führt mich gleich zu der nächsten Frage, die ich an die Detektive habe: Warum sollten die Mörder so etwas tun?«

Dieses Mal erwiderte keiner von uns etwas.

»Um ihn am Weglaufen zu hindern. Wenn man die Füße abschneidet, was im Grunde genommen dasselbe bewirkt, ist der Blutverlust viel zu groß. Dann stirbt der Gefangene sofort. Aber auf diese Weise hält man ihn am Leben, damit man seine Qualen entweder noch verlängern oder ihn ausgiebiger verhören kann.«

»Mon Dieu.« Miss Cousture keuchte erneut auf.

»So etwas habe ich vor einigen Jahren schon einmal gesehen«, fuhr der Arzt fort. »Damals habe ich in Manchester gearbeitet. Der Tote war ein notorischer Dieb. Er war bereits viermal verurteilt worden. Dann fand man seine Leiche, die genau dieselben Verletzungen aufwies.«

»Wurde der Mörder je gefasst?«

»Nein. Aber es war offensichtlich, dass es Streit wegen irgendeiner kriminellen Sache gegeben hatte. Ich vermute, dass die Polizei diesem Fall damals keine große Bedeutung zugeschrieben hat. Es gab gerade mal zwei Inspectors für die ganze Stadt, und die hatten Wichtigeres zu tun.«

»Augenblick mal«, sagte Mr. Arrowood. »Das hier kann nicht der Polizist sein. Wir haben ihn vor zweieinhalb Tagen noch lebendig gesehen. Wie kann seine Leiche dann jetzt schon so zersetzt aussehen?«

»Sind Sie sich da sicher?«, wollte der Arzt wissen.

»Kann seine Leiche nach zwei Tagen im Wasser bereits so zerfallen sein?«, fragte ich.

Der Arzt schüttelte den Kopf. »Das ist höchst unwahrscheinlich. Aber es würde etwas anderes erklären, das mir Kopfzerbrechen bereitet hat. Seine Haut ist gerötet, und an den Knochen seiner Handflächen und Fußsohlen waren Brandspuren zu erkennen. Ich war davon ausgegangen, dass es sich um alte Verletzungen handeln würde.«

»Brandspuren? Aber die Leiche wurde doch nicht verbrannt«, gab Petleigh zu bedenken.

Der Arzt rümpfte die Nase und schloss die Augen.

»Nein«, stimmte er dem Inspector zu, »sie wurde nicht verbrannt. Aber es hätte dieselben Auswirkungen, wenn sie gekocht wurde.«

Miss Cousture stöhnte auf, schlug die Hände vors Gesicht und fing an zu zittern.

Schweigen legte sich über den kalten Raum. Ich hielt mich an einer Stuhllehne fest, da mir auf einmal ein wenig schwindelig wurde. Wir sahen einander an und wollten schlichtweg nicht glauben, was der Arzt da andeutete.

»Diese widerlichen Mistkerle«, stieß ich schließlich hervor.

»Sie müssen herausfinden, an welchem Fall dieser Mann

gearbeitet hat, Petleigh«, verlangte Mr. Arrowood. »Und warum er uns gefolgt ist. Es muss etwas mit Cream zu tun haben, da er uns aufgefallen ist, als er das Beef beobachtet hat.«

Petleigh warf die Hände in die Luft.

»Sie lernen es wohl nie, William. Es ist nicht meine Aufgabe, Sie bei Ihren Fällen zu unterstützen. Ich werde die Sache an die Ermittlungsabteilung übergeben. Das hier war ihr Mann. Die werden sich ab sofort um diese Sache kümmern.«

»Dann wissen Sie also, wer er ist, Petleigh.«

Der Inspector sah kurz geknickt aus.

»Ich kenne seinen Namen nicht und habe auch noch nicht mit dem Leiter gesprochen.«

»Das hätten Sie aber tun sollen«, beharrte Mr. Arrowood. »Unser Fall muss etwas mit ihrem zu tun haben.«

»Seien Sie still, William. Sie können sich nicht in die Arbeit der Ermittlungsabteilung einmischen. Und die wird Sie morgen ganz gewiss zu einer Befragung aufs Revier bitten.«

»Gut!«, rief Mr. Arrowood. »Das ist ganz in meinem Sinne!«

Petleigh sah aus, als würde er gleich die Fassung verlieren, doch dann hielt er inne, atmete tief durch und wandte sich an Miss Cousture.

»Es tut mir schrecklich leid, dass Sie das sehen mussten, Miss Cousture.«

Sie nickte.

»Wir bringen Sie jetzt nach Hause, Miss«, sagte Mr. Arrowood und nahm ihren Arm.

Ihr Schleier war wieder heruntergefallen, und im dämmerigen Licht der Leichenhalle konnte ich ihr Gesicht nicht sehen. Aber ich ging davon aus, dass sie weinte. Wäre ich an ihrer Stelle gewesen, hätte ich große Sorge gehabt, dass meinen Bruder ein ebenso schreckliches Schicksal ereilt hätte.

»Ja, Mr. Arrowood«, erwiderte sie so leise, dass es kaum zu hören war.

»Kommen Sie morgen früh um neun Uhr aufs Revier, Miss«, verlangte Petleigh, als wir uns zum Gehen wandten. »Ich habe einige Fragen an Sie. Und Sie sollten mit einem Besuch der Ermittler rechnen, William.«

20

Mr. Arrowood bat mich, am nächsten Tag in meinem besten Anzug zu erscheinen. Er hatte einen Plan. Als ich früh eintraf, war Neddy bereits mit einer Nachricht für die Ermittlungsabteilung zu Scotland Yard unterwegs. Darin stand nur, dass es um den ertrunkenen Polizisten ging und dass sie jemanden schicken sollten, der sich mittags im Willows' mit uns traf. Mr. Arrowood war der Ansicht, dass sich ein Mann darüber definierte, wie er von anderen behandelt wurde, und dass Beamte sich eher wie normale Menschen benahmen, wenn man sie ihrer Uniformen und Büros beraubte, die mit ihrem Beruf einhergingen. Daher hatten wir uns als Erstes an sie gewandt, und auf unserem Territorium wären wir im Vorteil und könnten das Treffen nach unseren Bedingungen gestalten. Er glaubte, dass unsere Rollen dadurch weit genug verschwimmen würden, damit sie uns vielleicht auch etwas über den Fall des toten Polizisten, den sie bearbeiteten, verrieten. Ich war mir nicht so sicher, ob es funktionieren würde, doch mir war auch nichts Besseres eingefallen, und wie ich aus der Zusammenarbeit mit Mr. Arrowood gelernt hatte, war es zuweilen erforderlich, etwas zu tun, von dessen Richtigkeit man nicht völlig überzeugt war.

Als ich hereinkam, trug er seinen besten schwarzen Anzug

mit grüner Weste und einer milchweißen Krawatte. Seine Stiefel waren auf Hochglanz poliert, sein Haar flach über seinen großen, teilweise kahlen Schädel gekämmt. Ich stutzte kurz, da Mr. Arrowood breit grinste. Über dem Kamin hing sein Photoporträt.

»Ach herrje, Barnett«, ereiferte er sich, während ein exzentrisches Lächeln seine Lippen umspielte. »Was haben Sie denn mit Ihren Haaren angestellt? Hat Mrs. Barnett Sie vor Verlassen des Hauses nicht mehr zu Gesicht bekommen? Ihr Kopf sieht ja aus wie ein Ginsterbusch. So können wir Sie aber nicht wieder vor die Tür lassen. Kommst du bitte mal herunter, Ettie?«

Im nächsten Augenblick war Ettie auch schon da, und ihre Miene wurde sanfter, sobald sie mich erblickte.

»Norman. Ich hörte, dass es in dem Fall einige Entwicklungen gegeben hat.«

»Wir kommen voran, das lässt sich nicht leugnen.«

»Was haben Sie in der Leichenhalle herausgefunden?«

Ich wollte ihr schon antworten, doch Mr. Arrowood kam mir zuvor.

»Kannst du seine Frisur in Ordnung bringen?«

Sie runzelte irritiert die Stirn und strich über ihren Rockbund.

»Seine Frisur, William?«

Ich blickte in den Spiegel neben der Tür.

»Ja, du musst es schneiden«, verlangte Mr. Arrowood. Er trat von einem Fuß auf den anderen und sah leicht verrückt aus. Ich fragte mich, ob er an diesem Morgen einen Tropfen Kokain zu sich genommen hatte. »Gib etwas Lotion hinein. Kämm es. So, wie du es bei mir getan hast. Wir treffen uns heute mit der Ermittlungsabteilung.«

»Nein, Ettie«, warf ich ein, um sie aus dieser peinlichen

Lage zu befreien. »Das wäre nicht angemessen. Ich gehe zum Barbier, wenn es wirklich so schlimm ist.«

»Das ist ein Missverständnis«, erwiderte sie. Ihr ruhiger Blick machte mich ganz nervös, und in ihren Augen flackerte ein seltsamer Funke. »Ich zögere nicht, weil es sich nicht ziemt, Norman. In Afghanistan habe ich mit Männern, die ich nicht kannte, weitaus intimere Dinge getan, als ihnen die Haare zu schneiden. Der Körper ist nur ein Gefäß, das uns von Gott gegeben wurde. Es ist die Seele, die heilig ist, nicht wahr?«

»Ja, ich schätze schon.«

»Ich helfe Ihnen wirklich gern, aber ich bin mir unsicher, was Mrs. Barnett dazu sagen wird.«

»Sie wird es gewiss verstehen, wenn es für den Fall erforderlich ist«, erklärte ich. »Aber ich möchte Sie nicht in eine unangenehme Lage bringen.«

Es schien mir nicht richtig zu sein. Eine Frau ihrer Herkunft sollte sich nicht dazu herablassen müssen, einem Mann wie mir, der weitaus weniger kultiviert war als sie, die Haare zu machen. Ich hatte es schon seit einigen Wochen nicht mehr richtig gewaschen und war mir nicht sicher, was sie in dem Dschungel auf meinem Kopf alles vorfinden würde. Das Seltsamste an der ganzen Sache war jedoch, dass ich den Eindruck hatte, sie könnte es kaum erwarten, mir die Haare zu schneiden.

»Geht es Mrs. Barnett wieder besser?«, erkundigte sie sich.

Die Frage kam unerwartet, und ich fand nicht sofort die richtigen Worte. Ich war mir nicht sicher, ob es nur an der Art lag, wie ich den letzten Monat über gelebt hatte, oder an der Güte in Etties Augen, die mich derart bewegte, dass sie für einen kurzen Augenblick diesen Teil von Mrs. Barnett berührte, der tief in meinem Herzen verankert war. Auch wenn ich darüber reden wollte, wusste ich doch, dass ich die

Traurigkeit, die ihre Frage in mir hervorrief, nicht würde überwinden können. Daher schüttelte ich anstelle einer Antwort nur den Kopf.

»Ich würde sie gern besuchen, Norman. Dann könnte ich ihr berichten, was wir bei der Mission als unsere Aufgabe ansehen.«

»Verstehe.«

»Würden Sie sie fragen, wenn es ihr wieder besser geht? Vielleicht wäre es ihr gegen Ende der Woche genehm?«

»Ich werde sie fragen.«

»Gut«, sagte sie und zog einen Stuhl vom Tisch heran. »Und jetzt setzen Sie sich bitte hier vor die Spüle.«

Sobald ich mich gesetzt hatte, legte sie mir auch schon ein Handtuch um die Schultern. Im Nullkommanichts hatte sie einen Kamm und eine Schere in ihren roten Händen und beseitigte das Durcheinander in meiner Frisur.

»Wir brechen in einer Stunde auf«, teilte mir Mr. Arrowood mit. Er ließ sich in seinen Sessel sinken und nahm sein Buch über das Gefühlsleben von Mensch und Tier zur Hand.

»Konnten Sie die Mysterien, die Sie letztens beschäftigt haben, abschließen?«, erkundigte ich mich so unschuldig, wie ich es vermochte, und versuchte meine Melancholie abzuschütteln. »Die aus dem *The Strand*?«

»Ich habe mir die Sache genauer angesehen«, knurrte er.

»Und, gibt es neue Erkenntnisse?«

Ettie lachte leise auf.

»Nein.«

»Ach!«, rief Ettie. »Haben Sie von dieser Frau in Croydon gehört, die zwei Ohren in einer Schachtel voll Salz erhalten hat?«

»Wir haben gestern in der Zeitung darüber gelesen«, erwiderte er. »Ein sehr interessanter Fall.«

»Sherlock Holmes wurde als Berater hinzugezogen. Das stand heute Morgen auf der Titelseite.«

»Das hätte ich mir denken können.« Zum ersten Mal an diesem Morgen schwang leichte Wut in Mr. Arrowoods Stimme mit. »Das ist der bisher interessanteste Fall dieses Sommers. Dr. Watson ist gewiss hocherfreut.«

»Es heißt, dass es sich bei den Tätern um Medizinstudenten handeln würde«, fuhr Ettie fort.

»Das bezweifle ich«, entgegnete Mr. Arrowood. »Es wäre ein schweres Vergehen, einer Leiche die Ohren abzuschneiden und diese zu stehlen. Warum sollten sie ihre Karriere aufs Spiel setzen, nur um einer alten Frau einen Schreck einzujagen? Und ich bezweifle, dass man Holmes hinzugezogen hätte, wenn die Lösung derart einfach aussähe.« Sein Zorn schien abzuebben, und seine Stimme bekam einen spielerischen Unterton. »Was glaubst du? Wird er das Salz kosten, auf dem die Ohren liegen, und es einer bestimmten Mine im Baltikum zuordnen, die er zufälligerweise kennt? Oder hat er rein zufällig eine Abhandlung über regionale Abweichungen bei der Ohrenform geschrieben?«

Er schwieg einige Minuten, während Ettie mir weiter das Haar kämmte.

»Ich bin gespannt, ob er den Fall lösen wird«, sagte er dann. »Wenn wir nichts mehr davon hören, können wir wohl davon ausgehen, dass es ihm nicht gelungen ist.«

»Du wünschst dir, dass er scheitert, Bruder.«

»Nicht im Geringsten.«

»Gib es doch zur Abwechslung mal zu, William«, forderte Ettie. »Sherlock Holmes besitzt einen überragenden Verstand. Er ist einfach unvergleichlich.«

»Der Mann begeht zu viele Fehler, als dass man ihn bewundern könnte.«

»Ts, ts, ts«, machte sie. »Du bist doch nur neidisch.«

Zu meiner großen Überraschung lachte er auf. »Ganz und gar nicht, liebste Ettie. Nicht im Geringsten. Doch das Schicksal meint es mit einigen eben besser als mit anderen. Das musst selbst du zugeben, Schwester. Nach allem, was ich in Watsons Geschichten gelesen habe, basieren viele von Holmes' Schlussfolgerungen eher auf reinem Glück denn auf Können. Und was ist mit den Fällen, über die nicht in der Zeitung berichtet wird? Ich kann mir nicht vorstellen, dass er diese ebenso erfolgreich lösen konnte.«

Sie drehte sich zu ihm um. »Seitdem du deine Stelle bei der Zeitung verloren hast, verachtest du alle, die erfolgreicher sind als du, Bruder. Wage es ja nicht, das zu leugnen.«

»Verflixt, nun hast du mich erwischt, Schwester«, erwiderte er mit einem freundlichen Lachen. »Aber es entspricht auch der Wahrheit, dass Holmes nie hat leiden müssen. Weißt du, wie viel der König von Böhmen ihm für drei Tage Arbeit gezahlt hat?«

»Ist das der Grund dafür, dass du ihn so ungerecht behandelst?«, wollte sie wissen. »Siehst du dich selbst als Vernachlässigten an?«

»Du musst zugeben, dass ich weder in meinem Beruf noch in der Liebe großes Glück gehabt habe.«

Eine solche Unterhaltung hätte üblicherweise dazu geführt, dass er mit hochrotem Kopf dasaß, aber nun kicherte er und wand sich, als würde ihn jemand kitzeln.

»Ich glaube, du bist eifersüchtig, William. Was denken Sie, Norman?«

Das war mir von Zeit zu Zeit zwar auch schon aufgefallen, doch ich hielt es nicht für weise, das zuzugeben. Mr. Arrowood war guter Stimmung, und ich wollte daran lieber nichts ändern. Ohne auf meine Antwort zu warten, sprang er plötzlich auf und zog sich in die Außentoilette zurück.

»Heute Morgen ist ein Brief angekommen«, berichtete mir Ettie, als er verschwunden war. »Von Isabel. Darum benimmt er sich so lächerlich. Sie hat vorgeschlagen, ihn in einigen Tagen zu treffen.«

»Kommt sie wieder zurück?«

»Er geht davon aus, aber ich bezweifle es. Ich vermute eher, dass sie Geld von ihm haben will.«

»Was werden Sie tun, wenn sie wieder zurückkehrt?«

»Ich halte das für sehr unwahrscheinlich. Würden Sie mir jetzt vielleicht verraten, was Sie im Leichenschauhaus in Erfahrung gebracht haben? William versucht mich zu beschützen, aber er begreift einfach nicht, dass ich schon weitaus mehr Schlechtes auf der Welt gesehen habe als er.«

Während ich ihr von unserem Besuch in der Leichenhalle berichtete, stand sie hinter mir und frisierte mich weiter. Ich schloss die Augen, um keine herabfallenden Haare hineinzubekommen, und entspannte mich zunehmend. Sie machte das offenkundig nicht zum ersten Mal. Ihre Bewegungen wirkten geübt, und ich spürte, wie sich ihr Mieder gegen meinen Rücken presste, wenn sie sich bewegte. Als ich meinen Bericht über die Ereignisse des Vortags beendet hatte, war mein Haar gekämmt, und sie führte die Schere mit der ihr eigenen Selbstsicherheit. Dabei sagte sie keinen Ton, sodass ich nichts als ihr Atmen und das Ticken der Standuhr im Ohr hatte. Nach einigen Minuten wischte sie mir die Haare von den Schultern und bearbeitete meinen Nacken mit einem Rasiermesser. Danach griff sie erneut zum Kamm, benutzte ihn jedoch nicht, sondern strich mir mit den Fingern durchs Haar, rieb meine Kopfhaut und betastete meine Kopfmuskeln und die Stellen hinter meinen Ohren. Als ich ihre Finger das erste Mal spürte, schrak ich zusammen, weil es derart unerwartet kam. Selbst mein Barbier hatte in all den Jahren, die ich ihn nun schon aufsuchte, nie meine Kopfhaut berührt. Doch es war kein unangenehmes Gefühl, und so lehnte ich mich zurück und entspannte mich, während ich mich gleichzeitig fragte, ob ich mich aufgrund dieses Wohlempfindens schuldig fühlen sollte.

Es war viel zu schnell vorbei. Sie nahm das Handtuch von meinen Schultern und brachte meine Schläfen und meinen Schnurrbart in Ordnung. Ich setzte mich aufrecht hin und öffnete die Augen, da ich dachte, es wäre vorüber, doch auf einmal legte sie mir die Hände auf die Wangen und bewegte sie langsam nach hinten zu meinen Ohren. Dabei atmete sie schwerer, und ich spürte, dass sich ihr Kopf nicht weit von meiner Schulter entfernt befand. Ich verkrampfte mich und hätte mich zwar gern umgesehen, um herauszufinden, was genau sie da tat, war jedoch gleichzeitig besorgt, dass ich sie dadurch in eine peinliche Lage bringen könnte. Sie strich mit den Fingern sanft über meinen Nacken und ließ sie nach oben zur Haarkrone wandern, und ich spürte ihren heißen Atem an meinem Hals.

»Bist du fertig, Schwester?«, fragte Mr. Arrowood, der unverhofft eintrat. »Ich könnte jetzt einen Tee vertragen.«

Sie nahm die Hände von meinem Kopf und trat einen Schritt zurück.

»Ja, ja«, murmelte sie, und ihre Stimme klang gar nicht mehr so fest. »Ich denke schon.«

»Drehen Sie sich mal um, damit ich Sie betrachten kann, Barnett«, verlangte er.

Ich erhob mich und drehte mich um, wobei Ettie und ich einander in die Augen sahen. Sie errötete und wandte den Blick ab.

»Hervorragend«, sagte Mr. Arrowood. »Ganz hervorragend. Vielleicht noch etwas Lotion für den Feinschliff, Ettie?«

»Die Flasche steht auf der Kommode«, erwiderte sie sofort.

»Wie wäre es mit etwas Kuchen zum Tee?«, schlug er vor.

Ich stand verblüfft da, starrte sie an und wusste selbst nicht, was gerade geschehen war.

»Neben der Tür hängt ein Spiegel«, sagte Mr. Arrowood. »Sehen Sie doch mal hinein. Und besprühen Sie sich mit etwas Parfum, um den Gestank zu übertünchen. Ich hatte Sie doch gebeten, das Badehaus aufzusuchen.«

»Es hatte schon geschlossen«, rechtfertigte ich mich.

Ettie warf mir einen Blick zu, und wieder bemerkte ich das Flackern in ihren Augen. Sie wandte sich rasch ab.

»Setz schnell den Kessel auf, Schwester«, bat Mr. Arrowood sie. »Wir müssen in Bälde aufbrechen.«

Sie warf die Hände in die Luft und baute sich vor ihrem Bruder auf.

»Setz ihn doch selber auf, du faule Kröte! Du hast doch den ganzen Morgen nur herumgesessen.«

»Ettie!«, kreischte Mr. Arrowood gleichzeitig überrascht und verletzt. »Was ist denn in dich gefahren?«

»Ach, sei still«, fauchte sie und stürmte die Treppe hinauf. Wir sahen ihr verblüfft hinterher.

»Was hatte das denn zu bedeuten?«, wollte er wissen, nachdem oben eine Tür ins Schloss gefallen war.

»Sie glaubt, Sie wollten sie beschützen«, erwiderte ich und bildete mir ein, noch immer mein rasendes Herz und ihre Finger auf meiner Kopfhaut zu spüren.

»Ich frage mich wirklich, ob sie in Afghanistan nicht glücklicher wäre. Ich habe ihr sogar schon eine Rückkehr angetragen.«

»Möglicherweise ist sie deshalb so verstimmt.«

Mr. Arrowood seufzte und starrte zur Decke hinauf. »Kochen Sie uns lieber den Tee, Barnett«, sagte er dann.

Wir hatten gerade den ersten Schluck getrunken, da klopfte der kleine Albert an die Tür.

»Hier sind zwei Gentlemen für Sie, Mr. Arrowood«, sagte er. »Sie warten im Laden, wie Sie es wünschen.«

Als ich aufstand, um sie zu empfangen, drängten sich zwei Männer an Albert vorbei ins Zimmer. Ich machte mir rasch ein Bild. Der ältere der beiden trug einen braunen Anzug. Sein Bart war von Grau durchzogen, und seine Augen sahen rot und wässrig aus – er würde uns keine großen Probleme bereiten. Bei dem Jüngeren sah die Sache schon anders aus. Dieser Mann hatte eine staubige schwarze Jacke an, die schon bessere Tage erlebt hatte, und sobald er den Raum betrat, musterte er mich von oben bis unten und hielt Ausschau nach meinen Schwächen. Er war etwas kleiner als ich, hatte jedoch das Gesicht eines Faustkämpfers: In seinem Unterkiefer fehlten zwei Zähne, seine Nase schien etwas zu weit nach rechts zu stehen, und seine Augen lagen so weit auseinander, dass einem unbehaglich wurde, wenn man ihn ansah. Er schien das Gesicht eines Gargoyles zu haben. Er stand mit den Händen an der Seite da, und ich erkannte seine Haltung und wusste, dass er jederzeit bereit wäre, die Fäuste einzusetzen. Diese Pose hatte ich schon sehr oft in Pubs gesehen, bevor es zu einer Schlägerei kam. Seine Stiefel waren abgeschabt und alt, und ein Schnürsenkel war gerissen.

»Sie sollten im Laden warten«, beschwerte sich Albert.

»Wir brauchen dich nicht mehr, Junge«, sagte der ältere der beiden Männer. Er hatte einen irischen Akzent. »Vielen Dank, aber wir möchten jetzt in Ruhe gelassen werden.«

Albert warf Mr. Arrowood einen Blick zu. Der umklammerte den schweren Gehstock, den er stets in der Nähe seines Sessels aufbewahrte. Unauffällig rückte ich näher an den Kamin heran und hatte den Schürhaken ins Auge gefasst. Wir dachten beide dasselbe: Feniers.

»Geh nur, Junge. Es ist alles in Ordnung«, entließ Mr. Arrowood den kleinen Albert. Dann sah er den älteren Mann an. »Und Sie sind?«

»Detective Lafferty«, antwortete dieser. Während er sprach, griff ich unauffällig nach dem Schürhaken. »Das ist Detective Coyle.«

Der jüngere Mann sah mich an, als wäre ihm meine Frisur zuwider.

»Ermittlungsabteilung«, fuhr der Ältere fort. »Gehe ich recht in der Annahme, dass Sie Mr. Arrowood sind?«

»Der bin ich«, erwiderte Mr. Arrowood.

Der Detective wandte sich an mich.

»Und Sie sind Mr. Barnett?«

Ich nickte.

Er deutete auf meine Hand. »Den Schürhaken werden Sie nicht brauchen, Sir. Und sollten Sie ihn doch einzusetzen versuchen, stecken wir ihn Ihnen in den Arsch.«

Ich rührte mich nicht.

»Sie beide müssen uns zu Scotland Yard begleiten«, fügte Lafferty hinzu.

»Ach, wirklich?«, entgegnete ich. »Scotland Yard?«

»Ja, wirklich. Es geht um den Mord an einem unserer Männer. Gehe ich recht in der Annahme, dass wir nicht ungelegen kommen?«

»Wir hatten Mittag gesagt«, widersprach Mr. Arrowood.

»Nun, Sie müssen wissen, dass wir den Mord an einem der Unseren als dringlich ansehen«, erklärte Coyle. Seine Stimme klang gepresst und ausdruckslos, und auch er hatte einen irischen Akzent.

»Woher sollen wir wissen, dass Sie wirklich von der Ermittlungsabteilung sind?«, fragte ich.

»Wieso sollten Sie daran zweifeln?«, entgegnete Coyle und

kam auf mich zu.

»Sie sind überrascht, dass Iren bei der Polizei arbeiten«, mutmaßte Lafferty, nahm Coyles Arm und zog ihn einige Schritte zurück. »Ich kann verstehen, dass das schwer zu glauben ist, aber so liegen die Dinge nun einmal. Unsere Länder sind aneinander gefesselt. Auch wenn wir Englands Avancen nicht gutgeheißen haben, sind wir nun verheiratet, daher bleibt uns wohl nichts anderes übrig. Und in Wahrheit wascht ihr Engländer euch doch auch nicht häufiger als wir, nicht wahr?«

»Da wäre ich mir nicht so sicher«, erwiderte Mr. Arrowood.

»Wir haben eine Kutsche, die vor der Tür auf uns wartet. Wie wäre es, wenn wir uns wie zivilisierte Menschen hinausbegeben?«

Als ich sah, dass Mr. Arrowood im Aufstehen begriffen war, erhob ich die Stimme.

»Wenn es Ihnen recht ist, würden wir lieber davon absehen, Gentlemen. Aber setzen Sie sich doch, dann können wir uns gleich hier unterhalten.«

»Ja, reden wir doch hier«, stimmte Mr. Arrowood mir zu und zog zwei Stühle vom Tisch heran. »Meine Schwester kann uns einen Tee machen.«

»Das steht nicht zur Debatte, Mr. Arrowood«, sagte Lafferty. »Gehen wir.«

Ich hatte nicht vor, sie zu begleiten, denn ich ging davon aus, dass es sich bei den beiden um Feniers handelte, und nachdem ich gesehen hatte, was diesem Polizisten zugestoßen war, hätte ich sie eher angegriffen, als sie einfach zu begleiten.

»Sie können uns nicht täuschen«, erklärte ich und umklammerte das kalte Eisen des Schürhakens. »Sie sind ebenso wenig Polizisten wie wir. Doch wir haben keinen Streit mit Ihnen, meine Herren. Wir versuchen nur, einen jungen Franzosen zu finden, der von seiner Familie vermisst wird. Sein Name ist Thierry. Das, was Sie treiben, interessiert uns nicht. Wir suchen nur diesen Burschen.«

Mr. Arrowood betrachtete ihre Gesichter, während ich das sagte, und versuchte bei der Erwähnung von Thierrys Namen Emotionen zu erhaschen. Was er jedoch sah, wie ich auch, war, dass Coyle etwas aus der Jackentasche zog.

Dabei handelte es sich um einen Revolver.

»Wir werden Sie nicht noch einmal bitten«, drohte er uns mit ausdrucksloser Stimme. Seine Augen wirkten kalt. »Lassen Sie die Waffen fallen.«

»Grundgütiger.« Mr. Arrowood stöhnte und riss vor Angst die Augen auf. Er ließ seinen Gehstock fallen. »Das ist doch wirklich nicht nötig. Sie müssen das nicht tun, Gentlemen. Ich glaube an ein freies Irland, ebenso wie Barnett. Wir sind nicht Ihre Feinde.«

»Das ist ja interessant, Sir«, entgegnete Lafferty.

Die beiden sahen einander kurz an. Ich nutzte die Gelegenheit und hob den Schürhaken, um zuzuschlagen, aber Coyle war schneller. Er wirbelte herum und zielte mit der Waffe auf meine Brust.

»Fallen lassen«, zischte er.

Mir blieb keine andere Wahl. Ich ließ den Schürhaken los, und Coyle schob ihn mit einem Fuß außer Reichweite.

»Bitte, meine Herren!«, rief Mr. Arrowood. »Lassen Sie uns doch darüber reden! Wir stellen keine Gefahr für Sie dar, darauf gebe ich Ihnen mein Wort.«

»Bitte beruhigen Sie sich, Mr. Arrowood«, sagte Lafferty. »Er wird Sie nur erschießen, wenn Sie Ärger machen. Müssen wir Ihnen jetzt Handschellen anlegen, oder erweisen Sie sich als die Gentlemen, als die Sie sich ausgeben, und kommen freiwillig mit?«

»Handschellen?«, wiederholte Mr. Arrowood.

Lafferty seufzte und zog die Eisen aus der Tasche.

»Ja, Handschellen«, bestätigte er. »Ich sagte doch bereits, dass wir von der Ermittlungsabteilung sind. Petleigh hat uns Ihre Adresse gegeben.«

»Petleigh? Dann sind Sie also wirklich Polizisten?«

»Der Mord an einem der Unsrigen ist eine ernste Angelegenheit, Mr. Arrowood, wie Mr. Coyle bereits sagte. Inspector Petleigh hat uns aufgesucht, kurz bevor Ihr Bote eingetroffen ist.«

Mr. Arrowood sah mich fragend an.

Ich nickte, auch wenn es mir noch immer schwerfiel, das zu glauben. Bisher hatte ich es für ausgeschlossen gehalten, dass es irische Polizisten gab, und nun standen gleich zwei vor uns.

»Wenn Sie jetzt bitte mitkommen würden«, bat Lafferty. »Das Pferd wird langsam ungeduldig, da es nicht gern in der Sonne steht.«

21

Sie sprachen auf dem ganzen Weg nach Scotland Yard nicht mit uns. Mr. Arrowood saß mir gegenüber, hatte ein leichtes Lächeln auf den Lippen und richtete den Blick aus dem Fenster. Ich konnte ihm ansehen, dass er noch immer mit Isabels Brief beschäftigt war. Als wir unser Ziel erreicht hatten, führte man uns in den Keller und in einen grauen Raum mit einem kleinen, schmutzigen Fenster hoch in der Wand. In der Mitte stand ein Tisch mit sechs Stühlen. Nachdem wir uns gesetzt hatten, verließen Lafferty und Coyle den Raum und schlossen die Stahltür hinter sich ab.

Beinahe zwei Stunden lang blieb er ruhig und gelassen. Das kannte ich so gar nicht von ihm. Doch dann fing sein Magen an zu knurren, und seine Laune verschlechterte sich.

»Das machen sie mit Absicht«, sagte er und stand auf, um sich sofort wieder hinzusetzen. »Sie wollen uns dadurch beeinflussen.«

Als die Männer nach beinahe vier Stunden endlich zurückkehrten, bekamen wir kein Wort der Entschuldigung zu hören.

»Wo haben Sie gesteckt?«, verlangte Mr. Arrowood zu erfahren. »Sie halten uns schon den halben Tag hier fest.«

»Wir hatten einiges zu erledigen«, antwortete Lafferty, der

einen Zinnaschenbecher auf den Tisch stellte und ein Notizbuch und einen Stift danebenlegte.

»Das hatten wir auch«, protestierte Mr. Arrowood. »Ich hoffe, Sie beeilen sich jetzt.«

Die beiden ignorierten seine Worte. Coyle blieb neben der Tür stehen, während Lafferty auf und ab ging und uns Fragen stellte. Wir sagten ihm alles, was wir wussten, und hielten nichts zurück außer dem, was uns belasten konnte, wenn man es zu unseren Ungunsten auslegte. Wir berichteten ihm von Milky Sal, der Böttcherei und Marthas Tod. Wir erwähnten die Fenier-Einbrecherbande. Wir teilten ihm mit, dass Longmire ein Bekannter von Cream war, gingen jedoch nicht weiter darauf ein, woher wir unsere Informationen hatten. Nachdem wir ihnen alles gesagt hatten, setzte sich Lafferty uns gegenüber an den Tisch und nickte Coyle zu, der sein Notizbuch wegsteckte, die Hände in den Taschen verschwinden ließ und uns dieselben Fragen stellte, nur dass sie anders formuliert waren. Mir wurde gewahr, wie Mr. Arrowood zunehmend verärgerter wurde.

»Hat das jemals funktioniert?«, fragte er schließlich. Wenn es eines gab, was Mr. Arrowood nicht leiden konnte, dann war es, sich jüngeren Männern unterlegen fühlen zu müssen.

»Manchmal«, gab Lafferty zu. »Wenn sie müde sind oder sich eine Geschichte ausgedacht haben, die für ihren beschränkten Verstand zu kompliziert ist.«

»Vielleicht sollten wir das auch mal ausprobieren, Barnett?«, schlug Mr. Arrowood vor und drehte sich zu mir um. »Sie können Detective Coyle sein, und ich bin Inspector Lafferty. Am besten studieren wir ihre Methoden. Haben Sie bemerkt, wie Coyle eine drohende Haltung angenommen hat? Welche Autorität er ausstrahlt? Warum haben wir diese Strategie nie angewendet, Barnett?«

»Vielleicht, weil Sie kein Detective sind«, sagte der Gargoyle.

»Ich bin Privatdetektiv«, entgegnete Mr. Arrowood. »Und ich habe schon mehr Fälle bearbeitet, als Sie sich auch nur vorstellen können.«

»Aber nicht so wie Sherlock Holmes, nicht wahr, Sir? Wir haben noch nichts in der Zeitung über Sie gelesen, oder irre ich mich da?«

Mr. Arrowood schüttelte den Kopf und machte ein betrübtes Gesicht. »Oje, oje. Dann vergötzt die Ermittlungsabteilung Sherlock Holmes also wie der Rest des Landes. Was für eine Enttäuschung. Ich hatte gehofft, bei Scotland Yard bessere Männer anzutreffen.«

Coyle brauste auf. »Sie halten verdammt viel von sich, was, Arrowood? Jetzt erzählen Sie mir nicht, Sie könnten wie er Fälle lösen. Holmes ist so schlau wie vier Männer zusammen.«

Lafferty verdrehte bei Coyles Worten die Augen und schien dessen Meinung nicht zu teilen.

»Nehmen wir den Mormonenfall«, fuhr Coyle fort und hielt sich an der Stuhllehne fest. »Haben Sie davon gehört?«

»Die Leiche wurde in einem Haus in der Nähe der Brixton Road gefunden«, erwiderte Mr. Arrowood erschöpft. »Thomas Drebber.«

»Es gibt keinen Mann in England, der den Fall so hätte lösen können wie er. Der Ermittlungsabteilung wäre das nicht gelungen. Nicht einmal Whicher hätte das geschafft.«

»Aber Holmes hat diesen Fall gar nicht gelöst«, entgegnete Mr. Arrowood entschieden.

»Selbstverständlich hat er das. Es stand doch alles schwarz auf weiß in der Zeitung. Er fand den Namen des Mörders heraus …«

»Hope!«, unterbrach Mr. Arrowood ihn. Ich konnte ihm ansehen, dass er immer zorniger wurde. »Der Name des Mörders lautete Hope!«

»… und hat ihn sogar zur Baker Street geführt, damit er festgenommen werden konnte«, beendete Coyle seinen Satz.

Mr. Arrowood sprang auf und erhob die Stimme.

»Du liebe Güte! Sherlock Holmes hat nichts weiter getan, als mit der Polizei in Cleveland zu telefonieren, die ihm mitteilte, dass Drebber von Hope verfolgt wurde. Man hat ihm den Namen des Mörders genannt, Sie Schwachkopf! Wie kann man das als Lösen des Falls bezeichnen?«

Coyle schüttelte jedoch stur den Kopf. »Und was ist mit dem Nasenbluten und den Hufspuren? Was ist mit dem rötlichen Gesicht des Mannes und dem Ring? Holmes hat all diese Hinweise eingeordnet, während keiner der anderen etwas damit anfangen konnte.«

»Das waren bloß Glückstreffer«, erwiderte Mr. Arrowood und rang verzweifelt die Hände. »Zu jedem Hinweis, den er findet, stellt Holmes zwei Theorien auf, verwirft die eine und erklärt die andere zur Lösung. Nehmen wir beispielsweise das Mordmotiv. Es war kein Raubüberfall, so viel war offensichtlich. Holmes beschließt, dass es sich entweder um eine Frau oder eine politische Angelegenheit gehandelt haben muss. Alle anderen Mordmotive schließt er rigoros aus. Was ist mit einem Akt der Rache? Vielleicht hatte Drebber ja den Bruder des Mannes getötet. Die Familie um ein Vermögen gebracht. Sein Schiff versenkt. Wie sieht es mit Unzurechnungsfähigkeit oder Erpressung aus? Nein, Holmes zieht all das ebenso wenig in Betracht wie all die anderen möglichen Motive, die es auf Gottes Erde noch so gibt.« Mr. Arrowood sprach immer schneller. Er starrte Coyle an und ließ sich nicht unterbrechen, sondern fuhr hastig fort. »Und dann kommt er zu der Erkenntnis, dass ein politisches Motiv nicht infrage kommt, weil der Mörder nach Drebbers Tod im Raum auf und ab gegangen ist. Holmes behauptet, so etwas wäre bei einem politisch motivierten Attentat schlichtweg nicht möglich. So ein Mumpitz! Vielleicht wollte er sich vergewissern, dass Drebber auch wirklich tot ist. Oder er hatte Gewissensbisse wegen seiner Tat. So kommt Holmes rein zufällig zu dem Schluss, dass der Mord wegen einer Frau begangen worden sein musste. Gut, damit lag er richtig, doch das auch nur, weil er blindlings über das Motiv gestolpert ist, indem er auf wahrlich erstaunliche Weise alle anderen Möglichkeiten außer Acht gelassen hat.«

»Aber der Ring!«, rief Coyle. »Das war der Beweis dafür, dass ...«

»Das war kein Beweis!«, brüllte Mr. Arrowood und fegte den Aschenbecher zusammen mit Coyles Hut vom Tisch, als hätte ein Dämon Besitz von ihm ergriffen. »Das Vorhandensein dieses Rings hätte sich auch auf vielerlei andere Weise erklären lassen! Möglicherweise ist er dem Mann bei einem Handgemenge aus der Tasche gefallen. Oder er war damit auf dem Weg zu einem Pfandleiher. Vielleicht hatte man ihn als Täuschung zurückgelassen. Holmes hat die Buchstaben an der Wand als solches abgetan, wieso dann nicht auch den Ring? Wieso nicht den Ring, frage ich Sie! Vielleicht wollte Drebber den Mörder auch damit bezahlen! Und das größte Problem ist eines, das Holmes nicht einmal erkennt: Wenn der Ring so wichtig ist, warum lässt der Mörder ihn dann am Tatort zurück?«

Inzwischen kreischte Mr. Arrowood und wedelte wild mit den Händen durch die Luft. Sein rotes Gesicht glänzte, und sein Kopf schien beinahe auf doppelte Größe angeschwollen zu sein. Er schlug mit der Faust auf den Tisch. Lafferty und Coyle starrten ihn verwundert und mit offenem Mund an.

»Jeder Narr erkennt sofort, dass der Ring aus diesem Grund nicht wichtig sein kann! Aber wieder einmal hat Holmes Glück. Der Täter lässt ihn, aus welchem Grund auch immer, zurück! Die Wahrscheinlichkeit, dass so etwas geschieht, ist überaus gering, das kann ich Ihnen versichern! Holmes' Schlussfolgerung erweist sich als korrekt, jedoch nur, weil er alle anderen Möglichkeiten außer Acht gelassen hat. Und Watson schreibt alles für *The Strand* auf und erklärt den Mann zum Genie!«

Mr. Arrowood stand keuchend am Tischende und sah von Lafferty zu Cole und schließlich zu mir. Lafferty tippte mit seinem Stift auf die Tischplatte. Coyle lehnte mit verschränkten Armen an der Wand. Keiner sagte etwas. Mr. Arrowood starrte uns weiterhin an und kaute auf seiner Unterlippe herum. Endlich ergriff Lafferty das Wort. »Sie scheinen sehr viel über diesen Fall zu wissen, Arrowood.«

Mr. Arrowood verzog das Gesicht; mit einem Mal wirkte er nicht mehr so selbstbewusst.

»Er liest sehr viel«, erklärte ich, stand auf und legte ihm eine Hand auf die Schulter. Er fühlte sich ungewöhnlich warm an, und selbst durch seinen drallen Arm konnte ich seinen rasenden Pulsschlag spüren. Ich half ihm, sich wieder hinzusetzen. Dann hob ich Coyles Hut vom Boden und legte ihn auf den Tisch zurück. »Mr. Arrowood hat eigentlich immer die Nase in einem Buch.«

»Wir werden Ihnen Handschellen anlegen müssen, wenn Sie erneut so in die Luft gehen, Arrowood«, erklärte Lafferty.

»Das wird nicht nötig sein«, erwiderte ich. »Er beruhigt sich jetzt wieder. Allerdings war es nicht gerade hilfreich, dass Sie versucht haben, uns derart anzustacheln.«

Unter dem Tisch tätschelte Mr. Arrowood mein Knie.

»Sie sind Sherlock Holmes nicht gewachsen, Arrowood«,

sagte Coyle, der das Thema anscheinend nicht auf sich beruhen lassen konnte. »Sehen Sie sich doch nur an. Sie sind ein abgehalfterter alter Hund, der seine Pennys damit verdient, Schuldnern seinen Schläger hier auf den Hals zu hetzen. Es heißt, Sie wären sehr gut darin, Frauen zu beobachten, die ihren Gatten Hörner aufsetzen. Angeblich genießen Sie das sogar.«

Ich spürte, wie sich Mr. Arrowood neben mir versteifte.

»Na, na«, murmelte Lafferty und drehte sich zu seinem Partner um. »Fangen wir doch nicht wieder damit an.«

»Wie alt sind Sie?«, fragte Mr. Arrowood Coyle erstaunlich leise.

»Was geht Sie das an?«

Mr. Arrowoods Magen gab einen gequälten Ton von sich, und er legte rasch eine Hand darauf.

»Ich würde nur gern wissen, wie erfahren Sie in der Ausübung Ihrer Arbeit sind. Auf mich wirken Sie noch sehr jung.«

Coyle schürzte die Lippen und ballte die Fäuste. Er sah zu Lafferty hinüber, der mit hinter dem Kopf verschränkten Fingern an seinem Tischende saß.

Da klopfte es an der Tür, und ein junger Polizist streckte den Kopf um die Ecke.

»Inspector Lafferty?«

»Was gibt es? Wir sind beschäftigt.«

»Inspector Lestrade würde Sie gern in seinem Büro sehen, sobald es Ihnen möglich ist, Sir.«

»Weswegen?«

»Es geht um den Whitehall-Fall. Mehr hat er nicht gesagt.« Der Polizist zog den Kopf wieder ein und schloss die Tür.

»Sie kennen Lestrade?«, fragte Mr. Arrowood.

»Wen wir kennen und wen wir nicht kennen, geht Sie nichts

an«, blaffte Lafferty. »Wie wäre es, wenn wir noch einmal von vorn anfangen, meine Herren? Es gibt keinen Grund, sich zu streiten. Darf ich Ihnen eine Zigarre anbieten?«

Mr. Arrowood dachte gut darüber nach, bevor er die Zigarre annahm. Ich hob den Aschenbecher vom Boden auf.

Als wir alle unsere Zigarren angezündet hatten, fuhr Lafferty fort. »Jemand hat unseren Mann getötet. Sie werden also verstehen, dass wir die Sache mit dem gebührenden Ernst behandeln. Daher würde ich es zu schätzen wissen, wenn Sie unsere Fragen beantworten, selbst wenn Sie den Eindruck haben, wir würden uns wiederholen.«

»Selbstverständlich, Inspector«, sagte Mr. Arrowood. »Aber wie wäre es, wenn Sie uns erst einmal den Namen des Opfers verraten?«

»Der geht Sie nichts an.«

»Diese Information würde uns jedoch bei unseren Ermittlungen weiterhelfen.«

Lafferty musterte mich neugierig.

»Petleigh schätzt Sie sehr, Barnett. Er sagte, Sie würden einen guten Polizisten abgeben.«

»Ich fühle mich geschmeichelt, Sir«, erwiderte ich.

Lafferty paffte seine Zigarre und schien Petleighs Meinung nicht unbedingt zu teilen.

»Haben Sie eine Ahnung, wer ihn getötet haben könnte, Detective?«, fragte Mr. Arrowood, der langsam ungeduldig wurde.

Lafferty verdrehte die Augen und seufzte.

»Dann verraten Sie uns doch wenigstens, an welchem Fall er gearbeitet hat«, versuchte Mr. Arrowood es erneut, als offensichtlich wurde, dass er auf seine letzte Frage keine Antwort bekommen würde. »Gehe ich recht in der Annahme, dass es der Mordfall gewesen ist?«

»Der Mordfall?«, wiederholte Lafferty.

»An dem Mädchen!«, rief Mr. Arrowood. »Grundgütiger, jetzt erzählen Sie mir bitte nicht, dass Sie diesen Mord überhaupt nicht bearbeiten.«

Lafferty paffte nur weiter seine Zigarre und schwieg.

»Dann sind Sie hinter Cream her?«

Lafferty grinste.

»Geht es um die jungen Mädchen?«, fragte Mr. Arrowood. »Oder um die Feniers?«

»Halten Sie den Mund«, fauchte Coyle.

»Meine Herren«, sagte Mr. Arrowood und klang dabei höchst vernünftig. »Wir haben Ihnen gesagt, was wir wissen. Jetzt geben Sie uns doch wenigstens irgendetwas dafür.«

»Das können wir nicht tun, Sir«, entgegnete Lafferty lachend. »Kommen wir doch noch mal zu der Patrone zurück, die Sie erwähnt haben. Sind Sie sicher, dass diese von einem Enfield-Repetiergewehr stammt?«

»Das hat man uns jedenfalls erzählt«, erwiderte Mr. Arrowood.

»Wer hat Ihnen das erzählt?«, verlangte Lafferty zu erfahren.

»Jemand, der nichts mit diesem Fall zu tun hat.«

»Verstehe. Wo befindet sie sich?«

»Ich habe sie bei mir zu Hause.«

»Hmm«, murmelte Lafferty. »Ich halte die Patrone zwar nicht für wichtig, aber Sie müssen sie uns dennoch aushändigen.«

»Sie können gern mit uns zurückfahren und sie holen, wenn es sein muss«, erwiderte Mr. Arrowood und verschränkte die Arme vor der Brust.

»Ich halte es für klüger, wenn wir hierbleiben.« Lafferty zog seine Taschenuhr aus der Westentasche. »Wie wäre es, wenn Sie in ungefähr zwei Stunden mit der Patrone wieder zurück sind?«

Mr. Arrowood stand seufzend auf.

»Dann lassen Sie uns aufbrechen, Barnett. Sie werden die Patrone hierherbringen.«

»Das sehe ich anders«, sagte Lafferty bedächtig. Seinem Grinsen nach zu urteilen amüsierte er sich prächtig. »Mr. Barnett wird hierbleiben, bis Sie zurück sind, Mr. Arrowood. Das soll nicht bedeuten, dass wir Ihnen nicht trauen, Sir, aber die Erfahrung lehrt uns, dass es klüger ist, Vorsicht walten zu lassen.«

Mr. Arrowoods Gesicht lief rot an. »Ich soll die Patrone wieder hierherbringen? Sie wollen, dass ich den ganzen Weg durch die Stadt zurücklege und dann wieder herkomme? Ich habe noch etwas Besseres zu tun, Sir! Außerdem leide ich an Gicht. Lassen Sie mich von einem Polizisten begleiten, dann kann er Ihnen die Patrone bringen.«

Lafferty stand auf und öffnete die Tür.

»Je eher Sie aufbrechen, desto eher können Sie und Mr. Barnett wieder Ihrem Fall nachgehen, Mr. Arrowood.«

»Dann hat Ihr Fall also doch etwas mit der Patrone zu tun«, erkannte Mr. Arrowood.

»Ziehen Sie keine vorschnellen Schlüsse, Mr. Arrowood. Wir sind immer bestrebt, sämtliche Löcher zu stopfen, damit uns nicht über kurz oder lang die Luft ausgeht. So wurden wir nun einmal ausgebildet, das ist alles. Wir haben keinen Grund zu der Annahme, dass die Frau Ihnen die Patrone geben wollte. Es gibt keine Berichte darüber, dass kürzlich jemand angeschossen wurde. Oder haben Sie von einem solchen Vorfall gehört, Coyle?«

»Nein.«

»Das dachte ich mir. Und Cream ist nicht dafür bekannt,

Gewehre zu verwenden. Messer, ja. Fäuste und Stiefel ebenfalls. Er nutzt den Fluss und im Notfall vielleicht eine Pistole, aber unseres Wissens nach keine Gewehre. Ich könnte mir vorstellen, dass das Mädchen die Patrone auf dem Weg zum Treffpunkt auf der Straße gefunden und aufgehoben hat, oder es hat sie vielleicht einem der Männer, mit denen es ins Bett ging, stibitzt.«

»Das bezweifle ich«, erwiderte Mr. Arrowood.

»Ich halte es für denkbar. Aber wir werden sie verwahren für den Fall, dass unser Vorgesetzter sie sehen will. Das ist alles.«

Ich blieb sitzen, während Mr. Arrowood mit den beiden Polizisten hinausging.

Es dauerte über eine Stunde, bis Lafferty und Coyle zurückkehrten. Der Raum war kalt, da er sich im Keller befand, und ich hatte eine Weile auf und ab gehen müssen, um mich aufzuwärmen. Sie forderten mich auf, wieder Platz zu nehmen. Lafferty setzte sich mir gegenüber, während Coyle hinter mir stehen blieb.

»Sie erzählen uns nicht alles«, begann Lafferty. Er hatte seine Jacke ausgezogen und saß jetzt in Weste und Hemdsärmeln vor mir. Sein Atem roch nach Bier. »Das kann ich verstehen. In diesem Beruf kann es gefährlich sein, seine Karten aufzudecken. Aber wir müssen alles wissen. Einer unserer Männer wurde getötet, und das können wir nicht einfach auf sich beruhen lassen, nicht wahr? Also, wo wollen wir anfangen?«

»Wir haben Ihnen alles gesagt«, erwiderte ich.

Kaum hatte ich die Worte ausgesprochen, zuckte auch schon ein heftiger Schmerz aus meinem Unterarm durch meinen Körper. Ich schmeckte Galle und umklammerte die Stelle, an der ich geschlagen worden war. Als ich mich umdrehte, stellte ich fest, dass Coyle einen Schlagstock in der Hand hielt. Sein Gesicht war hasserfüllt, und er starrte mich mit Mordlust in den Augen an.

»Ich werde meine Frage jetzt wiederholen, Mr. Barnett«, sagte Lafferty.

Ich sprang auf und packte Coyles Hals mit meinem unverletzten Arm, aber sobald ich mich bewegte, raubte mir der Schmerz die letzte Kraft, sodass mich der Detective einfach wieder auf den Stuhl drücken konnte. Lafferty hatte jetzt eine Pistole in der Hand, mit der er auf meine Brust zielte.

»Fahren Sie zum Teufel!« Ich spuckte ihn an.

Coyle schlug mich noch einmal auf dieselbe Stelle, und ein tiefes, animalisches Knurren entrang sich meiner Kehle. Ich sackte nach vorn und prallte mit der Stirn auf die Tischplatte.

»Wir wollen mehr über Longmire wissen«, sagte Lafferty. »Was hat er mit Cream zu schaffen?«

»Das wissen wir nicht«, antwortete ich mit verzerrtem Gesicht. Ich hatte mich zur Seite gedreht, damit Coyle meinen Arm nicht erreichen konnte, war mir gleichzeitig jedoch bewusst, dass ich ihm so den Rücken darbot. Ich hatte noch keinen Mann so verabscheut wie den jungen Polizisten in diesem Augenblick; und ich schwor mir, ihm das bei Gelegenheit heimzuzahlen. »Wir haben bisher nicht mehr als seinen Namen. Darum wollten wir uns als Nächstes kümmern.«

»Woher haben Sie den Namen?«

Ich spürte, wie sich Coyle neben mir anspannte, und dachte kurz nach. Allerdings nicht lange. Dann sagte ich es ihm.

»Wir sind ins Beef eingebrochen. Dort fanden wir ein Notizbuch voller Namen, darunter auch Longmires. In den letzten Monaten tauchte sein Name häufiger auf. Das war alles. Wirklich. Wir wussten, dass er im Kriegsministerium arbeitet. Die anderen kannten wir alle nicht.«

Ich erhob mich. Wenn er mich schon erneut schlagen wollte, dann sollte er mich dabei wenigstens ansehen. Der junge Polizist starrte mir ins Gesicht. Seine schiefe Nase zuckte, und er ließ den Schlagstock lässig gegen seinen Oberschenkel prallen.

Lafferty schwieg einige Minuten lang. Schließlich sagte er: »Nehmen Sie das.«

Er legte einen Sovereign auf den Tisch.

»Wofür ist das Geld?«

»Wir wollen, dass Sie uns auf dem Laufenden halten. Das ist alles. Wenn Sie etwas herausfinden, schicken Sie uns eine Nachricht.«

Ich trat von Coyle weg ans Tischende. Jede noch so kleine Bewegung verursachte mir starke Schmerzen, daher vermutete ich, dass mein Arm gebrochen war.

»Warum verprügeln Sie mich nicht einfach wieder?«

»Nehmen Sie das Geld«, verlangte Lafferty. »Das ist nicht so schmerzhaft.«

Um einen weiteren Schlag zu vermeiden, griff ich nach der Münze.

»An welchem Fall arbeiten Sie?«, fragte ich. »Wenn Sie meine Hilfe wollen, müssen Sie mir das schon verraten.«

»Wir sind hinter der Einbrecherbande her.«

»Das ist ein ganz schöner Aufwand wegen einiger Einbrecher, finden Sie nicht auch? Wieso wurde die Ermittlungsabteilung mit dem Fall beauftragt?«

»Diese Bande hat einige sehr wichtige Personen verärgert«, antwortete Lafferty.

»Wen denn? Longmire?«

»Diese Leute haben Menschen in sehr bedeutsamen Regierungspositionen bestohlen, und diese Personen hätten ihr Eigentum gern zurück.«

»Was wurde gestohlen?«

Ein Polizist klopfte an die Tür. Lafferty ging kurz zu ihm auf den Flur und kehrte dann zurück.

»Sie können gehen. Mr. Arrowood ist wieder hier.«

»Wenn ich also Informationen über die Einbrecher habe, schicke ich Ihnen eine Nachricht?«

Lafferty grinste und zog seine Hose hoch. »Ganz genau. Und alles, was Sie in Bezug auf Creams Netzwerk herausfinden, könnte ebenfalls relevant sein. Etwas über Longmire beispielsweise. Und vielleicht wäre es das Beste, Ihren Arbeitgeber nichts davon wissen zu lassen, finden Sie nicht auch? Reden Sie mit niemandem darüber. Ach, eine Sache noch … Es ist sehr wahrscheinlich, dass wir Sie von Zeit zu Zeit bitten werden, etwas für uns zu erledigen. Jemanden zu beobachten oder ihm zu folgen, vielleicht auch ein Schloss zu knacken. Dafür bekommen Sie zehn Schillinge die Woche.«

»Ich habe bereits eine Anstellung.«

»Es wird nur gelegentlich vorkommen.«

»Wieso nehmen Sie keinen Polizisten?«

»Einige Dinge muss man eben außerhalb der Truppe regeln«, meinte Lafferty. »Vor allem derart knifflige Angelegenheiten. Coyle bringt Sie hinaus.«

Ich folgte Coyle durch den dunklen Flur und hielt meinen Arm, um ihn möglichst wenig zu bewegen. Lafferty ging hinter mir. Bei jedem Schritt zuckte ein heftiger Schmerz durch meinen Körper, und ich hätte dem Gargoyle am liebsten den dreckigen Hals umgedreht. Bevor wir die Treppe erreichten, kamen wir an einer weiteren Stahltür mit einem kleinen Fenster vorbei, und der Raum dahinter sah genauso aus wie der, den wir soeben verlassen hatten. Ich blickte hinein. Mr. Arrowood saß dort mit dem Rücken zu mir an einem Tisch. Als ich schon hineingehen wollte, drückte Lafferty von hinten fest gegen meinen verletzten Arm, sodass ich vor Schmerz beinahe aufgeschrien hätte.

»Gehen Sie, Mr. Barnett, und machen Sie keine Dummheiten.«

Ich wartete beinahe eine Stunde vor dem Gebäude. Inzwischen war ich völlig ausgedörrt und von der Nachmittagssonne durchgeschwitzt, und mein Arm ließ mich Höllenqualen erleiden, aber ich holte mir ein Glas Bier aus dem Pub ein Stück weiter die Straße hinunter und stellte mich so auf den Bürgersteig, dass ich den Eingang des Reviers im Blick hatte. Es war später Nachmittag, und die Straße war voller Droschken und Kutschen. Zeitungsjungen versuchten, auf sich aufmerksam zu machen und die Papierstapel in ihren Armen loszuwerden. Ich kaufte mir einige Würstchen und noch ein Bier und wartete weiter. Der Pub füllte sich mit Polizisten, die Dienstschluss hatten. Nun waren bereits zwei Stunden vergangen, und Mr. Arrowood war noch immer nicht aufgetaucht, daher beschloss ich, meinen Posten aufzugeben. Als ich gerade gehen wollte, bemerkte ich Coyle, der Scotland Yard soeben verließ. Ich duckte mich in einen Hauseingang und beobachtete ihn, wie er die Straße überquerte und ein Kaffeehaus betrat. Ein Milchwagen fuhr die Straße entlang und versperrte mir kurz die Sicht. Als der Wagen weitergefahren war, stellte ich fest, dass Coyle wieder herausgekommen war und die Straße in Richtung Waterloo Bridge entlangging. Er unterhielt sich prächtig mit einem kleinen Mann, der neben ihm herhastete, und lachte mehrmals auf.

Ich blickte ihnen verblüfft hinterher. An diesem heißen Tag trug der Mann nicht den langen Mantel, der vor mir im Wind geflattert hatte, als ich ihm an jenem feuchten und windigen Tag in Borough hinterhergejagt war, aber diesen stämmigen

Körper und diese krummen Beine erkannte ich sofort wieder. Sie blieben an der Brücke stehen, und der Mann drehte sich zur Seite, sodass ich seiner schrecklichen Hakennase gewahr wurde. Coyle schüttelte dem Mann die Hand, der Martha getötet hatte.

22

Auf dem Heimweg suchte ich einen Apotheker auf. Es war derselbe Arm, den der andere Polizist in der Gasse attackiert hatte, und er schmerzte so stark, dass ich schon vermutete, er wäre gebrochen. Der Apotheker war jedoch anderer Meinung und verkaufte mir eine Packung Opiumessig gegen den Schmerz. So schlief ich in der Nacht tief und fest und wachte mit benommenem Kopf und geschwollenem lilafarbenen Arm wieder auf. Ich nahm noch etwas Opiumessig und starrte den Umschlag an, der nun schon seit Tagen auf meinem Tisch lag. Schließlich steckte ich ihn ein und machte mich auf den Weg in die Coin Street.

Ich traf Ettie auf der Straße vor dem Puddinggeschäft an, wo sie mit Mrs. Truelove, Miss Crosby und Reverend Hebden in ein Gespräch vertieft war. Nachdem sie meine Kopfhaut auf derart intime Weise berührt hatte, wusste ich nicht, wie ich mich verhalten sollte, doch das war schnell vergessen, da sie vielmehr besorgt um ihren Bruder war und nicht an das zu denken schien, was am Vortag zwischen uns vorgefallen war.

»Wo ist er?«, fragte sie, nachdem sie mich dem Geistlichen vorgestellt hatte.

»Ich habe ihn seit gestern nicht mehr gesehen, Ettie.«

Sie nahm mich seufzend zur Seite.

»Trinkt er wieder?«, flüsterte sie.

Ich berichtete ihr, was sich bei Scotland Yard abgespielt hatte.

»Glauben Sie, er wurde verhaftet?«

»Ich würde eher davon ausgehen, dass sie versuchen, ihm weitere Informationen zu entlocken.«

»Warum war Inspector Petleigh dann heute Morgen hier und wollte ihn sprechen?«, fragte sie.

»Petleigh ist nur für diesen Bezirk verantwortlich. Die anderen Detectives gehören der Ermittlungsabteilung an. Sie werden ihn vermutlich nicht über das informieren, was sie tun.«

Das schien Ettie zufriedenzustellen. Sie blickte an mir vorbei die Straße hinunter.

»Sind Sie im Aufbruch begriffen?«, erkundigte ich mich.

»Wir warten nur noch auf eine der Damen, dann kehren wir zum Cutler's Court zurück. Haben Sie Mrs. Barnett gefragt, wann ich sie besuchen darf?«

»Sie ist momentan sehr beschäftigt«, erwiderte ich.

Der Blick, den sie mir daraufhin schenkte, verwirrte mich, und ich war erleichtert, als Reverend Hebden zu uns trat.

»Werden Sie uns begleiten, Norman?«, fragte er. Der Mann war jünger als die drei Frauen und recht stattlich mit seinem hochgewachsenen Körperbau, dem welligen schwarzen Haar, das ihm bis auf den Kragen fiel, und dem kräftigen Kinn.

»Das geht leider nicht, Sir. Ich habe wegen dieses Falls zu viel zu tun.«

»Sehr bedauerlich. Wir wollen ein junges Mädchen hinausschmuggeln, für das wir einen sicheren Platz gefunden haben. Es hat Wochen gedauert, es davon zu überzeugen.«

»Dann wünsche ich Ihnen viel Glück, Reverend.«

»Können Sie nicht doch mitkommen, Norman?«, bat Ettie mich mit sanfter Stimme. »Wir könnten noch einen kräftigen Mann gebrauchen.«

»Vielleicht ein anderes Mal.«

»Ja, das wollen wir hoffen.«

»Können wir, meine Damen?«, fragte Hebden. »Ich denke, wir haben lange genug gewartet.«

Er schüttelte mir energisch die Hand. Als sie sich zum Gehen wandten, drückte mir Ettie unauffällig den Ellenbogen.

Ich hatte es schon seit Tagen aufgeschoben, aber diese Berührung schenkte mir endlich den Trost, der mir bisher gefehlt hatte, und ich wusste, dass die Zeit gekommen war. So ging ich nun zum Standesamt in St. Olave, stellte mich in der Schlange an und hörte, wie jede Person vor mir dem Registrator ihre Daten nannte. Der alte Mann schrieb sehr langsam, verlangte Papiere, tauchte seinen Federkiel wieder und wieder ins Tintenfass und kleckerte auf den Unterlagen herum. Einige der Ärmeren konnten ihren Namen nicht buchstabieren, und er musste hier und da einen Buchstaben raten, um seine Aufgabe zu erledigen.

»Was möchten Sie melden?«, fragte er mich, als ich an der Reihe war.

Ich machte den Mund auf, um ihm zu antworten, bekam jedoch keinen Ton heraus. Nur durch heftiges Blinzeln konnte ich die Tränen zurückhalten. Er nickte langsam, und seine Augen hinter den dicken Brillengläsern wirkten gütig. Dann kratzte er sich den Schnurrbart.

»Einen Todesfall?«

Ich nickte.

»Könnten Sie mir den Namen nennen, Sir?«

»Elizab…«

Ich holte tief Luft und schirmte meine Augen vor ihm ab.

»Lassen Sie sich Zeit, Sir«, sagte er.

Ich schluckte schwer, riss mich zusammen und versuchte es erneut.

»Elizabeth Barnett.«

Seine Feder kratzte über das Papier.

»Und Sie sind der Ehemann?«

Ich nickte.

Er nahm unsere Adresse auf, ihr Geburtsdatum, ihre Arbeitsstätte bei den Modistinnen. Vor meinen Augen verschwamm alles, und meine Stimme zitterte. Er notierte alles und hinterließ zahlreiche Tintenflecke auf dem Papier.

»Todesursache?«

Als ich ihm antworten wollte, versagte mir erneut die Stimme. Stattdessen reichte ich ihm den Umschlag mit dem Totenschein. Er las sich alles langsam durch.

»Sie ist in Derby gestorben, Sir?«

»Ich wusste nicht einmal, dass sie krank war.«

Er runzelte die Stirn.

»Von Rechts wegen sollten Sie den Todesfall dort melden. Und Sie hätten das innerhalb von fünf Tagen tun müssen. Haben Sie sie begraben?«

Ich nickte erneut, während in meinem Kopf alles drunter und drüber ging. Sie hatte ihre Schwester besucht, als es passiert war, und war, erst eine Woche bevor Miss Cousture in der Coin Street aufgetaucht war, abgereist. Dort hatte sie Fieber bekommen und war diesem erlegen. Sie war nie nach Hause zurückgekehrt.

»Normalerweise erlauben sie kein Begräbnis«, sagte der Registrar.

Ich hörte ihn, war jedoch wie benommen und musste mich an seinem Schreibtisch festhalten.

»Sir?«, fragte er.

»Der Arzt wurde krank. Ich habe den Brief gerade erst erhalten.«

Der Registrar schwieg einige Augenblicke. Dann kratzte seine Feder wieder über das Papier. Er riss ein Stück ab und reichte es mir.

»Ich weiß, wie schwer das ist, Sir. Bleiben Sie stark.«

Ich ging in den Pub auf der anderen Straßenseite und bestellte mir einen Brandy und heißes Wasser. Meine Hand zitterte, als ich das Glas an die Lippen führte. Ich leerte es und bestellte noch einmal dasselbe. Doch dieses Mal konnte ich nicht alles trinken. Ich ging auf die überfüllte Straße hinaus, lief zum Fluss, überquerte die Tower Bridge und begab mich in den Lärm des Katherine Docks und den Gestank nach Teer und Salz, den die großen Schiffe verströmten. Bisher hatte ich mich nicht überwinden können, Mr. Arrowood zu erzählen, was geschehen war; ich hatte mit niemandem darüber gesprochen. Vermutlich hatte ich Angst vor dem, was passieren würde, wenn ich es einfach aussprach. Dann verging ein Tag und ein zweiter, und ich bekam die Worte noch immer nicht heraus. Ich wollte einfach so weitermachen. Zwar zweifelte ich nicht daran, dass er und Ettie sehr mitfühlend sein würden, doch das würde es nur noch schmerzhafter machen. Gleichzeitig war mir bewusst, dass ich es nicht ewig vor mir herschieben konnte.

Ich lief immer weiter, zum Western Dock, machte mich auf den Rückweg um den Tower und die Lower Thames Street entlang, bis ich die Menschen um mich herum langsam wieder wahrnahm und ihre Stimmen hörte. Als ich mich wieder wie ein ganzer Mensch fühlte, überquerte ich die London Bridge und lief in Richtung Süden, bis ich die vertrauten Straßen von Southwark erneut erreicht hatte.

Da ein freier Sonnabend anstand und ich Gesellschaft brauchte, beschloss ich, meinen alten Freund Nobber Sugg zu besuchen. Nobber lebte noch immer in Bermondsey, gleich um die Ecke der Gegend, in der wir aufgewachsen waren. Er hatte es in seinem Leben weit gebracht, weiter als jeder andere, den ich von früher kannte, arbeitete seit dem Tod seines Vaters als Marktträger und lebte mit seiner Familie über einem Kerzenmacher, wo sie vier Zimmer ganz für sich allein hatten. Wir tranken Bier im Bag o' Nails, und nach einiger Zeit vergaß ich langsam meine Sorgen. Tatsächlich bewirkte das Bier zusammen mit dem Opiumessig, den ich genommen hatte, dass ich mich recht gut fühlte, und als Nobber vorschlug, rüber zur East Ferry Road zu gehen, wo Millwall gegen die Gewehrfabrik antrat, musste er mich nicht lange dazu überreden. So kehrte ich erst nach sieben wieder in die Coin Street zurück.

Mr. Arrowood sah müde und abgeschlagen aus, und seine Gicht machte ihm sehr zu schaffen. Ich konnte ihm ansehen, dass er vor nicht allzu langer Zeit Laudanum genommen hatte, und nun saß er schlaff in seinem Sessel und hatte das Hemd bis zum Bauch geöffnet. Er berichtete mir, dass ihn Lafferty die ganze Nacht lang in diesem Raum festgehalten hatte, ohne ihm etwas zu essen oder zu trinken zu geben. Er hatte sich nicht einmal im Freien erleichtern dürfen und war sehr erbost über diese ganze Angelegenheit.

»Wenigstens haben wir etwas herausgefunden«, stellte er seufzend fest. »Diese Patrone ist eindeutig von Bedeutung.«

»Hat Lafferty etwa das Gegenteil behauptet?«

»Er hat sich sogar große Mühe gegeben, mich davon zu überzeugen. Von all dem, was wir ihm erzählt haben, war dies das Einzige, bei dem er uns weismachen wollte, es wäre unwichtig. Nicht Martha, nicht die jungen Mädchen, nicht das

Bordell, nicht einmal die Feniers. Täuschen Sie sich nicht, Barnett. Diese Patrone ist der wichtigste Aspekt dieses Falls.«

Erst als ich ihm berichtete, dass ich den Mörder zusammen mit Coyle gesehen hatte, setzte er sich auf. Sein Blick wurde hart.

»Endlich haben wir einen Anhaltspunkt.«

»Welchen denn?«

»Eine Verschwörung, Barnett.« Er nahm eine Zigarre aus der Schachtel auf seinem Beistelltisch und zündete sie an. »Ich denke, es wird Zeit, dass wir bei Colonel Longmire vorstellig werden.«

23

Wir trafen uns am nächsten Tag, an dem es glücklicherweise nieselte, in Whitehall. Auf den Straßen wimmelte es von Tagesausflüglern und Touristen, die hergekommen waren, um sich Big Ben und das Parlament anzusehen, und sie alle wanderten vergnügt im warmen Regen herum. Der Soldat an der Tür des Kriegsministeriums teilte uns mit, dass Longmire nicht da sei, so wie sich auch sonst niemand an einem Sonntag im Gebäude aufhalte.

»Kommen Sie am Montag wieder, meine Herren«, sagte er und legte die dicke Scheibe Brot mit Käse, die er gerade essen wollte, auf den Tisch. Er konnte nicht mehr weit vom Ruhestand entfernt sein und machte auf mich den Eindruck eines netten Kerls, doch seine gelben Augen wären ein Fall für einen Arzt gewesen. »Dann können wir Ihnen bestimmt besser helfen.«

»Ich bin davon ausgegangen, dass im Kriegsministerium immer gearbeitet wird«, erklärte Mr. Arrowood verärgert. »Wir sind doch ständig irgendwo in einen Krieg verwickelt, oder nicht?«

»Soldaten kämpfen«, erwiderte der Mann, »aber nicht die hohen Herren hier.«

Er schob seinen Teller zur Seite, unter dem der *Daily Chronicle* zum Vorschein kam. Die Schlagzeile lautete:

SHERLOCK HOLMES LÖST UNMÖGLICHEN FALL DER ABGETRENNTEN OHREN IN NUR 2 TAGEN! DOPPELMÖRDER AM ALBERT DOCK VERHAFTET!

Ich sah, wie Mr. Arrowoods Blick auf der Zeitung ruhte und er rasch alles überflog. Einen kurzen Augenblick lang presste er die Lippen aufeinander und runzelte die Stirn. Er schluckte schwer. Dann sah er den alten Soldaten wieder an. »Es geht um eine sehr dringende Angelegenheit. Könnten Sie uns vielleicht seine Adresse geben?«

»Die habe ich nicht. Kommen Sie morgen wieder, dann können wir ihm eine Nachricht schicken.«

»Gibt es denn hier niemanden, der uns weiterhelfen kann?«

»Außer mir ist niemand hier«, antwortete der Soldat. »Kommen Sie morgen wieder.«

Wir standen auf den Stufen und wurden dank des großen Eingangs des Kriegsministeriums vom Regen abgeschirmt. Als wir gerade gehen wollten, deutete Mr. Arrowood auf die andere Straßenseite. Dort standen mehrere Hansoms am Bordstein.

Wir sprachen die Kutscher nacheinander an und erkundigten uns nach Colonel Longmire. Die ersten kannten nicht einmal den Namen. Der vierte, der seinem Pferd gerade einen Futtersack umhängte, bestätigte, Longmire zu kennen.

»Man hat mich neulich gebeten, ihn abzuholen«, sagte er. »Ein kluger Kerl, nicht wahr? Hat eine Art Leberfleck am Auge?«

»Wissen Sie, wo er wohnt?«, fragte ich.

Der Kutscher schüttelte den Kopf. »Da kann ich Ihnen nicht weiterhelfen. Ich habe ihn nur hierher zurückgebracht.«

»Könnte einer der anderen Kutscher den Mann kennen?«

»Hier arbeiten sehr viele Offiziere und wichtige Männer«, erwiderte der Mann und tätschelte seinem fressenden Pferd den Hals. »Im Allgemeinen kennen wir nicht einmal ihre Namen.«

»Lassen Sie uns gehen, Barnett«, forderte mich Mr. Arrowood auf. »Wir werden morgen wiederkommen müssen.«

»Ich habe ihn im Junior Carlton Club abgeholt«, fuhr der Kutscher fort. »Sie haben doch bestimmt schon davon gehört, nicht wahr? Das ist der Klub, in dem die Iren vor einigen Jahren die Bombe gelegt haben.«

»Ich kenne den Klub«, bestätigte Mr. Arrowood.

»Am St. James's Square«, fuhr der Mann fort. »Da gehen sie alle hin, die Politiker und dergleichen.«

Eine Viertelstunde später standen wir vor dem Gebäude. Es war nach der Explosion vor elf Jahren wieder instand gesetzt worden, und durch die Fenster sahen wir die dicken Vorhänge, glitzernden Kronleuchter und Stuckdecken der prachtvollen Räume.

Der Portier wollte uns nicht hineinlassen.

»Ich kann ihm gern Ihren Namen überbringen«, schlug er vor und musterte meine geflickte Hose und Mr. Arrowoods weißes Hemd, das durchgeschwitzt und am Kragen fleckig war. Er wusste genau, dass wir nicht in einen solchen Club gehörten, auch wenn Mr. Arrowoods Akzent vielleicht etwas anderes vermuten ließ.

Mr. Arrowood nannte ihm seinen Decknamen Mr. Locksher und sagte, dass wir den Colonel dringend sprechen müssten. Der Portier gab es an den Dienstmann weiter, der in einem Korridor verschwand. Einen Augenblick später war er wieder da.

»Der Colonel bittet Sie, morgen einen Termin in seinem Büro auszumachen.«

»Es ist aber wichtig«, beharrte Mr. Arrowood. »Wir müssen ihn heute noch sprechen.«

»Es tut mir sehr leid, Sir«, erwiderte der Dienstmann. »Er möchte nicht gestört werden und ist in einer Konferenz.«

Mr. Arrowood kramte in seiner Westentasche herum und holte die Patrone heraus.

»Geben Sie ihm das. Dann wird er uns empfangen.«

Der Dienstmann runzelte die Stirn. »Das kann nicht Ihr Ernst sein.«

»Er wird es verstehen. Ich muss unbedingt mit ihm sprechen.«

Der Dienstmann schloss kopfschüttelnd die Tür.

»Sie haben die Patrone nicht der Polizei übergeben?«, fragte ich.

»Ich habe auf dem Weg bei Lewis haltgemacht und mir eine andere geben lassen, da ich bereits vermutete, dass wir diese brauchen würden, um zu Longmire vorgelassen zu werden.«

»Lewis hatte noch so eine Patrone?«

»Sie hatte dieselbe Farbe. Die Welt ist nicht perfekt, wie Sie selbst wissen, Barnett. Man kann nicht alles haben.«

Ich musste unwillkürlich lachen.

»Hören Sie, könnten Sie Colonel Longmire diese Nachricht geben, sobald er herauskommt?«, bat er den Portier und kritzelte einige Worte in seinen Notizblock. Der Portier beobachtete ihn schweigend. Mr. Arrowood zog einen Schilling hervor und steckte ihn dem Mann in die Westentasche.

»Wir sind Detektive und arbeiten an einem wichtigen Fall«, erläuterte er.

»Polizisten?«, fragte der Portier.

»Privatdetektive.«

Der Mann schien unsicher zu sein.

»Wie Holmes und Watson«, fügte ich hinzu.

»Sobald der Colonel die Nachricht gelesen hat, wird er mit uns reden wollen«, erklärte Mr. Arrowood und ignorierte meine Worte einfach. »Er wäre nicht erfreut, wenn Sie ihm die Nachricht vorenthalten. Also seien Sie ein guter Mann und helfen Sie Ihrem Land.«

Longmires Kutsche fuhr um Punkt sieben vor Mrs. Willows' Kaffeehaus vor. Der Colonel war ein Mann mittlerer Größe mit einem kartoffelschalenfarbenen Leberfleck an dem Auge, in dem sein Monokel steckte. Er trug einen herabhängenden Schnurrbart, eine schlichte Hose, eine braunen Melone auf seinem Glatzkopf und hatte eine sauertöpfische Miene aufgesetzt. Als er in der Tür des Kaffeehauses stand, ließ er den Blick verärgert über die Gäste wandern. Einen Augenblick lang starrte er Rena an, die gerade die Theke wischte, und ich erhob mich und winkte ihn an unseren Tisch. Sein Kutscher stand draußen vor dem Fenster und behielt uns genau im Auge.

»Darf ich Ihnen einen Kaffee bestellen, Sir?«, fragte Mr. Arrowood.

Bevor er antwortete, staubte Longmire den Stuhl mit seinem Taschentuch ab und setzte sich. Er sah sich erneut die anderen Gäste an: vier Damen, die gerade aus der Kirche gekommen waren, ein Kutscher, der Teepause machte, eine Familie, die sich ein Stück Mohnkuchen teilte.

»Die Nachricht besagt, dass mich Mr. Cream sprechen wolle«, sagte er endlich. Es war ihm deutlich anzusehen, dass er der Ansicht war, er würde sich in diesem Kaffeehaus eine Krankheit zuziehen, und er versuchte auch gar nicht erst, das zu verbergen. Aus seiner Westentasche lugte eine goldene Uhrenkette hervor. »Wer sind Sie?«

»Wir sind Geschäftspartner von Mr. Cream«, behauptete Mr. Arrowood.

»Warum treffen wir uns hier und nicht im Beef?« Seine Stimme klang nasal und herablassend.

»Weil es so angenehmer für uns ist«, antwortete Mr. Arrowood.

»Und wer sind Sie?«

Mr. Arrowood biss in sein Sandwich und kaute langsam, ließ Longmires Monokel dabei jedoch nicht aus den Augen. Es war sehr heiß, und auf Longmires Stirn bildeten sich erste Schweißperlen.

»Mr. Locksher«, antwortete Mr. Arrowood. »Das ist Mr. Stone. Ich muss Ihnen leider gestehen, dass ich in der Nachricht gelogen habe. Mr. Cream weiß nichts von diesem Treffen, und wir würden es vorziehen, wenn das so bleibt.«

»Ich rede nur mit Cream«, zischte Longmire. »Haben Sie verstanden?«

Er stand auf und wandte sich zum Gehen. Da steckte Mr. Arrowood die Finger in seine Westentasche und zog die Patrone heraus. Er stellte sie mitten auf den Tisch, zwinkerte und tippte sich an die schartige Nase.

Longmire starrte die Patrone an und schluckte schwer. Er sah sich erneut um. Seine Lippen zuckten, aber er schien sich nicht entscheiden zu können, was er jetzt tun sollte.

»Wollen Sie denn gar nicht wissen, wie wir sie erhalten haben?«, fragte Mr. Arrowood schließlich.

»Diese Patrone interessiert mich nicht. Vermutlich haben Sie sie in einem Geschäft gekauft.«

Mr. Arrowood lehnte sich zurück und zog die Augenbrauen hoch.

»Sie wissen genau, dass man diese Patronen in keinem Geschäft kaufen kann.«

»Ich weiß nichts dergleichen. Sollten Sie noch einmal versuchen, Kontakt zu mir aufzunehmen, werde ich Sie verhaften lassen.«

Mr. Arrowood lachte auf, und ich fiel mit ein. Das war einer seiner Tricks: Er lachte, wenn ihm jemand ins Gesicht log, und zwar lange, als könne er einfach nicht anders. Die anderen Gäste drehten sich zu uns um, und Longmire stand mit bebenden Nasenflügeln da, während man ihm deutlich ansah, dass er sich erniedrigt fühlte und immer wütender wurde.

»Bitte, Colonel«, sagte Mr. Arrowood, »Sie machen die Sache für sich nur noch schlimmer. Wir wissen, was das für eine Patrone ist und woher sie kommt. Ebenso wie Sie. Möchten Sie wirklich, dass ich es vor den anderen Gästen ausspreche?«

Longmire presste die Lippen aufeinander. Er drehte sich zu seinem Kutscher um und setzte sich dann wieder. Als er nach der Patrone greifen wollte, kam Mr. Arrowood ihm zuvor und ließ sie wieder in seiner Westentasche verschwinden.

»Wo haben Sie die her?«, wollte Longmire wissen.

»Wir haben sie in der Hand eines toten Mädchens gefunden.«

»Was denn für ein Mädchen?«

»Sie hieß Martha«, erwiderte Mr. Arrowood. »Und sie war Kellnerin im Barrel of Beef. Kannten Sie sie?«

»Sprechen Sie von dem ermordeten Mädchen? Ich habe in der Zeitung von dem Fall gelesen.«

»Aber Sie kannten das Mädchen?«

»Ich habe immer nur mit Cream zu tun.«

»Sie haben an den Tischen gespielt.«

»Da bedienen so viele Mädchen, dass ich unmöglich alle Namen kennen kann.«

»Wissen Sie, wer sie umgebracht hat?«

Er warf die Hände in die Luft. »Nein! Ich weiß nicht das

Geringste über diese Sache, und Sie stellen meine Geduld mit diesen Fragen auf eine harte Probe.«

»Und doch sitzen Sie noch immer hier«, erkannte Mr. Arrowood lächelnd.

Das war Mr. Arrowoods Kunst, so bearbeitete er die Menschen. Solange er nicht gerade einen seiner emotionalen Ausbrüche hatte, war er auch sehr gut darin.

»Sie sind wegen der Patrone geblieben«, fuhr Mr. Arrowood fort. »Diese Sorte wird nur für die Armee ausgegeben, für das neue Enfield-Repetiergewehr. Das wäre eine interessante Geschichte für die *Gazette*, denken Sie nicht auch? Ihre Vorgesetzten würden bestimmt gern wissen, wie sie in die Hand dieser Kellnerin gelangt ist.«

Longmire blickte auf.

»Na gut«, sagte er. »Ich kannte das Mädchen und habe ihm die Patrone gegeben.«

»Das müssen Sie mir erklären.«

»Ich habe gelegentlich mit Martha verkehrt«, flüsterte er. »So. Ich habe es gestanden. Als ich unsere Liaison beendet habe, wollte sie etwas, das sie an mich erinnert. Ein Andenken. Ich vermute, dass sie damit auf ein Schmuckstück abgezielt hat. Aber ich habe ihr daraufhin diese Patrone geschenkt.«

Mr. Arrowood starrte mich an und sagte einige Augenblicke lang gar nichts, aber dieses Mal war es kein Trick. Wir dachten beide dasselbe: Wenn Longmire die Wahrheit sagte, dann war das, was wir für unser wichtigstes Beweisstück hielten, nichts wert.

»Gehe ich recht in der Annahme, dass Sie Geld von mir wollen?«, fragte Longmire.

»Ihr Geld interessiert uns nicht«, entgegnete ich.

»Ich werde Sie dafür bezahlen, dass Sie das nicht an die Zeitungen geben.«

»Wir wollen Ihr Geld nicht«, wiederholte Mr. Arrowood. »Warum hat sie uns die Kugel gegeben?«

»Sie hat sie Ihnen gegeben?«, fragte Longmire.

»Sie hatte sie in der Hand, als sie gestorben ist. Und sie hat auf uns gewartet.«

»Wahrscheinlich hatte sie sie in der Hand, weil sie in mich verliebt war. Möglicherweise war sie ihr im Sterben ein Trost.«

»Haben Sie sie geliebt?«, wollte Mr. Arrowood wissen.

»Natürlich nicht.«

»Warum wurde sie getötet?«

»Woher soll ich das wissen?«, zischte Longmire. »In den Zeitungen stand, es wäre der Ripper gewesen. Oder ein fehlgeschlagener Raubüberfall? Ich weiß es nicht mehr. Und jetzt verraten Sie mir bitte, was Sie von mir wollen, Mr. Locksher.«

Ich musterte Mr. Arrowood, der ins Grübeln geraten war und gedankenverloren wirkte.

»Sir?«, fragte ich.

Er blinzelte und holte tief Luft. »Als Erstes müssen wir einen jungen Mann finden«, sagte er. »Einen Franzosen namens Thierry. Er hat in der Küche des Beef gearbeitet. Nun ist er verschwunden, und seine Familie macht sich Sorgen. Kennen Sie ihn?«

Longmire kniff die Augen zusammen.

»Denken Sie, ich wüsste, wer in der Küche arbeitet? Ich bin nie in der Küche gewesen! Und ich kenne auch keinen Franzosen. Ich spreche nur mit Cream und einigen seiner Männer.«

»Sie haben uns wohl nicht richtig verstanden, Colonel«, erwiderte Mr. Arrowood. »Wir werden mit dem, was wir wissen, zu Ihren Vorgesetzten und zu den Zeitungen gehen. Ich habe sehr viele Freunde bei der Presse. Ihre Gattin wird sich gewiss sehr für die Geschichte interessieren.«

»Jetzt hören Sie mir mal genau zu: Ich kenne diesen Jungen nicht. Das müssen Sie mir glauben.«

»Sie müssen uns vergeben, dass wir an Ihnen zweifeln. Aber wenn Sie ihn wirklich nicht kennen, dann müssen Sie herausfinden, was mit ihm geschehen ist.«

»Wie in aller Welt soll ich das denn anstellen?«, fragte Longmire.

»Fragen Sie Ihre Freunde im Beef. Wir geben Ihnen zwei Tage.«

Der Colonel schlug die Hände vors Gesicht und stützte die Ellenbogen auf den Tisch. Er atmete schwer. »Wie kann ich Sie erreichen?«, wollte er schließlich wissen.

»Wir nehmen den Kontakt auf. Sagen Sie in Ihrem Büro und im Club Bescheid, dass unsere Nachrichten beim nächsten Mal angenommen werden sollen. Und schreiben Sie Ihre Adresse hier auf.«

Mr. Arrowood schob seinen Notizblock über den Tisch.

Longmire kam der Aufforderung rasch nach.

»Sie sagten ›als Erstes‹«, erkannte er mit finsterer Miene. »Was werden Sie noch von mir verlangen?«

»Das erfahren Sie zu gegebener Zeit«, antwortete Mr. Arrowood.

Longmire stand so ruckartig auf, dass der Stuhl zu Boden fiel, und knallte im Hinausgehen die Tür hinter sich zu.

24

Sobald Longmires Kutsche abgefahren war, verließen wir das Kaffeehaus und gingen auf die andere Straßenseite, wo Sidneys Einspänner stand. Wir folgten Longmire zum St. George's Circus und die Waterloo Road entlang bis zum Beef. Dort stieg der Colonel aus. Er blieb gerade mal zehn Minuten im Pub und fuhr dann weiter.

»Ich wüsste zu gern, ob sie über Thierry oder die Patrone gesprochen haben«, sagte Mr. Arrowood.

»Vermutlich hat er Cream gebeten, uns in einem Kohlensack im Fluss zu versenken.«

Mr. Arrowood seufzte und schaute aus dem Fenster, als wir uns wieder in Bewegung setzten.

»Gut möglich«, sagte er schließlich.

Wir überquerten die Waterloo Bridge, als die Abendsonne zwischen der aufbrechenden Wolkendecke hervorkam, und folgten der Kutsche über die Mall, durch den Green Park und an der Südseite des Hyde Park entlang. Die Fahrt in Sidneys Einspänner war nicht besonders angenehm, und das ganze Wackeln und Schaukeln setzte meinem Arm, der nun angeschwollen und schwarz war, sehr zu. Ich nahm noch etwas Opiumessig und biss die Zähne zusammen. In Kensington bog Longmires Kutsche in Richtung Notting Hill ab, bis sie endlich vor einer Villa an der Holland Park Avenue zum Stehen kam.

Wir blieben auf Abstand und beobachteten, wie Longmire die breite Treppe hinaufging und läutete. Ein Butler öffnete die Tür und ließ ihn hinein.

Ich stieg aus und ging zum Tor, weil ich herausfinden wollte, ob dort ein Namensschild hing. Die Nacht war angebrochen, und es war dunkel auf der Straße. Ich konnte kein Schild entdecken, und es war auch niemand unterwegs, den ich hätte fragen können.

Daher stieg ich wieder in die Kutsche, und wir warteten und beobachteten das Haus. Nach einigen Minuten brach Mr. Arrowood das Schweigen.

»Ich muss Sie etwas fragen, Norman.«

Er beugte sich vor und legte mir eine Hand auf das Knie.

»Mir ist aufgefallen, dass Sie in letzter Zeit nicht Sie selbst sind. Ettie hat es ebenfalls bemerkt. Sind Sie krank?«

»Das liegt am Opiumessig, William«, erwiderte ich. »Der Polizist hat mich schwer verletzt.«

Er ließ die Hand auf meinem Knie liegen.

»Ist da nicht noch etwas anderes?«

»Es geht mir gut«, log ich, bekam die Worte jedoch kaum über die Lippen.

»Verstehe.«

Er schien von meiner Antwort enttäuscht zu sein. Es kam mir falsch vor, ihn anzulügen, aber ich konnte es einfach nicht aussprechen. So langsam fragte ich mich, ob ich es jemals schaffen würde.

»Wir werden Longmire überwachen«, sagte er nach einiger Zeit. »Sie bleiben hier und versuchen herauszufinden, wem dieses Haus gehört. Suchen Sie mich morgen früh auf. Aber seien Sie bitte vorsichtig, Norman. Sie wissen, wozu diese Leute fähig sind.«

Ich nickte und rümpfte die Nase, als ich an den toten Polizisten mit der verkochten Haut und den zertrümmerten Fußknöcheln denken musste. Mr. Arrowood drückte meine Hand und sah mich ernst an, und ich wusste, dass er dasselbe Bild vor Augen hatte.

Nach fünfzehn Minuten kam Longmire heraus, stieg in seine Kutsche und fuhr los. Ich sprang auf die Straße und bezog auf der dem Haus gegenüberliegenden Seite Position.

Die Villa lag ein Stück abseits der Straße und war von einer Buchsbaumhecke umgeben. Inklusive des Kellers gab es fünf Stockwerke, und über der Eingangstür befanden sich Balkone. Im Inneren brannte Licht. Es war ein recht beeindruckendes Gebäude, auch wenn es dringend einen neuen Anstrich nötig gehabt hätte und neben den gepflegten Nachbarn etwas heruntergekommen wirkte.

Auf der Straße herrschte nicht viel Verkehr. Einige Pferdeomnibusse fuhren in Richtung West End vorbei. Hin und wieder war ein Hansom zu sehen oder ein Gemüsewagen auf dem Weg zum Markt. Mein Arm machte sich erneut schmerzhaft bemerkbar, und ich nahm noch etwas Opiumessig. Nach einer Stunde kam ein Mann aus einem Seiteneingang der Villa und wandte sich in Richtung Shepherd's Bush.

Ich hastete über die Straße und sprach ihn an.

»Entschuldigen Sie bitte«, sagte ich. Es war ein jüngerer Mann mit sehr kurz geschnittenem Haar, das eng an seinem Kopf klebte. Er trug einen schlichten braunen Anzug. »Arbeiten Sie in diesem Haus?«

»Ich bin dort Diener.«

»Haben Sie den Abend frei?«

»Ganz genau. Suchen Sie Arbeit?«

»Ich bin Maler und habe bemerkt, dass das Haus dringend mal gestrichen werden sollte.«

»Da müssen Sie mit Mr. Carstairs, dem Butler, sprechen.«

»Was halten Sie davon, wenn ich Ihnen etwas zu trinken ausgebe und Ihnen ein paar Fragen stelle? Es ist immer sehr hilfreich, vorher schon einige Informationen zu haben.«

»Ähm …« Er überlegte kurz. »Aber nicht so lange.«

Er führte mich in einen kleinen Pub namens Rising Sun an der Walmer Road, wo wir jeder ein Bier tranken und Strandschnecken aßen. Der Diener erzählte mir, dass das Haus Sir Herbert Venning gehörte, dem Generalquartiermeister der Armee. Er arbeitete im Kriegsministerium und leitete die Abteilung, die die britische Armee mit Material versorgte. Als ich das hörte, bestellte ich noch eine Runde und erkundigte mich, wer für sie die Malerarbeiten ausführte und ob es noch weitere Außengebäude gab, die ebenfalls gestrichen werden mussten.

»Hinter dem Haus ist nichts mehr«, sagte er.

»Wo sind die Ställe?«

»Um die Ecke in der Stewart Street.«

»Das Haus sieht aus, als wäre es schon eine Weile nicht mehr gestrichen worden.«

»Es sollte längst gemacht werden«, berichtete er und stürzte sein Bier herunter, da ich mich als derart freigiebig erwiesen hatte. »Vor zwei oder drei Monaten war ein Maler da und hat hinten angefangen. Aber er musste nach dem Einbruch gehen. Wahrscheinlich dachten sie, dass er etwas damit zu tun hatte.«

»Was glauben Sie? War er in die Sache verwickelt?«

»Keine Ahnung. Der Herr war deswegen jedenfalls furchtbar wütend. Er hat den Butler ebenfalls entlassen, dabei stand der Mann seit über zwanzig Jahren in seinen Diensten. Wir waren alle überrascht. Doch der Herr war völlig außer sich. Wahrscheinlich hätte er uns alle gehen lassen, wenn es ihm möglich gewesen wäre.«

»Wie sind die Einbrecher ins Haus gelangt?«

»Sie sind mitten in der Nacht durchs Fenster gekommen«, antwortete der Diener. »Keiner hat etwas gehört. Einige von uns schlafen im Erdgeschoss, andere auf dem Dachboden. Das Zimmer des Butlers liegt unter der Treppe, und auch er sagt, dass er nichts mitbekommen hätte. Der Herr und die Herrin haben ebenfalls alles verschlafen. Jemand muss ein Fenster offen gelassen haben, anders können sie nicht ins Haus gelangt sein. Darum haben sie den Anstreicher gefeuert.«

»Aber wieso den Butler? Hatte die Polizei ihn in Verdacht?«

»Das ist das, was wir alle nicht verstehen: Der Herr hat die Polizei überhaupt nicht gerufen.«

Er trank sein Bier aus, und ich bestellte eine weitere Runde. Mir war schon leicht schwindlig vom Bier und dem Schmerzmittel, aber ich fühlte mich in diesem kleinen Pub sehr wohl. Im Nebenzimmer fing jemand an zu singen.

»Er hat nicht die Polizei gerufen?«, wiederholte ich. »Wurde denn nichts gestohlen?«

»Nur Papiere aus dem Studierzimmer des Herrn. Wir vermuten, dass sie etwas gehört haben und getürmt sind. Die Köchin steht immer sehr früh auf, vielleicht hat sie die Einbrecher verschreckt. Sie sind durch das Fenster im Musikzimmer reingekommen und auf direktem Weg ins Studierzimmer marschiert. Dabei haben sie keine Wertgegenstände mitgehen lassen, obwohl überall welche rumstehen. Gemälde, Skulpturen und all so was. Aber das alles haben sie nicht angerührt.«

»Die Papiere müssen sehr wertvoll gewesen sein.«

Der Diener zündete sich eine Zigarette an, ohne mir eine anzubieten. Er zog daran und ließ mehrere Rauchringe aufsteigen.

»Der Herr war außer sich«, sagte er. »Ich hatte ihn noch nie zuvor so wütend gesehen. Er hat auch noch nie so viel getrunken und wegen jeder Kleinigkeit rumgeschrien.«

»Wissen Sie, was das für Papiere waren?«

»Das weiß keiner. Wir haben uns den Kopf darüber zerbrochen, sind aber nicht schlauer als zuvor. Vielleicht waren es Regierungspapiere, irgendetwas Wichtiges.«

»Und er hat die Polizei nie gerufen?«

»Nein.«

Mr. Arrowood war begeistert, als ich ihm am nächsten Morgen die neuen Informationen überbrachte.

»Die beiden Personen, denen er sofort von unserem Treffen erzählen musste, sind also Stanley Cream und Sir Herbert Venning«, sagte er und ging im Salon auf und ab. Er schmauchte an seiner Pfeife und überlegte. »Das ist gut. Jetzt haben wir eine Linie, die drei Männer mit der Patrone verbindet.«

»Aber vielleicht war er wegen Thierry und nicht wegen der Patrone bei Cream.«

Mr. Arrowood blieb mit gerunzelter Stirn stehen.

»Das wäre durchaus möglich«, meinte er. »Vielen Dank für den Hinweis, Norman.«

Er klopfte seine Pfeife aus, legte sie beiseite und nahm seinen Hut.

»Nun kehren wir ins Kriegsministerium zurück. Ich kann nur hoffen, dass wir dieses Mal nicht so lange auf einen Omnibus warten müssen.«

»Mit der Untergrundbahn wären wir schneller«, merkte ich wie immer an.

Und wie immer ignorierte er mich.

Am Eingang des Kriegsministeriums saß derselbe alte Soldat wie bei unserem letzten Besuch. Er schickte eine Nachricht an Vennings Sekretär, die prompt zurückkam. Sir Venning könne uns nicht empfangen, hieß es. Wenn es jedoch wichtig wäre, dürften wir ihm einen Brief schreiben. Damit hatten wir bereits gerechnet.

Wir versuchten es an diesem Abend bei ihm zu Hause.

»Sir Herbert möchte nicht gestört werden«, teilte uns der Butler mit. Der Mann war deutlich kleiner und rundlicher, als es für einen Butler üblich war.

»Es geht um eine dringliche Angelegenheit«, erklärte Mr. Arrowood.

»Schreiben Sie ihm einen Brief, Sir. Sein Sekretär wird sich dann darum kümmern.«

»Wir haben Informationen über einen Einbruch, der hier verübt wurde. Ich gehe davon aus, dass er davon erfahren möchte.«

Der Butler überlegte kurz.

»Ich werde ihn fragen.«

Er schloss die Tür.

Kurz darauf war er wieder zurück. »Sir Herbert sagt, es hätte in diesem Haus keinen Einbruch gegeben. Möglicherweise haben Sie sich in der Adresse geirrt?«

»Aber es gab einen Einbruch«, beharrte Mr. Arrowood. »Das wissen Sie doch selbst ganz genau.«

»Ich stehe hier erst seit Kurzem in Diensten, Sir.«

»Aber das müssen Sie doch wissen!«, rief Mr. Arrowood. »Aus diesem Grund wurde Ihr Vorgänger doch entlassen!«

»Guten Abend, Gentlemen.«

Er knallte uns die Tür vor der Nase zu.

25

Als wir am nächsten Morgen zu den Ställen kamen, war es noch dunkel. Sidney hatte sich einverstanden erklärt, uns heute erneut zu begleiten und den Kutscher zu spielen. So früh am Morgen war nur ein einziger Stall in der Gasse überhaupt offen. Ich ging hinein, ohne anzuklopfen.

»Guten Morgen, mein Freund«, begrüßte ich den Kutscher, der im Licht der fünf dicken Kerzen, die er auf den Pfosten um sich herum platziert hatte, ein schönes schwarzes Pferd striegelte. »Welches ist denn der Venning-Stall?«

»Dieser hier«, antwortete er. Seine Stimme klang belegt, als wäre er erkältet.

»Draußen wartet eine Lieferung auf Sie.«

Der Kutscher folgte mir in die Gasse. Sidney hatte sich hinter der Tür versteckt und briet ihm mit dem Schlagstock eins über. Wir fingen den Mann auf, bevor er mit seinem Glatzkopf auf dem Boden aufkam, und trugen ihn wieder in den Stall.

»Guter Schlag, Sidney«, lobte ich ihn.

»Danke, Norman.«

Wir fesselten dem armen Kerl die Hände und Füße und steckten ihm einen Knebel in den Mund. Dann banden wir ihn mit mehreren Zügeln an einen Pfosten an der Rückwand. Er wehrte sich ein wenig, bereitete uns jedoch keine größeren Probleme. Mr. Arrowood, der nur ungern Gewalt mit ansah, kam herein und steckte dem Mann einige Schillinge in die Westentasche.

»Ich muss mich für diese Behandlung entschuldigen, mein Freund«, sagte er zu dem Kutscher, der uns benommen anstarrte. »Das ist für Ihre Mühe. Wann genau werden Sie von Ihrem Herrn erwartet?«

Der Mann murmelte etwas Unverständliches, und ich zog ihm den Knebel aus dem Mund.

»Tun Sie mir nicht weh«, stieß er stöhnend und mit Tränen in den Augen aus.

»Beantworten Sie einfach die Frage«, knurrte ich.

»Um halb sechs. Er muss heute früh im Ministerium sein.«

»Wie ist Ihr Name?«, wollte Mr. Arrowood wissen.

»Bert.«

»Wem gehört der Stall nebenan?«

»Mr. Warner.«

Ich stopfte ihm den Knebel wieder in den Mund. Mr. Arrowood tätschelte seinen Schädel. »Geben Sie der Polizei nicht unsere Beschreibung. Haben Sie das verstanden, Bert?«

Der Mann nickte.

»Behaupten Sie einfach, man hätte Sie hinterrücks niedergeschlagen.«

Er nickte erneut.

»Sie wollen doch nicht, dass wir zurückkommen, Bert?«, fragte ich.

Hektisches Kopfschütteln.

Sidney spannte die Pferde vor Vennings Landauer, während ich das Dach zuzog und befestigte. Wir löschten die Kerzen und schlossen die Ställe ab. Zwar würde Bert sich bemerkbar machen, sobald er die anderen Kutscher hereinkommen hörte, aber das würden wir nicht verhindern können. Mr. Arrowood und ich stiegen in die Kutsche, zogen die Vorhänge zu, und Sidney fuhr vor der Villa vor.

Venning musste schon vor seinem Haus gewartet haben, da Sidney vom Kutschbock sprang, sobald wir angehalten hatten. Wir waren ganz still und lauschten.

»Bert ist krank, Sir«, sagte Sidney fröhlich. »Er liegt mit Fieber darnieder. Ich soll für ihn einspringen. Ich gehöre zu Mr. Warners Haushalt, Sir. Der Herr sagte, er würde mich heute nicht brauchen.«

»Verstehe«, erwiderte Venning. Seine Stimme klang flott und selbstbewusst, aber auch ein wenig mädchenhaft. »Und Sie können mich heute Nachmittag auch wieder abholen?«

»Ja, Sir.«

Die Kutschentür wurde geöffnet, und Venning stieg ein. Bevor er uns auch nur bemerkte, hatte ich ihn bereits gepackt und ins Innere gezerrt.

»Was in aller Welt!«, schrie er auf und wehrte sich gegen meinen Griff. Ich presste ihm eine Hand auf den Mund, drückte ihn auf den Boden und setzte mich auf ihn, während Sidney die Tür zuknallte, auf den Kutschbock sprang und losfuhr.

Venning war klein und schien aus weichem Fleisch zu bestehen, was sich unangenehm anfühlte. Sein Gesicht war rundlich, und er besaß einen kleinen, kindlichen Mund und eine spitze Nase. Seine großen Augen traten aus den Höhlen, als er herauszufinden versuchte, was in dem kleinen Landauer vor sich ging, und er bemühte sich vergeblich, mich von seinem schwächlichen Körper herunterzubekommen. Mein Hintern wurde sehr warm, und mir wurde bewusst, dass ich zum ersten Mal auf einem Dandy saß. Das Gefühl war ganz angenehm.

Bis er mir in die Hand biss.

Ich jaulte auf, zog meine Hand zurück und verpasste ihm mit der anderen eine Backpfeife.

Er rief um Hilfe. Mr. Arrowood zückte sofort sein altes rotes Taschentuch und stopfte es Venning in den Mund.

»Jetzt hören Sie mir mal gut zu, Sir Herbert«, sagte er seelenruhig. »Wir sind nicht hier, um Sie zu verletzen oder auszurauben. Da es uns nicht gelungen ist, dass Sie uns zu einem Gespräch empfangen, ist uns leider nichts anderes übrig geblieben. Wir möchten Ihnen nur ein paar Fragen stellen. Mein Kollege hier wird jetzt von Ihnen heruntersteigen, und wir entfernen den Knebel, aber nur, wenn Sie nicht schreien. Sobald wir Whitehall erreichen, lassen wir Sie gehen. Haben Sie das verstanden, Sir Herbert?«

Der Quartiermeister nickte panisch.

Sobald ich von ihm herabgestiegen war, setzte sich der Gentleman auf den Sitz und richtete seine Kleidung. Sein kleines Eulengesicht war weiß angelaufen, und seine behandschuhten Hände zitterten.

»Was wollen Sie von mir?«, fragte er und sah zwischen Mr. Arrowood und mir hin und her.

»Wir sind Privatdetektive, Sir, und suchen eine vermisste Person«, antwortete Mr. Arrowood. »Kennen Sie einen jungen französischen Konditor namens Thierry Cousture oder Terry? Er hat bis vor Kurzem im Barrel of Beef gearbeitet.«

»Sie sind die Männer, die Colonel Longmire erpressen wollen«, erkannte er.

»Wir haben uns mit Ihrem Kollegen unterhalten.«

»Ich glaube, Sie bluffen nur.« Er setzte sich etwas anders hin und versuchte zu verhindern, dass sich unsere Knie berührten. Dann sah er seinen Hut am Boden liegen, hob ihn auf und ließ ihn vor Nervenschreck beinahe wieder fallen. »Diese

Situation gefällt mir nicht, meine Herren. Ganz und gar nicht.«

»Uns auch nicht«, stimmte Mr. Arrowood ihm zu. »Das ist nicht richtig.«

»Warum setzen wir das Gespräch dann nicht in meinem Büro fort, Gentlemen?« Seine Stimme zitterte, und er wurde immer kurzatmiger. »Das wäre deutlich bequemer. Wir könnten Tee trinken, und ich würde Frühstück kommen lassen.«

»Kennen Sie Thierry Cousture?«, fragte Mr. Arrowood erneut.

»Nein, Sir.« Venning schüttelte so energisch den Kopf, als hinge sein Leben davon ab. »Ich kenne diesen Mann nicht. Im Allgemeinen komme ich nicht in Kontakt mit Konditoren.«

Er hob die zitternden Hände und wollte den Vorhang aufziehen, aber ich hielt ihn davon ab.

»Kennen Sie Stanley Cream?«, wollte Mr. Arrowood wissen.

Venning zögerte kurz und strich sich über den Schnurrbart. »Stanley Cream?«

»Ja, Sir. Kennen Sie ihn?«

»Nur dem Namen nach. Ihm gehören das Barrel of Beef und ein großes Stück Land südlich des Flusses.«

»Sind Sie ihm schon mal begegnet?«

»Nicht, dass ich wüsste.«

»Was ist mit Colonel Longmire?«

»Was soll mit ihm sein?«, fragte Sir Herbert.

»Ist er mit Stanley Cream bekannt?«

»Das wissen Sie doch.«

»Warum ist der Colonel gestern Abend in Ihr Haus gekommen?«

Der Quartiermeister strich sich erneut über den Schnurrbart. Er nahm seinen Hut vom Sitz und wischte ihn mit seinen dünnen weißen Handschuhen ab. Dann wollte er wieder nach dem Vorhang greifen, stutzte jedoch und warf mir einen Blick zu, als würde er befürchten, ich könne ihn schlagen.

»Er war in meinem Haus?«, fragte er.

»Wir sind ihm gefolgt«, erwiderte Mr. Arrowood.

»Er war besorgt, dass es einen Skandal geben könnte, und hat mich um Rat gefragt.«

»Und was haben Sie ihm geraten, Sir Herbert?«

»Dass er Ihnen helfen soll, den vermissten Mann zu finden.«

Mr. Arrowood lehnte sich zurück und verschränkte die Arme. Ich spähte zwischen den Vorhängen hindurch nach draußen. Wir durchquerten soeben den Hyde Park.

»Erzählen Sie uns von dem Einbruch«, verlangte Mr. Arrowood.

Sir Herbert schüttelte mit finsterer Miene den Kopf.

»Davon wissen Sie also auch«, sagte er. »Tja, ich kann Ihnen nicht sagen, wer mich beraubt hat. Aber ich wollte die Polizei nicht einschalten.«

»Was wurde gestohlen?«

»Einige Skulpturen aus dem Salon. Nichts von Bedeutung.«

»Was genau?«

»Oh …«, murmelte er und sah an die Decke, »eine Reiseuhr, ein Pfeifenständer, all solche Sachen.«

Mr. Arrowood atmete langsam durch die Nase aus, presste die Lippen aufeinander, legte den Kopf schief und musterte den nervösen Dandy mit freundlichem Blick. Wir sagten nichts. Sir Herbert sah von Mr. Arrowood zu mir und krallte die Finger in die Armlehne. Die Sekunden verstrichen.

»Ein kleines Aquarell«, fuhr er schließlich fort, »ein silbernes Tintenfass. Und ein Globus, glaube ich.«

»Glauben Sie?«, wiederholte Mr. Arrowood.

»Nein, ich bin mir ziemlich sicher, dass sie den Globus mitgenommen haben. Meine Frau hat sich darum gekümmert.«

»Warum haben Sie die Polizei nicht gerufen?«

»Weil im Grunde genommen nichts Wichtiges weggekommen ist. Aber wieso fragen Sie? Was hat das mit Ihrem vermissten Franzosen zu tun?«

»Wir stellen nur Nachforschungen an«, erwiderte Mr. Arrowood, zuckte auf einmal zusammen und rieb sich den Fuß. »Der Einbruch fand etwa zeitgleich zu seinem Verschwinden statt, und wir wissen, dass Mr. Cream mit Diebesgut handelt. Es könnte da eine Verbindung geben, Sir.«

»Was immer mit diesem Koch geschehen ist, hat nichts mit mir zu tun.«

»Wieso haben Sie Ihren Butler entlassen?«

»Woher wissen Sie das?«, fragte Sir Herbert, der immer aufgebrachter wurde.

»Wir sind Detektive, Sir. Also, warum?«

»Das geht nur mich etwas an«, erklärte Sir Herbert, dessen Selbstsicherheit langsam zurückkehrte. »Und jetzt verlange ich, dass Sie die Kutsche anhalten und aussteigen. Ich habe genug Fragen beantwortet. Halten Sie die Kutsche an.«

»Nein«, entgegnete Mr. Arrowood. »Sie werden all unsere Fragen beantworten, Sir. Vergessen Sie nicht, dass wir Informationen über Ihren Freund Colonel Longmire haben. Warum wurde der Butler entlassen?«

Sir Herbert seufzte. »Weil ich davon ausgehe, dass er den Einbrechern geholfen hat.«

»Wieso sind Sie nicht zur Polizei gegangen?«

»Der Mann stand über zwanzig Jahre in meinen Diensten. Er hat als einfacher Diener angefangen. Ich kann mir nur vorstellen, dass er eine Abneigung gegen mich entwickelt hat, auch wenn ich ihn immer sehr gut behandelt habe. Ich weiß nicht, was genau passiert ist. Möglicherweise wurde er auch gezwungen, ihnen zu helfen. Jedenfalls wollte ich ihn nicht im Gefängnis sehen. Es war tragisch genug, ihn ohne Empfehlung gehen zu lassen.«

»Das ist sehr anständig von Ihnen«, stellte ich fest.

Er zuckte mit den Achseln. Wir saßen mehrere Minuten schweigend da, während der Landauer durch den Park fuhr. Dann ergriff Mr. Arrowood wieder das Wort.

»Bitte verraten Sie mir doch, wie viele Regimenter momentan mit dem neuen Enfield-Repetiergewehr ausgerüstet sind, Sir Herbert.«

Venning blinzelte verwirrt.

»Wie viele Regimenter?«, wiederholte Mr. Arrowood, als er keine Antwort bekam.

»Worauf wollen Sie hinaus?«, entgegnete Sir Herbert. Er starrte Mr. Arrowood gebannt an und verzog den kleinen Mund, als wäre ihm speiübel.

Mr. Arrowood spielte erneut sein Schweigespiel, legte den Kopf schief und zog die Augenbrauen hoch. Venning wandte sich mir zu, aber ich sagte nichts.

»Was hat das mit Ihrem Fall zu tun?«, fragte er.

Mr. Arrowood schürzte die fleischigen Lippen, als wollte er jemanden küssen, blieb jedoch weiterhin stumm.

»Wurden Sie von jemandem dazu angestiftet, mich das zu fragen?«, verlangte Sir Herbert zu erfahren. »Ist es das? Schickt Cream Sie?«

»Ich dachte, Sie kennen Mr. Cream nicht?«, entgegnete Mr. Arrowood.

»Spielen Sie keine Spielchen mit mir! Hat Cream Sie geschickt?«

Mr. Arrowood zuckte lächelnd mit den Achseln. »Das wäre durchaus möglich.«

»Will er mir etwas sagen?«

»Erzählen Sie uns von den Gewehren, Sir Herbert.«

»Das sind geheime Regierungsangelegenheiten.« Vennings Züge färbten sich rosa. Er faltete die Hände im Schoß.

»Dann reden Sie über den Teil, der die Regierung nicht betrifft, mein Freund.«

»Da gibt es nichts zu sagen«, stammelte Sir Herbert. »Ich weiß nicht, was Sie meinen.«

»Aber wir wissen doch bereits Bescheid.«

»Ach ja? Was wissen Sie denn?«

»Mehr, als wir wissen sollten«, flüsterte Mr. Arrowood augenzwinkernd.

Sir Herbert musterte mich einen Augenblick und schüttelte den Kopf.

»Sie wissen überhaupt nichts«, erklärte er. »Sie wollen mich bloß aufs Glatteis führen. Verraten Sie mir, was Sie wissen … oder zu wissen glauben.«

»Das wäre sehr dumm von uns«, stellte Mr. Arrowood fest.

»Sie wissen überhaupt nichts, weil es nichts gibt, was Sie wissen könnten.«

»Wirklich?«

Der Landauer blieb stehen.

»Piccadilly!«, rief Sidney vom Kutschbock herunter.

»Ah! Hier werden wir Sie verlassen, Sir«, verkündete Mr. Arrowood und öffnete die Tür.

»Ich verstehe das alles nicht!« Sir Herbert war völlig durcheinander. »Sind Sie nun Privatdetektive oder arbeiten Sie für Cream?«

»Guten Tag, Sir«, erwiderte Mr. Arrowood und stieg aus.

»War es das?«, fragte Sir Herbert alarmiert.

Ich wartete, bis sich Mr. Arrowood schnaufend und grunzend die Stufen hinabgequält hatte, bevor ich mich ans Aussteigen machte.

»Guten Tag, Sir«, verabschiedete ich mich. »Und entschuldigen Sie, dass ich mich auf Sie gesetzt habe.«

Sir Herbert beugte sich aus der Kutsche. »Aber wer sind Sie denn jetzt? Haben Sie eine Nachricht für mich?«

»Wir sind für heute fertig«, erwiderte Mr. Arrowood.

»Sie werden von hier aus laufen müssen«, rief Sidney. »Ich muss den Landauer zurückbringen.«

»Ach herrje«, murmelte Sir Herbert.

Der beleibte Mann stieg aus und sah sich um, als wüsste er nicht, wo er sich befand.

Ich erklomm die unterste Stufe zum Kutschbock. »Versuch vom Kutscher die Adresse des letzten Butlers zu bekommen«, raunte ich Sidney zu.

»Wird erledigt, Norman.«

»Wie geht es den Kindern?«

»Es geht ihnen so gut, wie es unter diesen Umständen möglich ist, würde ich sagen. Kommst du Sonntag vorbei? Sie würden dich gern sehen.«

»Ich muss wahrscheinlich arbeiten«, antwortete ich. »Aber ich komme euch bald besuchen.«

Sidney warf Mr. Arrowood einen Blick zu und senkte die Stimme. »Hast du es ihm schon gesagt?«

Ich schüttelte den Kopf.

»Soll ich es tun?«

»Ich schaffe das schon.«

Ich ging wieder hinunter. Venning trat neben mich und blickte zu Sidney hinauf.

»Werden Sie mich heute Nachmittag abholen, wie Sie es versprochen haben, Kutscher?« Er setzte sich den Hut auf. »Um halb drei?«

»Ich gehöre zu ihnen, Sir«, erwiderte Sidney. »Zu den Detektiven.«

»Ach, verflixt!«, rief Sir Herbert aus.

Als wir durch die kühle Morgenluft in Richtung Leicester Square marschierten, fing Mr. Arrowood an zu lachen.

»Dieser Mann ist ein ausgemachter Schwachkopf«, stellte er fest. »Gott allein weiß, in welchen Schlamassel er sich hineinmanövriert hat.«

26

Sir Herberts Kutscher kannte die Adresse des entlassenen Butlers nicht, aber er erzählte Sidney, dass die Nichte des Mannes noch immer als Wäschemagd im Haus arbeitete. Wir schickten Neddy los, der sich an diesem Nachmittag in den Büschen neben den Wäscheleinen verstecken sollte, und als sie herauskam, um die Wäsche aufzuhängen, sagte er ihr, dass er eine dringende Nachricht für ihren Onkel hätte, bei der es um Geld ginge, das man ihm schuldete. Keine drei Stunden später war er mit der Adresse wieder zurück.

George Gullen lebte in der Nähe des Earl's Court. Die Straße sah zu Beginn noch recht respektabel aus, aber je weiter man ihr folgte, desto finsterer und heruntergekommener wurde die Umgebung, bis man am Ende zu einem schrecklichen Hof gelangte, der noch übler stank und noch grässlicher aussah als der, den Ettie retten wollte. Ein Haufen dreckiger Kinder umringte uns, als wir versuchten, die Adresse ausfindig zu machen, betatschte uns und bettelte um Pennys. Wir steckten die Hände in die Taschen, um uns vor Taschendieben zu schützen, und drängten uns hindurch. Stadtstreicher schliefen in den Ecken auf dem Boden, alte, zahnlose Frauen, die sich Lumpen um den Kopf gewickelt hatten, saßen auf Stühlen und starrten uns an.

Das Zimmer des Butlers befand sich im zweiten Stockwerk eines Häuserblocks ohne Eingangstür. Die Treppengeländer waren heruntergerissen und als Brennholz verwendet worden. Es war ein warmer Tag, und Fliegen schwärmten um einen Haufen Gemüseschalen auf dem ersten Treppenabsatz. Eine Frau öffnete uns die Tür. Ihr verfilztes Haar fiel ihr auf die Schultern, und Rotz lief ihr aus der Nase und über die Lippen. Ein Baby schrie im Raum hinter ihr.

»Wir suchen George Gullen«, sagte ich. »Seine Nichte meinte, wir könnten ihn hier antreffen.«

»Er ist nicht da«, krächzte sie.

Hinter ihr war Kindergeschrei zu hören.

»Sei still, Mary!«, brüllte die Frau über die Schulter.

»Aber er lebt doch hier, oder nicht?«

»Ja, wenn er nicht gerade im Pub hockt.«

»Und welcher Pub soll das sein?«

Ein Junge ohne Schuhe an den Füßen zwängte sich an ihr vorbei.

»Haben Sie einen Penny, Mister?«, fragte er mich und streckte seine schmutzige Hand aus.

»Du sollst nicht betteln, Alfred«, schalt ihn seine Mutter. »Das habe ich dir doch schon gesagt.«

Der Junge rannte die Treppe hinunter.

»Und bring ja was zum Tee mit«, rief sie ihm hinterher. Dann verschränkte sie die Arme und lehnte sich an den Türrahmen. »Was wollen Sie denn von ihm?«

»Wir sind auf der Suche nach einer vermissten Person«, teilte ich ihr mit, »und wir vermuten, dass uns George möglicherweise helfen kann.«

»Er hat nichts mit dem Einbruch zu tun.«

»Das wissen wir. Wir wollen herausfinden, wer das getan hat.«

Sie beäugte uns missmutig.

»Können Sie ihm helfen, eine neue Stelle zu finden?«, wollte sie wissen.

»Wir wollen ihm nur ein paar Fragen stellen.«

»Er wird im Crosskeys sein. Über den Hof und durch die Gasse. Und richten Sie ihm aus, er braucht erst nach Hause zu kommen, wenn er was zu essen für die Kinder mitbringt.«

Der Pub bestand aus einem Raum mit einem Loch in der Wand, durch das die Gäste bedient wurden. Der Boden war übersät mit Austernschalen und Asche und klebrig von verschüttetem Bier. Eine grauhaarige Frau beugte sich durch die Luke und lauschte vier Männern, die auf einer Bank neben der Tür saßen. Zwei alte Greyhounds standen auf, als wir eintraten, und kamen mit gesenkten Köpfen auf uns zu.

»Ist einer von Ihnen George Gullen?«, fragte ich.

»Das bin ich«, antwortete der Mann, der am Ende der Bank saß. Er hatte eine breite Brust und ein flaches Gesicht und umklammerte einen Bierkrug. Er trug ein rotes Halstuch, ein Arbeiterhemd und eine braune Filzkappe. Obwohl er wie ein Lohnarbeiter aussah, kennzeichneten ihn seine Stimme und sein gepflegtes schwarzes Haar als etwas anderes. »Wer sind Sie?«

»Wir sind Privatdetektive«, erwiderte Mr. Arrowood. »Wir sind auf der Suche nach einem Vermissten und hätten gern einige Informationen von Ihnen.«

»Was sind Sie?«, wollte der alte Mann neben Gullen wissen. Er hatte keine Zähne und einen derart krummen Rücken, dass er den Kopf drehen musste, wenn er uns ansehen wollte. »Was hat er gesagt? Sind die von der Polizei, George?«

»Das sind Privatdetektive«, schaltete sich die Frau in der Luke ein. »So wie Sherlock Holmes.«

»Ach, sind Sie das?«, entgegnete Gullen mit finsterer Miene.

»Was möchten die Herren bestellen?«, erkundigte sich die Frau.

Ich bestellte Bier für mich und Mr. Arrowood.

»Was trinken Sie, George?«, fragte ich.

»Dasselbe«, sagte er und leerte seinen Krug. »Und für meine Freunde hier auch.« Er deutete auf die drei anderen Männer auf der Bank.

»Wir wollen es ja nicht übertreiben«, protestierte Mr. Arrowood, der eine Hand in der Tasche hatte. »Schließlich möchten wir nur mit Ihnen sprechen.«

»Wer sagt denn, dass ich mit Ihnen reden will?«

Nachdem Mr. Arrowood die Getränke bezahlt hatte und jeder etwas vor sich stehen hatte, führte Gullen uns zu einem Ecktisch.

»Ihre Frau lässt Ihnen ausrichten, dass Sie nicht ohne etwas zu essen für die Kinder nach Hause kommen sollen«, teilte ich ihm mit.

»Das sind nicht meine Kinder.« Er trank einen Schluck Bier und bekleckerte dabei sein Hemd. Jetzt, wo ich ihn aus der Nähe betrachten konnte, wurde offensichtlich, dass der Mann bereits betrunken war.

»Wir haben uns mit Sir Herbert unterhalten«, berichtete ich. »Er behauptet, dass Sie etwas mit dem Einbruch in sein Haus zu tun haben.«

»Damit habe ich nichts zu tun!«, brüllte er und hämmerte mit der Faust auf den Tisch. »Haben Sie mich gehört? Ich habe nichts damit zu tun! Sind Sie deswegen hier? Hetzt er Sie mir auf den Hals?«

»Nein, mein Freund«, versicherte ich ihm. »Er wollte auch gar nicht mit uns reden. Und wir sind nicht hinter Ihnen her. Wir möchten nur herausfinden, was passiert ist, da es etwas mit unserem Fall zu tun haben könnte.«

Die Tür wurde aufgerissen, und der größte und zerlump-
teste Kerl, den ich je gesehen hatte, kam hereingetaumelt. Die
drei Männer an der Tür schnappten sich ihre Bierkrüge und
hielten sie unter den Tisch. Der Mann sah sich langsam im Pub
um und stolperte dann auf uns zu. Gullen drückte sich seinen
Bierkrug an die Brust.

Der Kerl griff sich Mr. Arrowoods Bier und spuckte hinein.

»Was zum Teufel machen Sie da, Mann?«, schimpfte
Mr. Arrowood entrüstet.

Noch während er das sagte, beugte sich der Mann vor und
spuckte auch in meinen Bierkrug.

Gullen kicherte.

»Das können wir jetzt nicht mehr trinken!«, rief Mr. Arrowood. »Sie werden uns ein neues kaufen, Sir!«

Der Mann richtete sich auf. Sein Kopf stieß an die niedrige
Decke, und er hatte eine Infektion, die unter seinen Augen
begann und sich über seinen Hals und bis unter die grauen
Lumpen, die seine Brust bedeckten, fortsetzte.

»Hab kein Geld«, murmelte er und deutete auf die Bierkrüge. »Trinkt ihr das noch?«

»Natürlich nicht!«, rief Mr. Arrowood aus.

Der Mann nahm die beiden Bierkrüge und trug sie zu einem Tisch auf der anderen Seite des Raumes.

»Ich hätte Sie vor Cocko warnen sollen«, meinte Gullen.
»Aber ich nehme noch eins, wo Sie ohnehin gerade bestellen.«

Mr. Arrowood gab mir einen Schilling. Als ich die drei
Krüge auf den Tisch stellte, begann Gullen mit seinem Bericht.

»Es war etwa drei Uhr früh, und alle haben geschlafen.« Er
redete langsam, machte häufig Pausen, hatte die Lider halb
geschlossen und drückte sich den Bierkrug an die Brust. »Ich

hörte oben ein Geräusch und ging nachsehen. Sie waren im Studierzimmer. Drei Männer. Sie hatten alle Schubladen dort aufgebrochen.« Er sah zu Boden und schien nachzudenken. »Es muss gegen vier oder so gewesen sein, vielleicht auch drei.«

»Das sagten Sie bereits«, kommentierte Mr. Arrowood, der sich seinen Bierkrug an den Bauch drückte und Cocko auf der gegenüberliegenden Raumseite aus dem Augenwinkel beobachtete.

»Genau. Einer zog ein Messer, als er mich sah, und drohte, ich solle den Mund halten, sonst schlitzt er mich auf. Sie zwangen mich, die Haustür aufzuschließen, und sind verschwunden. Sie waren zu dritt. Das war auch schon alles.« Er faltete die Hände. »Sie sind in die Nacht hinausgelaufen.«

»Was haben sie mitgenommen?«

»Sie hatten eine Reisetasche dabei, mehr nicht.«

»Keinen Globus?«, fragte Mr. Arrowood.

»Sie haben keine Wertgegenstände mitgenommen. Sie haben den Salon ja nicht einmal betreten. Die Herrin hat alles genau überprüft.«

»Hat Sir Herbert etwas als gestohlen gemeldet?«

Gullen nahm einen Schluck Bier und rülpste. Seine Augen waren glasig. Er wischte sich mit einem Hemdsärmel die Nase ab.

»Das sind nicht meine Kinder«, sagte er. »Aber sie verlangt, dass ich sie durchfüttere.«

»Ja, ja.« Mr. Arrowood klang gereizt. »Hat Sir Herbert Ihnen gesagt, was gestohlen wurde?«

»Nein, aber er fing noch in dieser Nacht an zu trinken und hatte am nächsten Nachmittag, als er mich rauswarf, noch nicht wieder damit aufgehört.« Gullen hielt inne und schnitt eine Grimasse, als er sich daran erinnerte. Als er weitersprach, klang er nüchterner, als hätte er uns zuvor nur etwas vorgespielt. »Ich hatte ihn noch nie zuvor so aufgebracht gesehen. Er zitterte und ging die ganze Nacht auf und ab. Ich durfte die Polizei nicht rufen. Mir war klar, dass sie etwas sehr Wichtiges aus seinem Schreibtisch gestohlen hatten, aber als ich ihn direkt danach fragte, hat er mich angeschrien.«

»Wieso glaubt er, dass Sie in die Sache verwickelt sind?«, wollte Mr. Arrowood wissen.

»Er weiß, dass ich nichts damit zu tun habe.«

»Da hat er uns aber etwas anderes erzählt.«

»Er hat jedem im Haus gesagt, ich wäre daran beteiligt gewesen, aber das ist gelogen.«

»Warum hat er Sie dann entlassen?«

»Weil ich sie gesehen habe. Ich wollte zur Polizei gehen. Und jetzt ist mir nach einem Gin«, forderte Gullen. »Sie lassen schlechte Erinnerungen wiederaufleben. Dieser Mistkerl hat mich ruiniert. Er wollte mir nicht mal ein Empfehlungsschreiben geben. Ich habe seither nicht gearbeitet. Er ist schuld an meiner Lage. Sehen Sie doch nur, wo ich lebe! Sehen Sie sich diesen stinkenden Ort doch mal an! Die Hälfte der Leute hier lebt von Überfällen, und die andere Hälfte schickt ihre Frauen auf die Straße.« Er umklammerte seinen Bierkrug so fest, dass seine Fingerknöchel weiß hervortraten. »Wenn er mir auf einer dunklen Straße begegnen würde, wäre das sein Ende. Dann würde ich ihn umbringen. Dabei habe ich ihm zwanzig Jahre treu gedient.«

Mr. Arrowood gab mir einen Penny.

»Ich begreife nicht, warum er Sie entlassen hat«, gab ich zu, als ich ihm den Gin brachte.

»So hat er eine Ausrede, warum er nicht zur Polizei gehen wollte.«

»Eine Ausrede?«

»Für die Herrin, seine Kinder, den restlichen Haushalt. Er hat allen erzählt, er würde die Polizei nicht hinzuziehen, um mir das Gefängnis zu ersparen. Er hat es so dargestellt, als würde er das aus Güte tun.«

»Vielleicht dachte er wirklich, Sie hätten etwas damit zu tun?«, mutmaßte Mr. Arrowood.

»Ich stand zwanzig Jahre lang in seinen Diensten!« Gullens Augen schienen zu lodern. »Er kennt mich. Er weiß ganz genau, dass ich so etwas nie tun würde. Nein, er hat das getan, damit er eine Ausrede hat, warum er nicht zur Polizei ging, das können Sie mir glauben, und wissen Sie, was ein weiterer Grund dafür war? Ich glaube, ich habe einen der Einbrecher erkannt.«

Draußen ertönte ein lautes Kreischen, dann wurde die Tür aufgerissen. Eine Frau in einem fleckigen grünen Kleid und mit einem blauen Häubchen auf dem Kopf kam hereingestürzt und wurde von einem Mann in zerfledderter Hose verfolgt. Der Alte auf der Bank brüllte die beiden an, und sie lieferten sich ein Wortgefecht.

»Wer war es?«, fragte ich, nachdem sich die Lage ein wenig beruhigt hatte.

»Ich kannte ihn von den Rennen. Er ist immer im Frying Pan. Ich weiß allerdings nur, dass er Bill heißt, Paddler Bill. Er ist Amerikaner. Dicker Bauch, groß, mit rotem Lockenkopf. Er ist eigentlich immer da.«

»Hat er Sie erkannt?«

Gullen stürzte die Hälfte seines Gins herunter und schüttelte den Kopf. Dann zuckte er zusammen und hämmerte sich mit einer Faust gegen die Brust.

»Ich bin nur einer aus der Menge und falle nicht weiter auf. Aber er ist laut. Gibt Geld aus. Für Champagner und Frauen. Man kann ihn einfach nicht übersehen.«

»Was ist mit den anderen?«, wollte ich wissen.

»Die kannte ich nicht. Einer war glatzköpfig und hatte einen schwarzen Bart. Mittlere Größe.«

»Auch Amerikaner?«

»Er hat nichts gesagt. Der dritte war sehr klein. Blondes Haar. Ihm fehlte ein Ohr.«

»Warum wollte Sir Herbert denn nicht, dass die Männer verhaftet werden?«, fragte Mr. Arrowood, nachdem er seinen Bierkrug geleert hatte.

»Darüber habe ich in den letzten Monaten oft nachgedacht«, gestand Gullen. »Sie müssen etwas mitgenommen haben, das sich eigentlich nicht in seinem Besitz befinden durfte. Er wollte nicht, dass das rauskommt, das ist meine Meinung.«

Mr. Arrowood stand auf.

»Sie waren sehr hilfreich, Mr. Gullen. Eine Frage noch: Was wurde Ihrer Meinung nach aus dem Studierzimmer gestohlen?«

»Ich habe nicht die leiseste Ahnung. Ich wusste nie, was er in seinem Schreibtisch aufbewahrt. Aber wie wäre es, wenn Sie mir einen Schilling leihen, damit ich den Kindern was zu essen kaufen kann, Sir?«

»Sie würden ihn doch nur für Gin ausgeben«, entgegnete Mr. Arrowood.

»Das würde ich nicht tun, Sir. Diese Kinder brauchen etwas zu essen.«

Mr. Arrowood steckte bereits die Hand in die Tasche, aber ich schritt ein.

»Wir werden zur Garküche gehen und ihnen etwas zu essen kaufen«, versprach ich. »Dann müssen Sie sich nicht die Mühe machen.«

Gullen machte noch immer ein finsteres Gesicht, als wir hinausgingen.

27

Auf dem Rückweg zum Earl's Court war Mr. Arrowood ungewöhnlich schweigsam. Er dachte nach, legte den unförmigen Kopf in den Nacken und kaute auf seiner Unterlippe herum. Als wir die Hauptstraße mit ihren Wagen und Kutschen erreichten, stieg uns der Geruch von gebratenem Fisch in die Nase, und er hielt nach der Quelle Ausschau wie ein Jagdhund, der einen Fuchs gewittert hat. Sein Magen knurrte.

»Was halten Sie von Gullen, Barnett?«, fragte er und sah sich nach allen Seiten um.

»Ich bin geneigt, ihm zu glauben. Seine Geschichte passt zu dem, was mir der Diener erzählt hat.«

»Wussten Sie, dass die Anzeichen für Zorn universell sind, mein Freund? Das, was man bei einem Engländer beobachten kann, sieht man auch bei den kupferhäutigen Indianern in Südamerika.«

»Das bezweifle ich nicht, Sir.«

»Das hat Mr. Darwin geschrieben. Gullen wies all diese Anzeichen auf, als ich sagte, dass Sir Herbert ihn der Mittäterschaft an diesem Einbruch bezichtigte. Aufgeblähte Nasenflügel, starrer Blick, gerötetes Gesicht. Keine vorübergehenden Hinweise auf Unsicherheit. Ich kann mir nicht vorstellen, dass er uns etwas vorgespielt hat, was wiederum bedeutet, dass Sir Herbert ein Lügner ist.«

Ich beschloss, dass es Zeit war, etwas zu sagen, das mir schon seit Tagen durch den Kopf ging.

»Was ist, wenn das gar nichts mit dem Fall zu tun hat, Sir? Wir finden eine Information und verfolgen sie, bis wir die nächste entdecken, und so geht es immer weiter, aber es wäre doch denkbar, dass uns das nur von der Spur wegführt. Es wäre doch möglich, dass die Feniers nichts mit Thierrys Verschwinden zu tun haben. Vielleicht war die Patrone gar nicht für uns bestimmt. Möglicherweise hat Venning nur familiäre Probleme.«

»Aber wir müssen den Hinweisen nachgehen«, sagte er leise. »Was sollen wir denn sonst tun?«

»Ich verliere jedoch manchmal den Fall aus den Augen.«

»Unser Fall ist der Mord an dem Mädchen, Barnett. Wir müssen ihn um ihretwillen lösen. Und wir müssen herausfinden, was Thierry zugestoßen ist.«

Ein Pferd wieherte neben uns auf der Straße und bekam einen panischen Blick. Als es sich aufbäumte, warf es den Wagen eines Straßenhändlers um, und eine Ladung Hustenpastillen und Salben fiel zu Boden. Mehrere Kinder stürzten sich sofort darauf und stahlen die Medizin, während der Händler versuchte, sie zu vertreiben, wobei er gleichzeitig den Kutscher anbrüllte, dessen Pferd den ganzen Schlamassel verursacht hatte.

»Glauben Sie, Longmire hat in Bezug auf die Patrone gelogen?«, fragte ich, als wir uns ein Stück von dem Aufruhr entfernt hatten.

»Ich weiß es nicht.« Mr. Arrowood rieb sich den Bauch und hielt weiterhin Ausschau nach dem Fischverkäufer. »Jedoch ist offensichtlich, dass er ein geübter Lügner ist. Und wenn wir diesen Hinweisen nicht folgen, was sollen wir dann tun? Wir müssten wieder von vorn anfangen.«

»Wir könnten versuchen, Thierrys Trinkkumpane zu finden. Oder wir finden heraus, woher Coyle den Mörder kennt.«

»Wir hätten uns sofort auf die Suche nach den Trinkkumpanen machen sollen, Barnett«, erwiderte er mit schneidender Stimme. »Warum haben Sie das nicht schon früher vorgeschlagen?«

»Wieso sind Sie denn nicht darauf gekommen?«

»Es gibt keinen Grund, jetzt schnippisch zu werden. Das ist morgen Ihre Aufgabe, während ich über Coyle nachdenke. Aber wir müssen uns noch einmal mit Sir Herbert unterhalten.«

»Er wird uns nicht empfangen, nachdem wir ihn doch erst entführt haben.«

»Sobald er erfahren hat, dass wir mit Gullen gesprochen haben, könnte er seine Meinung ändern. Ah! Da drüben«, rief er und deutete auf die Station der Untergrundbahn, vor der der Fischverkäufer stand.

Wir brachten den Kindern ein Paket gebratenen Fisch und aßen unseren, während wir auf den Pferdeomnibus warteten, der uns zurück nach Notting Hill bringen sollte. Es war früher Abend, und der Wagen war derart gefüllt, dass wir die ganze Fahrt über stehen mussten. Als wir Vennings Haus erreichten, wurde es bereits dunkel.

Kaum hatten wir uns darangemacht, die breite Außentreppe zu erklimmen, wurde die Haustür aufgerissen, und der Page kam herausgerannt, um sich an uns vorbeizudrängeln.

»Pass doch auf, Junge!«, schimpfte Mr. Arrowood.

Der Junge ignorierte ihn, rannte weiter auf die Straße und lief in Richtung Notting Hill Gate.

Die Tür stand sperrangelweit offen.

Mr. Arrowood gab mir zu verstehen, dass ich leise sein sollte, und wir gingen schweigend die Stufen hinauf. Aus dem Haus drang kein Geräusch.

»Vielleicht finden wir ihn ja«, flüsterte er.

Wir blieben einen Augenblick in der großen Eingangshalle stehen. Das Haus war mit Elektrizität ausgestattet worden, und die Lichter brannten so hell wie am Piccadilly Circus. Eine Treppe vor uns führte hinauf zu einem Balkon, und hoch über unseren Köpfen hing ein Kronleuchter aus glitzerndem Kristall. Dunkle Ölgemälde hingen an den Wänden, und farbenfrohe Porzellangegenstände wurden in Alkoven oder auf Podesten zur Schau gestellt. Im Stockwerk über uns herrschte Unruhe: hastige Schritte, Unterhaltungen hinter verschlossenen Türen. Aus dem Salon war hingegen kein Geräusch zu hören.

Die Tür des Studierzimmers zu unserer Rechten war nur angelehnt. Mr. Arrowood drückte sie vorsichtig auf und trat ein. Ich folgte ihm und schloss die Tür hinter uns.

Sir Herbert war auf seinem Schreibtisch zusammengesackt und hatte den Kopf zur Seite gelegt, als würde er ins Feuer blicken. In seiner linken Schläfe zeichnete sich ein schauriges rotes Loch ab. Dunkles Blut rann ihm über die Stirn, lief in seine großen Eulenaugen und tropfte auf den Tisch, wo sich bereits eine große Blutlache gebildet hatte. Sein Mund stand offen, seine Zunge hing heraus. Neben seiner Hand lag eine Pistole.

Schritte kamen die Treppe herunter. Wir hörten eine tiefe, ruhige Frauenstimme, dann die eines Mannes, des Butlers.

»Ich bleibe bei ihm, bis die Polizei eintrifft, Madam. Es würde Sie nur aufregen, wenn Sie ihn jetzt sehen müssten. Es ist … kein schöner Anblick.«

»Danke, Carstairs.« Die Dame wirkte ganz ruhig, und in ihrer Stimme schwang keine Spur von Trauer mit. »Haben Sie den Jungen losgeschickt?«

»Ja, Madam.«

Die Tür ging auf, und der Butler kam herein.

Als er uns sah, riss er die Hände hoch.

»Wer sind Sie?«

»Wir sind hier, um Sir Herbert zu sprechen«, antwortete Mr. Arrowood sofort. »Was ist passiert?«

Mit einem Mal veränderte sich die Miene des Butlers, und er wich zur Tür zurück.

»Hilfe!«, schrie er.

»Nein, nein«, versuchte Mr. Arrowood, ihn lächelnd zu beruhigen. »Sie verstehen das falsch. Wir sind eben erst hier eingetroffen.«

»Hilfe! Hilfe!«

Seine Schreie bewirkten, dass weitere Personen zur Tür stürmten.

»Was ist passiert?«, fragte ein Mann.

»Hier drin!«, rief der Butler. Die Tür wurde aufgerissen, und herein stürmte der Diener, mit dem ich zusammen im Pub gesessen hatte. Es folgten noch ein weiterer Mann, ein Hausmädchen sowie die Dame des Hauses höchstpersönlich. Ich war besorgt, dass der Diener unsere frühere Begegnung erwähnen würde, aber er hielt den Mund, wofür ich sehr dankbar war.

»Wir haben sie«, erklärte die Dame. »Haltet sie fest!«

»Nein, nein«, protestierte Mr. Arrowood. »Wir sind eben erst hier eingetroffen. Das hat alles nichts mit uns zu tun.«

»Oh, großer Gott«, murmelte die Dame, deren Blick nun auf die Leiche ihres Gatten fiel. »Armer Herbert.«

»Mein aufrichtiges Beileid, Madam«, sagte Mr. Arrowood,

»aber wir sind unschuldig. Wenn der Junge zurückkehrt, wird er bestätigen, dass wir hier eintrafen, als er losgelaufen ist, um die Polizei zu holen.«

Ich nutzte die Gelegenheit und setzte mich auf das Sofa, während er ihr das erklärte.

»Tja, wir werden ja sehen, was die Polizei dazu zu sagen hat«, entgegnete die Dame, als er fertig war. »Sie werden hier warten, bis sie eintrifft. Meine Männer werden dafür sorgen, dass Sie diesen Raum nicht verlassen.«

Nach diesen Worten machte sie auf dem Absatz kehrt und rauschte aus dem Zimmer.

Kurz darauf kehrte der Page mit einem Constable zurück. Der Junge bestätigte, dass wir von der Straße gekommen waren, als man ihn losgeschickt hatte – und erst jetzt wich das Misstrauen aus den Augen der Bediensteten, die sich bei uns im Raum versammelt hatten.

Der Constable, ein fröhlicher Waliser, dessen Bauch die Dimensionen seiner Uniformjacke gesprengt hatte, bat uns, ruhig zu bleiben, während er den Toten untersuchte. Nachdem er seine Beobachtungen in einem Notizbuch festgehalten hatte, sah er sich gründlich im Raum um und betrachtete den Teppich und die Regale, die riesige Statue eines nackten Athleten, dessen Genitalien deutlich zu erkennen waren, sowie den Globus am Fenster. Er fragte jeden der Dienstboten, wo er sich aufgehalten und was er gesehen hatte, aber keiner von ihnen wusste, was hier passiert war.

Mr. Arrowood setzte sich zu mir aufs Sofa, während all das geschah. Es dauerte nicht lange, da ertönten weitere Schritte im Flur, und Petleigh kam zusammen mit Bentham, dem Polizeiarzt, herein.

Als er uns sah, schüttelte Petleigh nur den Kopf. Mr. Arrowood stand auf und wollte schon etwas sagen, doch der Inspector gab ihm keine Gelegenheit dazu.

»Setzen Sie sich wieder! Wir unterhalten uns später.«

Er ließ sich vom Constable alles haarklein berichten und sah dann zu, wie der Arzt den Leichnam untersuchte.

»Die Schusswunde ist eindeutig die Todesursache«, sagte Bentham. »Der Mann ist noch nicht lange tot.«

»Haben Sie einen Abschiedsbrief gefunden?«, wollte Petleigh vom Constable wissen.

»Nein, Sir. Aber ich habe alles abgesucht.«

Petleigh wandte sich an den Butler.

»Wann haben Sie den Schuss gehört?«

»Etwa gegen halb neun, Sir.«

»Und wann hatten Sie ihn zuletzt gesehen?«

»Um fünf, Sir. Er sagte, er wolle nicht gestört werden. Die Diener waren alle im Keller, als wir den Schuss gehört haben. Die Herrin hielt sich in ihrem Schlafzimmer auf.«

»Kinder?«

»Zwei Jungen, Sir«, antwortete der Butler. »Sie sind schon erwachsen. Einer lebt in Indien, der andere ist bei der Armee.«

»Hat er einen verstörten Eindruck gemacht?«

»Heute Nachmittag kam ein Telegramm für ihn. Danach hat er das Studierzimmer nicht mehr verlassen.«

»Hatte er Besuch?«, fragte Petleigh.

»Nicht, dass ich wüsste, Sir.«

»Wo waren Sie den ganzen Nachmittag über?«

»Im Butlerzimmer. Ich hätte die Glocke gehört, wenn jemand hereingekommen wäre, Sir. Alle Glocken des Hauses klingeln dort.«

Petleigh seufzte und ging langsam und mit den Händen in den Hosentaschen durch den Raum.

»Hat es hier in letzter Zeit Veränderungen gegeben?«

»Ich bin noch nicht lange hier«, erwiderte der Butler, »aber es heißt, dass er sich schon seit einigen Monaten seltsam benommen hat.«

»Inwiefern seltsam?«

»Er hatte Wutanfälle. Es kam zu Auseinandersetzungen zwischen ihm und der Herrin. Er hat die Diener angeschrien.«

»Melancholie?«

»Alkohol«, warf die Haushälterin ein, »wenn ich offen sprechen darf. Seit dem Einbruch hat er ständig getrunken.«

»Seit welchem Einbruch?«

»Vor etwa zwei Monaten«, sagte die Frau, »wurde hier eingebrochen.«

Der Inspector überlegte kurz.

»Verstehe«, murmelte er dann. »Ich muss Sie jetzt alle bitten, den Raum zu verlassen. Können Sie der Herrin bitte mitteilen, dass ich sie in Kürze im Salon sprechen möchte? Und etwas Tee wäre vielleicht keine schlechte Idee.«

Die Diener ließen uns allein.

»Was in aller Welt haben Sie hier zu suchen?«, fragte Petleigh, sobald die Tür ins Schloss gefallen war. »Überall, wo eine Leiche auftaucht, treffe ich auch Sie an!«

»Wir wollten ihm einige Fragen stellen, Petleigh«, erwiderte Mr. Arrowood. »Als wir eintrafen, wurde der Junge gerade losgeschickt, um die Polizei zu holen.«

»Was denn für Fragen? Was wissen Sie über Sir Herbert?«

»Er war wegen etwas besorgt, das bei dem Einbruch gestohlen wurde«, erklärte Mr. Arrowood. »Wir wissen nicht, worum es sich dabei handelt, aber er wollte die Polizei nicht hinzuziehen. Sein letzter Butler, ein Mann namens George Gullen, hat die Einbrecher gesehen. Aber anstatt mit den Informationen zur Polizei zu gehen, hat Venning den Butler entlassen. Er muss sich große Sorgen gemacht haben.«

»So große Sorgen, dass er sich das Leben nehmen wollte?«

»Möglicherweise«, meinte Mr. Arrowood. »Aber das hier war kein Selbstmord.«

Der Arzt, der gerade die Position der Leiche aufzeichnete, hielt inne und blickte auf.

»Es war Mord«, fuhr Mr. Arrowood fort.

»Mord?«, wiederholte Petleigh. »Wie kommen Sie denn darauf?«

Mr. Arrowood stand auf und ging zum Schreibtisch hinüber. Die Pistole lag neben der linken Hand. Die Schusswunde befand sich an der linken Schläfe. Der Daumen sah ganz normal aus, aber an den Stellen, an denen sich die Finger befinden sollten, waren nur kleine glänzende Stumpen zu sehen. Es machte den Anschein, als wäre er mit dieser Missbildung geboren worden.

»Grundgütiger«, murmelte ich.

»War Ihnen das nicht aufgefallen, Barnett?«, fragte Mr. Arrowood.

Ich schüttelte den Kopf. »Er trug bei unserer letzten Begegnung Handschuhe.«

»Ich habe es auch nicht gesehen«, gab Petleigh zu, dem man ansehen konnte, wie ungern er die Worte aussprach. »Mir ist völlig schleierhaft, wie mir das entgehen konnte.«

»Ich wollte es nicht erwähnen, solange die anderen im Raum waren«, fügte Mr. Arrowood hinzu.

Petleigh starrte den Leichnam einige Minuten lang an, ließ sich dann in den Ohrensessel fallen, zündete sich eine Zigarre an und schlug die Beine übereinander.

»Erzählen Sie mir alles«, verlangte er. »Und lassen Sie nichts aus.«

28

Nachdem wir alles erzählt hatten, stand Petleigh auf und ging vor dem Kamin auf und ab.

»Hätte der Butler Gullen vor Ihnen hier sein können?«, fragte er.

»Das wäre möglich«, antwortete Mr. Arrowood. »Wir haben unterwegs etwas gegessen. Aber vergessen Sie das Telegramm nicht, Petleigh. Sir Herbert hat ein Telegramm erhalten, bevor er sich im Studierzimmer eingeschlossen hat. Es kann unmöglich von Gullen gewesen sein.«

Der Inspector nickte.

»Es muss noch hier sein«, sagte er.

Wir durchsuchten Sir Herberts Taschen und die Schreibtischschubladen und sahen auch in den Bücherregalen, dem Kamingitter und auf dem Boden nach, doch das Telegramm war nirgends zu finden.

»Aber es muss hier sein«, beharrte Petleigh.

»Es sei denn, der Mörder hat es mitgenommen«, mutmaßte Mr. Arrowood. »Eine Möglichkeit wäre, dass in dem Brief ein Besucher angekündigt wurde und Sir Herbert deswegen nervös war.«

Mr. Arrowood ging auf die andere Schreibtischseite und blickte aus dem breiten Fenster in der Wandmitte hinaus.

»Barnett, Sie können doch bestätigen, dass seit unserem Eintreffen niemand an den Fenstern gewesen ist?«

Ich nickte.

»Ich möchte darauf hinweisen, dass an allen Fenstern bis auf dieses die Fensterläden geschlossen sind. Durch dieses Fenster blickt man auf die Eingangstreppe und die Straße hinaus. Warum hätte Sir Herbert diese Läden offen lassen sollen? Vielleicht hat er Ausschau nach seinem Besucher gehalten, damit er ihm die Tür öffnen kann, ohne dass dieser läuten muss.«

»Dann hätten die Diener gar nicht bemerkt, dass jemand gekommen ist«, erkannte Petleigh.

»Ganz genau. Es ist durchaus denkbar, dass Sir Herbert seinen Mörder selbst hereingelassen hat.«

»Er lässt den Mörder herein«, sagte Petleigh, als wäre ihm das selbst eingefallen, »der ihn erschießt und das Telegramm mitnimmt. Ja, ja. So muss es sich abgespielt haben. Haben Sie eine Ahnung, wer das gewesen sein könnte, Arrowood?«

»Ich vermute, dass er ermordet wurde, damit er uns nicht sagen kann, was bei dem Einbruch in jener Nacht gestohlen wurde.«

»Ja«, stimmte Petleigh ihm zu und nahm seinen Hut vom Tisch. »Das ist gut möglich, aber Gullen ist dennoch mein Hauptverdächtiger. Wir werden ihn heute noch verhaften, und morgen statte ich diesem Colonel Longmire einen Besuch ab. Ich muss herausfinden, was er weiß. Aber hören Sie mir jetzt zu: Ich möchte, dass Sie uns diesen Fall überlassen. Das ist mein Ernst. Sir Herbert war ein sehr bedeutender Mann. Sie dürfen sich in diese Ermittlung nicht einmischen.«

»Wir sind noch immer auf der Suche nach Miss Coustures

Bruder«, erwiderte Mr. Arrowood. »Daher bleibt uns nichts anderes übrig. Schließlich werden wir dafür bezahlt.«

»Dann halten Sie sich daran. Dieser Mord ist jedoch Angelegenheit der Polizei. Haben Sie verstanden?«

Mr. Arrowood grunzte nur.

»Sagen Sie, William«, fuhr Petleigh mit sanfterer Stimme fort. Er kratzte sich am Handgelenk und wirkte mit einem Mal unsicher. »Wie geht es Ihrer Schwester?«

»Meiner Schwester?« Mr. Arrowood starrte den Inspector irritiert an.

»Ich war neulich bei Ihnen, als Sie ausgegangen waren.« Petleigh zögerte und warf mir einen Blick zu. Selbst in dem schlecht beleuchteten Raum war zu erkennen, dass er errötete. »Lebt sie bei Ihnen?«

»Vorübergehend. Bis sie sich etwas anderes in den Kopf setzt.«

»Dann ist sie nicht verheiratet?« Der Inspector trat von einem Fuß auf den anderen und drückte sich den Hut gegen den Bauch. Nun wirkte er ganz und gar nicht mehr elegant, vielmehr schien ihm sein schöner schwarzer Anzug nicht einmal richtig zu passen.

»Nein«, antwortete Mr. Arrowood zögerlich. Er beäugte Petleigh, und ein Lächeln breitete sich auf seinen Zügen aus. »Ich frage mich ... Würden Sie uns vielleicht in den nächsten Tagen zum Mittagessen beehren, Inspector?«

»Das wäre mir sehr willkommen, William. Natürlich nur, wenn Ettie auch damit einverstanden ist.«

»Sehr schön. Ich werde mit ihr über das Datum sprechen. Sie wird sich gewiss freuen, Sie zu sehen. Aber jetzt lassen Sie uns gehen, Barnett. Wir haben noch einiges zu erledigen.« Mr. Arrowood stand auf und ging zur Tür. »Oh!«, rief er dann, als wäre ihm noch etwas Wichtiges eingefallen. Er drehte sich zu Petleigh um. »Ich möchte Ihnen noch eine Frage stellen: Kennen Sie Lafferty und Coyle, die für die Ermittlungsabteilung arbeiten? Sie sind beide Iren.«

»Ich habe schon von ihnen gehört.«

»Sie haben uns am Freitag nach Scotland Yard gebracht und verhört. Es macht ganz den Anschein, als wäre der tote Polizist ihr Kollege gewesen. Und ich muss Ihnen leider gestehen, dass sie uns misshandelt haben, Petleigh. Ich wurde die ganze Nacht ohne etwas zu essen eingesperrt. Barnett wurde mit einem Schlagstock geschlagen. Sehr brutal sogar. Coyle hätte ihm beinahe den Arm gebrochen.«

»Ihre Methoden unterscheiden sich stark von unseren«, erwiderte Petleigh.

»Was in aller Welt sind das für Männer? Sie wollten uns nicht einmal sagen, an welchem Fall sie arbeiten.«

»Nein, so etwas würden sie nie tun.«

»Warum nicht?«

»Weil sie nicht für die Ermittlungsabteilung arbeiten, William. Sie gehören zum SIB.«

Mr. Arrowood machte ein verwirrtes Gesicht.

»Special Irish Branch«, fügte der Inspector hinzu.

»Ich weiß, was der SIB ist, vielen Dank auch, Petleigh. Wie Sie sich vielleicht erinnern, habe ich zehn Jahre lang über die Anschläge der Feniers berichtet. Aber ich dachte, man hätte ihn nach Ende der Bombenanschläge aufgelöst?«

»Das wollte das Innenministerium der Bevölkerung weismachen. Sie operieren im Geheimen. Es gibt keinerlei Aufzeichnungen. Abgesehen vom Stellvertretenden Commissioner und einigen Detectives wie Lafferty und Coyle läuft alles inoffiziell. Sie haben ein Netzwerk aus Undercoveragenten, von denen die Ermittlungsabteilung ebenso wenig etwas weiß wie wir. Der Großteil davon sind Verbrecher, ehemalige

Mitglieder des Clan na Gael und Menschen, die einen Groll hegen. Sie nehmen im Grunde genommen jeden, der der Aufgabe gewachsen ist.«

»Welcher Aufgabe?«, wollte ich wissen und musterte Sir Herberts Leichnam.

»Überwachung, Informationsbeschaffung, Infiltration«, führte Petleigh aus. »Einige sind Lockspitzel. Keiner dieser Leute taucht in den Büchern auf. Für diesen Zweck verfügt der Geheimdienst über eigene Mittel. Aber Sie sollten wissen, dass sie stets außerhalb des Gesetzes arbeiten, William.«

»Das würde erklären, warum sie Barnett verprügelt haben«, stellte Mr. Arrowood fest.

»Leider ja.«

»Sie wollten mich rekrutieren«, sagte ich.

»Das haben Sie mir ja gar nicht erzählt.« Mr. Arrowood runzelte die Stirn. »Was haben Sie gesagt?«

»Gar nichts. Ich dachte, das könnte vielleicht irgendwann noch einmal nützlich sein.«

»Guter Mann«, lobte mich Mr. Arrowood. Er wandte sich an Petleigh. »Sie werden sich gewiss bald mit Lafferty über den Mord an Sir Herbert unterhalten, schätze ich.«

»Ja, aber ich bezweifle, dass ich irgendetwas von ihnen erfahren werde. Der SIB gibt seine Informationen nicht an die Polizei weiter. Sie befürchten, dass wir ihnen ihre Fälle ruinieren könnten. Das hat bei Scotland Yard schon so einige Probleme hervorgerufen.«

»Es gibt da noch etwas anderes, das Sie wissen sollten, Inspector«, sagte Mr. Arrowood.

»O nein«, murmelte Petleigh, dessen Selbstsicherheit langsam wieder zutage trat. »Was in Gottes Namen haben Sie jetzt wieder angestellt?«

»Barnett hat Coyle mit dem Mann, der unsere Martha ermordet hat, zusammen in einem Kaffeehaus gesehen.«

Es dauerte einige Augenblicke, bevor Petleigh etwas erwiderte.

»Sind Sie sich da sicher?«

»Ich habe sie gesehen«, bestätigte ich. »Und sie pflegten einen sehr freundschaftlichen Umgang.«

Petleigh nickte mehrmals und starrte ins Leere. Das Ticken einer Reiseuhr war das einzige Geräusch, das an unsere Ohren drang.

»Das sind gute Neuigkeiten, Gentlemen«, sagte er schließlich.

Es war neun Uhr, als unser Bus in jener Nacht erneut den Fluss überquerte. Wir saßen dicht nebeneinander auf einem Doppelsitz im unteren Bereich, und ich musste meine Beine in den Mittelgang ausstrecken, da Mr. Arrowood mit seiner Leibesfülle sehr viel Platz beanspruchte. Alle anderen Plätze waren belegt.

»Warum haben Sie Petleigh zum Essen eingeladen?«, fragte ich. »Ich dachte, Sie können den Mann nicht leiden.«

»Möglicherweise habe ich ihn falsch eingeschätzt.«

»Es passt gar nicht zu Ihnen, dass Sie Ihre Meinung so plötzlich ändern.«

Er seufzte und rutschte auf seinem Sitz herum, wobei er mich noch weiter nach außen drückte.

Der Bus hielt an, und es stiegen noch mehr Passagiere ein.

»Wir stecken in Schwierigkeiten«, sagte er, als wir weiterfuhren, »und wir werden einen Verbündeten bei der Polizei benötigen.«

»Petleigh ist gar kein so übler Kerl. Sie wollten das nur nie wahrhaben.«

Er schnaubte.

Mr. Arrowood beschloss, dass wir uns an diesem Abend zuerst in den Pubs und Gin-Schenken rings um das Beef nach Thierry umhören sollten. Das hätten wir gleich zu Beginn tun sollen, und wir hätten es auch getan, wären wir durch den Mord an Martha nicht abgelenkt worden. Wir trennten uns am St. George's Circus und riefen einander ins Gedächtnis, dass wir vorsichtig sein und darauf achten mussten, dass uns niemand folgte. Vermutlich wäre es klüger gewesen zusammenzubleiben, schließlich wussten wir, dass es da draußen Menschen gab, die mit uns dasselbe anstellen würden, was sie mit diesem Polizisten gemacht hatten. Aber wir mussten einen äußerst großen Bereich abdecken und hatten das Gefühl, dass uns die Zeit davonlief. Es konnte nicht mehr lange dauern, bis Cream oder die Feniers herausfanden, dass wir es waren, die neugierige Fragen stellten.

Ich hielt auf das Straßendreieck zwischen der Blackfriars Road und der Waterloo Road zu. Mr. Arrowood, der in seinen zu engen Schuhen schon wieder schmerzende Füße hatte, übernahm den kleineren Bereich zwischen Waterloo Road und Westminster Bridge Road. Im ersten Pub trank ich ein Bier und aß etwas Hammelfleisch, aber dort konnte man sich an keinen jungen Franzosen erinnern. In den nächsten fünf Pubs sah es genauso aus. Ich trank noch ein Bier und nahm etwas Opiumessig, als mir mein Arm erneut zu schaffen machte. Schon bald fühlte ich mich besser. Aber niemand erinnerte sich an einen französischen Jüngling, der gern einen über den Durst trank, nicht an der New Cut, nicht an der Cornwall Road und ebenso wenig in den stinkenden Pubs an der Broad Wall, in denen es häufiger zu Handgreiflichkeiten kam. Zu guter Letzt erreichte ich die Commercial Road, die letzte Straße vor dem Fluss, in der die Pubs standen, die von den Werft- und Lagerhausarbeitern frequentiert wurden. Ich war müde. Nachdem ich sechs weitere Schenken aufgesucht hatte, war meine Arbeit vollbracht. Keiner erinnerte sich an Thierry Cousture.

29

Als ich am nächsten Morgen in der Coin Street eintraf, fand ich dort eine große Menschenmenge vor. Die Polizei hatte Barrikaden aufgestellt, damit keine Wagen mehr durchfuhren, und zwei Leiterwagen standen ein Stück weiter entlang der Straße. Während ich mich durch die Schaulustigen drängte, wurde der Geruch von verbranntem Holz immer intensiver, bis ich schließlich Rauch vom Dach des Puddinggeschäfts aufsteigen sah. Feuerwehrmänner liefen in das Gebäude oder kamen herausgerannt, während andere Wasser pumpten. Ein Schlauch verschwand in der Seitenstraße, ein zweiter führte direkt durch die Haustür. Die Fenster waren herausgesprengt worden, und das Ladeninnere sah völlig schwarz aus.

Ich zwängte mich weiter zwischen den Menschen hindurch, bis ich die andere Straßenseite erreicht hatte, wo ich Mr. Arrowood und Ettie vor dem Kaffeehaus der Kirche sitzen sah. Er verspeiste gerade eine dicke Scheibe Brot mit Käse, während sein Gesicht voller Ruß war und sein restliches Haar vom Kopf abstand. Ettie saß blass und schweigend da und zitterte. Sie hatten beide eine Decke um die Schultern.

»Norman!«, rief Ettie aus. Sie nahm meine Hand, drückte

sie und klammerte sich an mich. »Es war furchtbar. Sie mussten uns aus dem Fenster tragen!«

Sie fing an zu husten, ließ meine Hand jedoch nicht los.

»Der Rauch«, murmelte Mr. Arrowood mit vollem Mund, bevor er ebenfalls kurz hustete.

»Was ist passiert?«

»Wir wurden erst gewahr, dass etwas passiert ist, als die Feuerwehrmänner das Schlafzimmerfenster zerbrochen und uns geweckt haben«, berichtete er keuchend. »Sie haben uns über die Leiter aus dem Haus gebracht und uns das Leben gerettet.«

»Sie haben Sie runtergetragen?«

»Wir waren durch den Rauch beinahe ohnmächtig, Norman.«

Er hustete erneut und hielt mir seinen Teller hin, während er versuchte, sich wieder unter Kontrolle zu bekommen.

»Aber wieso hat es überhaupt gebrannt?«

»Die Feuerwehrmänner haben Paraffinkanister gefunden«, antwortete Ettie, die endlich meine Hand losließ. »Der Täter, wer immer es auch gewesen ist, hat sich durch ein Ladenfenster Zugang zum Haus verschafft.«

Sie hielt meinem Blick stand, und in diesem Augenblick veränderte sich mein Bild von ihr. Sie wirkte ungewöhnlich anmutig auf mich, wie sie da mit verrußtem Gesicht auf dem Stuhl saß, und vielleicht auch ein wenig verletzlich. Die Frau, die mit ihrer Tuba in der Hand durch die Tür gestampft war, schien ein völlig anderer Mensch zu sein.

Mr. Arrowood hatte aufgehört zu husten und nahm mir den Teller wieder ab.

»Was denken Sie, was passiert ist?«, wollte ich wissen.

Aber er legte einen Finger an die Lippen, um mich zum Schweigen zu bringen.

»Lassen Sie uns kurz hineingehen, Barnett«, murmelte er.

»Jetzt reicht es aber langsam!«, rief Ettie. Sie fasste sich an die Brust und unterdrückte den nächsten Hustenanfall. »Würdest du bitte damit aufhören, mich beschützen zu wollen? Ich habe in Afghanistan weitaus schlimmere Dinge gesehen, als du sie dir auch nur vorstellen kannst, William, und ich wurde beinahe getötet. Außerdem habe ich meiner Meinung nach das Recht, alles zu erfahren.«

Mr. Arrowood sah sie mit traurigen Augen an und nickte.

»Es macht den Anschein, als hätten die Menschen, gegen die wir ermitteln, herausgefunden, wo ich lebe, Ettie. Hier ist es für uns nicht mehr sicher.«

»Aber wer sind diese Leute?«, wollte Ettie wissen.

»Creams Männer, die Feniers, Longmire«, erwiderte er und seufzte. »Such dir was aus.«

»Großer Gott.« Sie sah schockiert aus. »Sie wollen uns umbringen.«

»Sie werden uns nicht umbringen, Ettie«, versicherte Mr. Arrowood ihr. »Das lassen wir nicht zu. Wir werden uns eine andere Unterkunft suchen, bis die Reparaturen hier abgeschlossen sind. Sie werden nicht erfahren, wo wir uns aufhalten.«

Mehrere Straßenkinder tauchten aus der Menge auf und liefen zwischen uns hindurch.

»Sind wir versichert?«, fragte Ettie, als sie verschwunden waren.

Mr. Arrowood biss sich auf die Unterlippe und ließ den Kopf hängen. »Sei jetzt bitte nicht böse, Ettie, aber ich hatte leider nicht genügend Mittel, um die Prämie letztes Jahr zu bezahlen. Wir hatten zu dieser Zeit schlichtweg zu wenig Aufträge.«

»Oh, William!«, rief Ettie und zog die Decke enger um sich. »Das war sehr töricht von dir.«

»Ich hatte nicht genug Geld, Ettie.«

»Aber ich kann die Bauarbeiten bezahlen. Ich habe ein bisschen was gespart.«

»Du hast Ersparnisse?«, fragte Mr. Arrowood überrascht. »Davon hast du ja bisher noch gar nichts gesagt.«

»Ich sagte, dass ich die Reparaturen bezahle«, erwiderte sie spitz.

Mr. Arrowood drehte sich um und klopfte ans Fenster des Kaffeehauses.

»Albert! Kommen Sie mal raus!«

Albert tauchte sofort auf. Er sah erschöpft und müde aus.

»Wo wohnen Sie, Albert?«

»In der Mint Street. Beim Arbeitshaus.«

»Können Sie meine Schwester und mich für einige Wochen bei sich aufnehmen? Wie viele Räume haben Sie?«

»Wir haben nur zwei Räume für uns vier, Mr. Arrowood. Da ist auch so schon nicht viel Platz.«

»Aber Ihre Söhne können bei Ihnen und Mrs. Pudding schlafen. Wir nehmen das andere Zimmer.«

Albert wirkte unsicher, aber er traf ohnehin nicht gern Entscheidungen.

»Wir zahlen die Hälfte der Miete, solange wir bei Ihnen wohnen«, fuhr Mr. Arrowood fort.

Albert trat von einem Fuß auf den anderen und kratzte sich den Kopf. »Na gut«, sagte er bedächtig. »Ich schätze, das sollte gehen. Aber nur vorübergehend. Bis die Reparaturarbeiten abgeschlossen sind.«

»Vielen Dank, Albert«, sagte Ettie.

»Aber die Hälfte der Miete zu zahlen, wäre nicht fair«, sagte Mr. Arrowood plötzlich. »Sie sind zu viert, und wir sind nur zu zweit. Das macht dann ein Drittel der Miete. Einverstanden?«

Albert zögerte und verzog das Gesicht, während er versuchte, die Rechnung nachzuvollziehen.

»Gut«, sagte Mr. Arrowood, bevor Albert etwas erwidern konnte. »Dann wäre das ja geklärt. Teilen Sie es Mrs. Pudding bitte mit.«

Aber Mrs. Pudding hatte alles mit angehört und stand bereits in der Tür des Kaffeehauses.

»Sie können nicht bei uns wohnen, Mr. Arrowood«, erklärte sie entschlossen. »Meine Schwester kommt morgen mit ihren drei Kindern. Für zwei weitere Personen ist da einfach kein Platz.«

»Es geht nicht, Mr. Arrowood«, sagte Albert. »Es ist kein Platz.«

»Nun denn.« Mr. Arrowood holte tief Luft. »Dann muss Lewis uns eben aufnehmen.«

»Hat er denn genug Platz?«, fragte Ettie.

»Ihm gehört ein Haus in Elephant and Castle.«

»Er hat ein Haus?«, rief ich aus. »Wieso hat er ein Haus? Er kauft in diesem Geschäft mehr an, als er veräußert.«

»Sein Vater war Goldschmied«, erläuterte Mr. Arrowood. »Er hat das Haus geerbt.«

»Warum ist Lewis dann nicht auch Goldschmied?«, wollte ich wissen. »Wieso versucht er, seinen Lebensunterhalt mit diesem alten Laden zu verdienen?«

Mr. Arrowood nahm sich die Decke von den Schultern und legte sie Ettie in den Schoß. »Sein Vater hat ihn ausgebildet, aber er sagt, es hätte ihm an Präzision gefehlt, schon damals, als er noch über zwei Arme verfügt hat. Außerdem war Lewis schon immer ein Waffennarr. Schon als kleiner Junge hat er sich nur für Waffen interessiert.«

Mit einem Mal tauchte eine Gestalt aus der Menge auf, die wir nur zu gut kannten. Der Mann trug eine braune Melone, eine karierte Hose und einen blauen Gehrock und hatte einen Gehstock aus Kirschbaumholz in der Hand. Mr. Arrowood umklammerte meinen Arm.

»So sehen wir uns also wieder, Gentlemen«, sagte er.

Es war Stanley Cream. Er lächelte und zeigte uns die weißesten und gleichmäßigsten Zähne Londons. Sein Gesicht war glatt rasiert, und er duftete nach Parfum. Boots tauchte hinter ihm auf. Sein Blick hielt meinem stand, und auf seinem hässlichen Gesicht breitete sich ein freches Grinsen aus, als wolle er mich daran erinnern, wie brutal er mich bei unserer letzten Begegnung vor vier Jahren zusammengeschlagen hatte. Damals hatte er nur die Oberhand gewinnen können, weil ich auf dem am Boden verschütteten Bier ausgeglitten war, doch das wusste er vermutlich nicht mehr. Während ich ihn anstarrte, wurde mein Zorn immer größer, bis er meine Angst übertrumpfte und ich mir nichts sehnlicher wünschte, als ihm seine grässliche Visage einzuschlagen.

»Dafür werden Sie bezahlen, Cream«, sagte Mr. Arrowood, dessen Keuchen ob seiner Nervosität nur noch schlimmer wurde. Er hustete und presste sich ein Taschentuch vor den Mund.

»Ich würde vielmehr behaupten, dass Sie bezahlen müssen, Mr. Arrowood«, erwiderte Cream kichernd. Er war keiner dieser Menschen, die einen kultivierten Akzent nachahmen mussten; seiner war echt. Wie er in dieser Branche hatte landen können, war mir schon immer ein Rätsel gewesen. »Es sieht ganz danach aus, als wären an Ihrer Bruchbude sehr viele Reparaturen erforderlich. Wie bedauerlich. Ich muss zugeben, dass Sie mit diesem ganzen Dreck im Gesicht einen erbärmlichen Anblick abgeben. Ist das Ihre Frau?«

»Ich bin seine Schwester«, entgegnete Ettie.

»Ach herrje, Madam.« Creams Stimme troff von geheucheltem Mitgefühl. »Sie hätten dabei umkommen können.«

»Haben Sie das getan?« Sie erhob sich und baute sich vor ihm auf.

»Sind Sie auch Detektivin, Madam?«

»Ich bin Krankenschwester.«

»Bewundernswert. Höchst bewundernswert.« Er musterte mich, und sein träges Lächeln verblasste. Seine Stimme wurde hart wie Stahl. »Ich habe Ihnen gesagt, dass Sie nie wieder in meine Nähe kommen sollen. Ich dachte, ich hätte mich klar ausgedrückt, Mr. Barnett. Sie beide haben meine Geschäftspartner belästigt. Jetzt hören Sie mir gut zu. Geben Sie auf. Lassen Sie es gut sein, oder wir sehen uns gezwungen, etwas sehr Unangenehmes zu tun. Etwas äußerst Unangenehmes. Haben Sie verstanden? Oder muss ich es Ihnen erst von Boots übersetzen lassen?«

»Wir suchen Thierry Cousture«, sagte ich. »Er hat in Ihrer Küche gearbeitet. Wissen Sie, wo er sich aufhält?«

Cream schüttelte den Kopf. »Der junge Terry ist vor einigen Wochen aus heiterem Himmel verschwunden. Seinetwegen waren wir knapp an Personal. Aus diesem Grunde war ich sehr wütend auf ihn.« Er tippte mit seinem Gehstock gegen seinen Stiefel. »Ausgesprochen wütend. Ich würde ihn selbst gern finden und ihm die Meinung sagen.«

»Was hat er für Sie gemacht?«, fragte ich.

Aber er schüttelte nur den Kopf und wandte sich wieder an Mr. Arrowood. »Falls Sie ihn finden, möchte ich davon erfahren. Es ist von großer Wichtigkeit, dass ich mit ihm spreche, verstehen Sie? Aber wagen Sie es nicht, sich meinen Geschäftspartnern noch einmal zu nähern. Sie können von Glück reden, dass Sie noch am Leben sind, Mr. Arrowood. Beim nächsten Mal wird Ihnen das Glück nicht mehr hold sein, das kann ich Ihnen versprechen.«

Cream hob seinen Gehstock und pikte Mr. Arrowood damit in den Bauch. Danach drehte er sich um und verschwand in der Menschenmenge.

»Sehen Sie nach, ob noch mehr von denen da sind«, verlangte Mr. Arrowood, der nun schwer atmete. Ettie fing wieder an zu husten, sah sich jedoch panisch um. Ich wanderte am Rand der versammelten Schaulustigen entlang, sah ihnen ins Gesicht und vergewisserte mich, dass nicht noch mehr von Creams Männern hier herumlungerten. Auf der anderen Straßenseite begegnete ich Neddy.

»Ist Mr. Arrowood in Sicherheit?«, erkundigte sich der Junge. Er sah verängstigt aus. Auf seinem schmutzigen kleinen Kopf saß eine Männerkappe, deren Krempe halb abgerissen war und die ihm immer wieder in die Augen rutschte.

»Es geht ihnen beiden gut, Neddy. Was macht dein Mund?«

Er grinste mich an und zeigte mir die schwarze Zahnlücke.

»Damit sehe ich richtig gut aus, nicht wahr, Sir?«

Ich lachte auf, aber mein Lachen war nur gespielt. Creams Anblick hatte mich bis ins Mark erschüttert.

»Wo ist deine Mutter, Junge?«

»Sie hat einen ihrer schlechten Tage, wie es aussieht. Ich muss ihr etwas Geld bringen.«

»Ich könnte mir vorstellen, dass Mr. Arrowood heute deine Hilfe gebrauchen könnte.«

Ich führte den Jungen zurück zum Kaffeehaus, wo Mr. Arrowood inzwischen wieder auf seinem Stuhl Platz genommen hatte.

»Es tut mir sehr leid, dass Sie das durchmachen mussten, Sir«, sagte Neddy.

Mr. Arrowood tätschelte dem Jungen lächelnd den Kopf. »Verkaufst du heute wieder Brötchen, mein Guter?«

»Erst ab vier. Vorher kann ich Ihnen helfen, Sir.«

»Wir brauchen dich, um einen Wagen zu ziehen. Schaffst du das mit den großen Schuhen überhaupt? Warum bindest du die Schnürsenkel nicht zu?«

Neddy beugte sich vor und schnürte sich die nicht zueinanderpassenden Männerschuhe zu.

»Sobald die Feuerwehrmänner uns wieder ins Haus lassen, packen wir ein paar Taschen und ziehen um«, bestimmte Mr. Arrowood. »Aber zuerst musst du mir erzählen, wie es dir nach deinem Abenteuer geht. Du weißt ja, dass solche Erlebnisse unseren Geist mehr noch als den Körper beeinflussen. Wie schläfst du? Hast du Albträume?«

»Nicht, dass ich wüsste, Sir.«

»Gut. Was ist mit Melancholie?«

»Genau wie früher. Sie müssen sich um mich keine Sorgen machen.«

»Angst?«

Der Junge schüttelte den Kopf.

»Schön, schön. Du bist ein richtiger Soldat, mein Junge. Ein guter kleiner Soldat. Und eine Armee muss sich um ihre Soldaten kümmern.« Er ergriff meinen Arm, um sich beim Aufstehen zu stützen. Dann wandte er sich an uns. »Ich werde jetzt zu Lewis gehen und alles arrangieren. Ettie, du bleibst hier bei Neddy. Pack ein paar Taschen, sobald sie dich wieder ins Haus lassen, aber lass dich von einem Constable begleiten. Wir müssen ab jetzt sehr vorsichtig sein. Und achte darauf, ob du beobachtet wirst.«

»Mach dir keine Sorgen um mich, Bruder. Ich kann auf mich aufpassen.«

»Und nimm auch mein Porträt mit. Ich werde dich schnellstmöglich abholen kommen.«

»Ich halte Wache, Sir«, versprach Neddy.

»Guter Junge. Vergiss nicht, dass du niemandem von unserer neuen Unterkunft erzählen darfst. Barnett, Sie könnten auch gleich mit den Pubs weitermachen. Aber seien Sie achtsam. Vergewissern Sie sich, dass Ihnen niemand folgt. Nicht, dass man Sie noch angreift, wenn Sie allein sind.«

»Wie geht es Ihrem Arm, Norman?«, erkundigte sich Ettie.

»Viel besser, solange niemand dagegenstößt.«

Sie lächelte, wobei sich der Ruß in den Falten ihres Gesichts deutlich abzeichnete. Ich blickte zu Boden. Ihre Besorgnis rief seltsamerweise eine große Traurigkeit in mir hervor.

»Dann seien Sie bloß vorsichtig«, ermahnte sie mich.

»Wir treffen uns um sechs bei Fontaine, Barnett«, ordnete Mr. Arrowood an. »Wir müssen uns mit Miss Cousture unterhalten. Sie hat uns mehrere Nachrichten hinterlassen.«

»Soll ich da auch hinkommen?«, fragte Neddy.

»Nein, mein kleiner Soldat. Wir brauchen dich nur bis vier, danach kannst du deine Brötchen verkaufen.«

Dieses Mal besuchte ich die Pubs zwischen der Blackfriars Road und der Borough High Street. Als der Abend anbrach, war ich nicht schlauer als zuvor, und mir taten die Füße weh. Niemand erinnerte sich an einen jungen Franzosen mit weizenblondem Haar. Ich konnte nicht einmal jemanden finden, der sich überhaupt an einen Franzosen erinnerte.

Es war früher Abend, als wir Fontaines Geschäft betraten. Miss Cousture stand hinter der Ladentheke. Ihre Miene war ernst.

»Meine Herren«, sagte sie. »Ich habe Sie gesucht. Warum suchen Sie mich erst jetzt auf? Ich hatte Ihnen zwei Nachrichten hinterlassen.«

»Es ist viel passiert, Mademoiselle«, erwiderte Mr. Arrowood. »Wir mussten der Spur folgen, solange sie noch heiß war.«

»Beziehen Sie sich damit auf Milky Sal?«

»Der Spur durften wir nicht nachgehen.«

Der Zorn verschwand aus ihrem Gesicht und machte Enttäuschung Platz.

»Ist Ihr Arbeitgeber anwesend?«

»Er fertigt gerade Photographien von einem Kunden an.«

»Private Photographien?«

»Ich glaube schon.«

»Diese privaten Photographien«, begann Mr. Arrowood, »haben Sie diese jemals gesehen?«

»Er trennt die beiden Bereiche seines Geschäfts strikt voneinander. Aber ja, ich habe sie einmal gesehen, als ich in seine Tasche gespäht habe.«

»Wo bewahrt er sie normalerweise auf?«

»In seinem Haus. Die Sitzungen finden meist nachts statt, wenn ich nicht hier bin.«

»Hat er Sie jemals gebeten, für ihn zu posieren?«

»Nein!«, rief sie aus. »Wie kommen Sie denn auf die Idee?«

»Ich versuche nur, alles zu verstehen, und wollte Sie nicht beleidigen.«

Sie schloss die Augen und schüttelte den Kopf, als versuche sie, diesen Gedanken daraus zu verbannen.

»Jetzt müssen Sie mir aber erzählen, was Sie herausgefunden haben, Mr. Arrowood.«

Mr. Arrowood berichtete ihr von unserem Zusammentreffen mit Longmire und wie wir Sir Herbert entführt hatten. Er erzählte ihr von dem Einbruch und was Gullen uns gesagt hatte. Auf einmal unterbrach sie ihn.

»Was wissen Sie über diesen Sir Herbert?«, wollte sie wissen.

»Er arbeitet als Generalquartiermeister im Kriegsministerium«, erklärte er. »Besitzt ein großes Haus und eine Kutsche.«

»Alter?«

»Um die fünfzig, schätze ich.«

»Und wie sieht er aus?«

Mr. Arrowood warf mir einen verwirrten Blick zu.

»Er ist klein, hat nicht mehr viele Haare auf dem Kopf und ein rundes Gesicht.«

»Und er ist fett«, fügte ich hinzu.

»Haben Sie schon einmal von Sir Herbert Venning gehört, Miss?«, erkundigte sich Mr. Arrowood.

»Nein.«

Er versuchte es wieder einmal mit seinem Schweigen und dem freundlichen Blick, doch der Trick zeigte keine Wirkung.

»Sie verschweigen uns doch etwas«, beschuldigte er sie.

»Nein.« Sie verschränkte die Arme vor der Brust.

»Sie haben uns schon einmal belogen.«

»Und ich habe Ihnen versprochen, es nie wieder zu tun, Mr. Arrowood.« Sie sah ihn zornig an. »Beschreiben Sie mir bitte Longmire. Ist er klein?«

»Warum wollen Sie das wissen?«, fragte Mr. Arrowood. »Kennen Sie seinen Namen?«

»Vielleicht habe ich ihn mal in Begleitung meines Bruders gesehen.«

»Er ist von mittlerer Größe.« Ein Hustenanfall ergriff von ihm Besitz. Er musste sich an der Ladentheke festhalten und die Augen schließen, bis er abgeklungen war.

»Recht schlank«, setzte ich hinzu. »Trägt ein Monokel. Außerdem hat er einen Leberfleck von der Größe eines Sixpence am Auge.«

In ihren Augen blitzte ganz kurz etwas auf, als wäre ein Geist hindurchgeflogen.

»Sagt Ihnen die Beschreibung etwas?«, fragte Mr. Arrowood und schob ein Bild zur Seite, damit er sich auf den Stuhl neben der Tür setzen konnte.

Miss Cousture schüttelte den Kopf.

Er berichtete ihr von Vennings Tod. Sie blickte dabei aus dem Fenster auf die Straße hinaus, hielt sich ganz gerade und zog die Schultern zusammen. Zweimal räusperte sie sich, dann griff sie nach einem Glas Wasser, das auf der Theke stand. Ich war mir nicht sicher, ob sie überhaupt zuhörte. Als er das Feuer im Puddinggeschäft beschrieb, nickte sie nur.

»Haben Sie Thierrys Saufkumpane jemals zu Gesicht bekommen, Miss?«, fragte ich.

»Nein«, antwortete sie mit erstickter Stimme. »Ich habe ihn nie in Begleitung angetroffen.«

»Wissen Sie, in welchen Pubs er getrunken hat?«

Sie zuckte mit den Achseln und richtete den Blick auf die Theke. Mit einem Mal wirkte sie geschwächt, als würde sie unter Blutverlust leiden.

»Er tut mir gegenüber immer so, als würde er nicht trinken«, sagte sie leise.

Schweigen senkte sich auf uns herab.

Erst nach einiger Zeit sagte sie wieder etwas.

»Eric wird bald zurück sein. Sie sollten gehen.«

»Wir werden ihn finden«, versprach Mr. Arrowood ihr und stand mühsam auf. »Wir suchen Sie wieder auf, wenn wir mehr wissen.«

Ich blieb noch zurück, während er hinausging.

Als sie mich mit ihren braunen Augen ansah, wirkten sie leer. Sie hatte ihr Haar hochgesteckt, und der hohe Kragen ihrer Bluse sah an den Rüschen schmutzig aus. Dennoch schmälerte das ihre Schönheit nicht. Ich spürte, wie ich zu schwitzen begann.

»Wir benötigen noch eine weitere Bezahlung, Miss«, brachte ich irgendwann heraus.

30

Am nächsten Morgen hörten wir uns weiter in den Pubs um. Mr. Arrowood übernahm die Straßen südlich der Westminster Bridge Road, ich das Gebiet zwischen der New Kent Road und der Great Dover Street. Seine Schuhe waren im Feuer verbrannt, und nun trug er welche, die er sich von Lewis geborgt hatte, sodass es auch jetzt einen Grund gab, über schmerzende Füße zu jammern. Da er nicht so schlimm humpelte, wie er es tat, wenn ihm seine Gicht zu schaffen machte, ließ ich es ihm durchgehen.

Zur Essenszeit trafen wir uns bei Mrs. Willows. Der Himmel war grau geworden und die Luft drückend. Mr. Arrowood musste zurück zu seinen Zimmern, um mit den Bauarbeitern zu sprechen, und so zog ich allein weiter und wandte mich den Straßen zu, die von Bethlehem hinunter zum Oval führten. Es war mir weiterhin nicht möglich, auch nur einen Menschen zu finden, der den jungen Franzosen gekannt hatte. Zwischendurch gönnte ich mir hin und wieder ein Bier, um den Tag erträglicher zu machen. In einer Schenke namens Bear saß ein blasser, in sich zusammengesunkener junger Mann in einer dunklen Ecke, von dem ich glaubte, ihn vorher schon auf der Straße gesehen zu haben. Ich spürte seinen Blick im Rücken, als ich am Tresen stand, und jedes Mal, wenn ich in seine Richtung schaute, drehte er sich weg und tat so, als würde er Selbstgespräche führen. Ich trank rasch mein Bier aus, verließ den Pub und versteckte mich hinter einem Wagen, der einige Türen weiter parkte. Der Mann kam gleich im Anschluss heraus, stellte sich mitten auf die Straße und blickte in beide Richtungen. Er stieß einen Fluch aus und hastete zur nächsten Kreuzung, wo er sich erneut umsah, um dann langsam zum Pub zurückzukommen. Ich überlegte, ob ich wieder hineingehen und ihn dazu zwingen sollte, mir zu verraten, was für ein Spiel er hier spielte, vermutete jedoch, dass ich dadurch alles nur noch schlimmer machen würde. Also zog ich weiter.

Als es zu regnen anfing, machte mir mein Arm wieder zu schaffen, und ich nahm noch etwas Opiumessig, der alles erleichterte. Bis um sechs hatte ich jeden Pub und jede Schenke besucht, die man vom Beef aus in einer halben Stunde erreichen konnte. Ich beschloss, mich weiter gen Osten zu halten, und in einem keilförmigen Lokal im Keller eines schiefen Wohnhauses hatte ich endlich Glück.

»Früher war öfter einer hier, auf den die Beschreibung passt«, sagte der Wirt. »Hat mehrmals Ärger gemacht und war schon seit einer Weile nicht mehr da.«

Über seiner Schulter lag der dreckigste Lappen, den ich je gesehen hatte.

»Wissen Sie, wo ich ihn finden kann?«

»Fragen Sie doch seinen Kumpel.« Der Wirt deutete mit seinem Lappen auf eine einsame Gestalt, die neben dem Klavier auf einer Bank hockte. »Die waren immer zusammen hier.«

Er trug eine Weste, die einem beleibten Mann gehört haben musste, war selbst jedoch spindeldürr. Sein Zylinder sah verbeult aus. Sein Bart war ungepflegt und von kahlen Stellen durchzogen. Vor ihm stand ein leerer Krug. Ich bestellte zwei Bier und ging damit zu ihm hinüber.

Als ich vor ihm stand, stellte ich fest, dass er weitaus jünger war, als er aussah – er musste um die zwanzig sein. Der Mann war betrunken, ausgezehrt und starrte mich mit wässrigen Augen an.

»Ich suche nach Terry«, sagte ich, stellte einen Bierkrug vor ihm ab und setzte mich. »Der Wirt sagte, Sie wären befreundet.«

Es dauerte lange, bis er mir antwortete.

»Hab ihn nicht gesehen«, murmelte er schließlich.

»Wo kann ich ihn finden?«

»Nirgends.«

»Seine Schwester sucht nach ihm. Sie macht sich große Sorgen.«

Er lachte auf und stürzte das halbe Bier hinunter. Unter der riesigen Weste trug er ein schmutziges Unterhemd. In seinen Mundwinkeln war verkrustetes Blut zu erkennen.

»Was ist daran so lustig?«

Er schüttelte den Kopf, als wäre ich schwer von Begriff.

»Wann haben Sie ihn das letzte Mal gesehen?«, wollte ich wissen.

»Das war, äh …« Er wischte sich mit einer Hand vor dem Gesicht herum, als müsste er Fliegen verscheuchen. Sein Kopf wackelte. »Ungefähr … ungefähr vor ein, zwei Monaten. Er ist jedenfalls weg.«

»Wo ist er denn hin?«

»Keine Ahnung. Er ist einfach weg.«

»Warum ist er gegangen?«

»Das weiß ich nicht, Mann. Keine Ahnung.« Er trank sein Bier aus. »Er ist verschwunden.«

Ich holte einen Schilling aus der Tasche und legte ihn auf

den Tisch. Der Mann starrte ihn an, als könnte er ihn nicht klar sehen.

»Er gehört Ihnen, wenn Sie mir sagen, wo er steckt«, sagte ich.

Er brauchte einen Augenblick, um etwas herauszubringen.

»Hassocks, in der Nähe von Brighton«, erwiderte er endlich. »Er arbeitet bei einem Bäcker.«

»Woher wissen Sie das.«

»Weil er es mir erzählt hat.«

»Wieso hat er die Stadt verlassen.«

»Hatte Ärger mit dem Boss, soweit ich weiß.«

»Was für Ärger?«

Er zuckte mit den Achseln. »Was weiß ich. Aber er hatte richtig Schiss. Das können Sie mir glauben.«

Als er nach der Münze greifen wollte, legte ich eine Hand darauf.

»Hat er Ihnen irgendetwas über das Barrel of Beef erzählt oder über das, was dort vor sich geht?«

Er starrte mich mit finsterer Miene an und schloss die Augen. Als er mir antwortete, wackelte er so stark mit dem Kopf, dass mir schwindlig wurde.

»Wir haben nie über die Arbeit gesprochen«, murmelte er. »Uns interessierte nur Trinken, Weiber und Pferde. Er hat mir nur erzählt, dass er in Schwierigkeiten steckt, das ist alles.«

»Sie haben nicht nachgefragt?«

»Er wollte nicht darüber reden.«

Der Mann rülpste, zuckte zusammen und hielt sich den Bauch. Aber er machte die Augen wieder auf.

Ich schob ihm die Münze über den Tisch zu.

»Ein Schilling«, sagte ich. »Der Preis für Ihre Freundschaft, mein Junge. Sie haben Glück, dass ich ihm nichts antun will.«

Er sah mich mit seinen wässrigen, rot umrandeten Augen und mit wackelndem Kopf an und war viel zu betrunken, um beleidigt zu sein. Dann griff er sich das Geldstück und taumelte zum Tresen.

Wir nahmen den Mittagszug nach Brighton. Es hatte den ganzen Morgen geregnet, daher waren an diesem Tag nicht viele Menschen auf dem Weg in den Süden. Mr. Arrowood saß auf der vordersten Sitzkante und wirkte unruhig und nervös. Am Vortag war ein weiterer Brief von Isabel eingetroffen, als er gerade dabei gewesen war, seine Sachen zu packen. Sie hatte vorgeschlagen, sich morgen Mittag mit ihm im Imperial Restaurant zu treffen, einem nicht gerade preiswerten Speiselokal im West End. Aber Isabel war schon immer der Ansicht gewesen, sie wäre für Höheres bestimmt.

»Wenn sie zurückkommt, wird sich meine Schwester eine neue Unterkunft suchen müssen«, sagte er und schaute aus dem Fenster auf die Reihen grauer Häuserdächer hinaus, an denen wir vorbeifuhren. »Könnten Sie und Mrs. Barnett sie bei sich aufnehmen, bis sie etwas anderes gefunden hat?«

»Wir haben nur ein Zimmer.«

»Nur ein Zimmer!«, rief Mr. Arrowood. »Das kann doch nicht Ihr Ernst sein! Sie leben in einem einzigen Zimmer?«

Ich schenkte ihm einen ernüchterten Blick.

»Mehr kann ich mir nicht leisten«, erwiderte ich.

Er seufzte.

»Entschuldigen Sie bitte, Norman. Mir war nicht bewusst, dass Sie es so schwer haben.«

Wir schwiegen, bis wir die Vororte verlassen hatten und durch eine ländliche Gegend fuhren. Der Zug hielt an einem leeren Bahnhof. Niemand stieg ein.

»Ihnen ist doch bewusst, dass sie möglicherweise nicht zurückkommt, William?«, sagte ich, als wir weiterfuhren. Zwar war ich durchaus besorgt um ihn, aber ich stellte überrascht fest, dass ein Hauch von Grausamkeit in meiner Stimme mitschwang.

»Ich weiß«, antwortete er und starrte durch das Fenster auf die grünen Felder von Sussex hinaus. »Aber ich freue mich sehr darauf, sie wiederzusehen.«

Hassocks war ein winziges Dorf, dessen Bahnhof am Ende der Hauptstraße lag. Es gab nur eine Bäckerei. Eine Frau mit einem Baby im Arm stand hinter der Ladentheke und teilte uns mit, dass sich Thierry in der Backstube auf dem Hof aufhielt. Wir gingen zurück auf die Straße und durch eine Seitengasse zu einer Öffnung in der Wand. Die Backstube stand auf einer Grasfläche, und die Türen waren weit geöffnet. Als wir nähertraten, kam ein Mann mit einer weißen Schürze und einem Blech voller Brotlaibe auf einer Schulter heraus. Sein Haar war voller Mehl, und an dem Ohr auf der Seite, auf der er das Blech trug, zeichnete sich eine hässliche Narbe ab.

»Thierry«, sagte Mr. Arrowood.

Der Mann blieb stehen und musterte uns misstrauisch.

»Wer sind Sie?«, fragte er mit starkem französischen Akzent.

»Ich bin Mr. Arrowood. Das ist mein Assistent Mr. Barnett. Ihre Schwester hat uns engagiert, um Sie zu finden.«

»Ich bringe eben das Brot rein«, erwiderte er höflich. »Warten Sie hier. Ich bin gleich wieder da.«

Er verschwand durch das Tor.

Ich erreichte die Straße in dem Augenblick, in dem Thierry das Blech vor dem Laden abstellte, auf dem Absatz kehrtmachte und losrannte. Er lief direkt in mich hinein.

Ich zog ihm sofort einen Arm auf den Rücken, bis er

kreischte, und führte ihn zurück auf den Hof. Er war jünger als ich, aber nicht besonders muskulös.

»Er wollte weglaufen, Sir«, teilte ich Mr. Arrowood mit.

»Wie unhöflich. Wir sind den ganzen Weg aus London hierhergekommen, Thierry.«

Das Gesicht des jungen Mannes war kreidebleich. Schweiß zeichnete sich auf seinem Hemd ab.

»Bitte, Sir«, flehte er. »Ich werde Mr. Cream keine Schwierigkeiten machen. Nur deswegen bin ich weggegangen. Das schwöre ich Ihnen, Sir. Ich werde mich fernhalten und ihm keinen Ärger machen.«

»Wir wurden nicht von Mr. Cream geschickt«, erwiderte Mr. Arrowood mit sanfter Stimme. »Ich sagte doch schon, dass Ihre Schwester uns beauftragt hat. Sie müssen keine Angst vor uns haben, Thierry.«

Thierry riss den anderen Arm hoch und schlug mir ins Gesicht, und ich ließ ihn vor Schreck los. Er wollte wegrennen, aber ich stellte ihm ein Bein, und er fiel ins Gras. Meine Nase schmerzte und fühlte sich an, als würde sie zu bluten beginnen, und ich warf mich energischer auf ihn, als nötig war, woraufhin mein Arm wieder einmal protestierte.

»Sie kleiner Dummkopf«, zischte ich ihm ins Ohr, während er sich unter mir wand. »Wir sind Ihre Freunde, verflixt und zugenäht. Ihre Schwester schickt uns.«

Ich zerrte ihn wieder auf die Beine.

»Ich weiß, dass Sie von Cream beauftragt wurden«, protestierte er und war den Tränen nahe.

»Hören Sie!«, rief Mr. Arrowood. »Sperren Sie die Ohren auf! Ihre Schwester hat uns beauftragt, Sie zu finden. Wir sind hier, um Ihnen zu helfen.«

»Meine Schwester hat Sie nicht geschickt! Sie weiß, dass ich hier bin.«

»Thierry, mein Junge, sie hat uns beauftragt.«

Er schüttelte den Kopf. »Warum sollte sie das tun? Sie hat mir doch dabei geholfen, hier unterzukommen.«

Es kam nicht häufig vor, dass es Mr. Arrowood und mir die Sprache verschlug, aber in diesem Augenblick bekamen wir beide keinen Ton heraus. Wir starrten ihn an und versuchten, einen Sinn in seine Worte zu bringen.

»Sie weiß, dass ich hier bin«, wimmerte er.

»Lügen Sie uns nicht an, Thierry«, sagte Mr. Arrowood schließlich. »Ihre Schwester hat uns schon oft genug angeschwindelt.«

»Ich schwöre es, Sir! Sie ist mit mir aus London hergekommen und hat mir die Miete für die erste Woche bezahlt.«

Das war zu viel für mich: Ich ließ seinen Arm los und wirbelte ihn herum. Dann verpasste ich ihm eine anständige Backpfeife. Er schrie auf und fiel zu Boden.

»War das wirklich notwendig, Barnett?«, fragte Mr. Arrowood.

»Ich bin es einfach leid, ständig angelogen zu werden.«

Thierry kroch über den Boden, um außer Reichweite meiner Stiefel zu gelangen, und zwängte sich in die Lücke zwischen einem Fass und der Hofmauer.

»Ich lüge nicht«, jammerte er. »Das ist die Wahrheit. Sie weiß, dass ich hier bin. Ich habe keine Ahnung, warum sie Ihnen etwas anderes erzählt hat.«

Mr. Arrowood hob die Stimme.

»Warum hat sie uns dann engagiert, um Sie zu finden?«

Dem Jungen rann etwas Blut aus dem Mund. Er legte die Hände an die Wangen und sah mich an wie ein verängstigter Welpe.

»Das müssen Sie sie fragen. Ich habe nicht die geringste Ahnung.«

»Na, dann raten Sie eben. Helfen Sie uns, Thierry.«

»Ich weiß es nicht, Sir.«

Mr. Arrowood nickte mir zu und wandte sich ab.

Ich zerrte Thierry hoch und marschierte mit ihm zurück zur Backstube. Er wehrte sich, war mir jedoch nicht gewachsen. In der Eisentür des Ofens befand sich ein Fenster, durch das man das orangefarben glühende Holz sehen konnte.

»Das sieht heiß aus, Thierry«, stellte ich fest.

»Nein, bitte!« Er schluchzte auf.

Ich packte ihn an den Haaren und zog seinen Kopf ruckartig nach hinten, während ich ihn gleichzeitig nach vorn drückte. Dann riss ich mit einer Hand die Ofentür auf und spürte sofort die sengende Hitze. Thierry versuchte sich zu befreien und schlug mit den Fäusten um sich, aber ich war viel stärker als er. Ganz langsam drückte ich seinen Kopf nach vorn. Erst als sein Gesicht keine zwanzig Zentimeter mehr von der Ofentür entfernt war, brach er zusammen.

»Hören Sie auf! Ich sage es Ihnen!«

Ich zerrte ihn hoch und führte ihn zurück auf den Hof, wobei ich erleichtert war, der schrecklichen Hitze entrinnen zu können. Mr. Arrowood saß auf einer Kiste und rauchte eine Zigarre.

»Jetzt will ich die Wahrheit hören, mein Junge.«

Ich ließ ihn los und staubte ihn ein wenig ab. Er zitterte stark, sein Gesicht war rot angelaufen und schweißüberströmt, und er hatte Blut an den Lippen.

»Warum hat sie uns engagiert?«, verlangte ich zu erfahren.

»Sie will Informationen über Mr. Cream zusammentragen«, antwortete er und versuchte, zu Atem zu kommen. »Ich hatte ihr geholfen, aber ich musste fliehen. Es wäre zu gefährlich gewesen, noch länger zu bleiben.«

»Warum schwebten Sie in Gefahr?«, wollte ich wissen.

»Ich sollte ein paar Kisten ausliefern. Davon stehen immer welche im Keller. Einmal waren Gewehre und Kugeln darin. Als ich gerade eine geöffnet hatte, kam einer der Kerle, Mr. Piser, die Treppe herunter und hat mich dabei erwischt. Er war sehr wütend, hat mich niedergeschlagen und mich getreten, in den Rücken und gegen den Kopf. Er hat mich da eingesperrt, damit Mr. Cream mit mir reden konnte, aber ich habe einen Freund in der Küche. Als ich nicht zurückgekommen bin, hat er sich auf die Suche nach mir gemacht.«

»Harry?«, fragte Mr. Arrowood.

Thierry nickte. »Er hat mich rausgelassen. Das ist alles. Ich werde auf keinen Fall wieder ins Barrel of Beef zurückkehren. Ich weiß, dass ich etwas gesehen habe, das ich nicht hätte sehen sollen. Ich bin hierhergekommen, damit sie mich nicht finden.«

»Dann haben Sie eine Patrone mitgenommen?«

Er nickte.

»Wir haben mit Harry gesprochen. Er hat uns nichts von alldem erzählt.«

»Ich hatte ihn darum gebeten, mit niemandem darüber zu sprechen.«

»Er ist ein guter Freund«, bestätigte Mr. Arrowood. »Für wen waren die Waffen bestimmt?«

»Das weiß ich nicht, Sir.«

»Wo hatte Cream sie her?«

»Ich wusste nichts davon, bis ich die Kisten geöffnet habe.«

»Dann haben Sie Martha eine Kugel gegeben?«

»Sie haben mit Martha gesprochen?« Sein Blick wurde konzentrierter. »Wie geht es ihr? Sie hat mich nicht einmal besucht, seit ich hier bin. Die ganze Zeit über habe ich nichts von ihr gehört.«

»Dann wissen Sie es noch nicht?«, fragte Mr. Arrowood misstrauisch. Auf seinem Gesicht zeichnete sich großes Mitleid ab.

»Was denn?«, flüsterte Thierry und starrte Mr. Arrowood entsetzt an.

»Es tut mir sehr leid, mein Junge«, sagte Mr. Arrowood und legte Thierry eine Hand auf die Schulter. »Martha wurde ermordet. Wir wollten uns mit ihr treffen, aber sie wurde erstochen, während sie auf uns gewartet hat.«

Thierry sackte sichtlich in sich zusammen. Er wischte sich das Blut von den Lippen und legte eine Hand an die Stirn. Dann öffnete er den Mund, um etwas zu sagen, schloss ihn jedoch sofort wieder. Nach einiger Zeit kamen die Tränen.

Wir saßen eine Weile mit ihm im Hof. Die Frau aus der Bäckerei kam nach hinten, doch als sie Thierry sah, schürzte sie nur die Lippen, drehte sich um und ging wieder.

Der Himmel wurde erst blau, dann kehrten die weißen Wolken zurück, bis es sich immer weiter zuzog. Seufzend ergriff Mr. Arrowood erneut das Wort.

»Es tut mir so leid, Thierry. Wir sind auf der Suche nach ihrem Mörder. Aber wir müssen Ihnen noch einige Fragen stellen. Sind Sie in der Lage, diese zu beantworten?«

Der Junge nickte, schlug die Augen jedoch nicht auf.

»Warum haben Sie ihr eine Kugel gegeben?«

Seine Stimme klang leise und erstickt. »Für den Fall, dass mir etwas zustößt.«

»Warum nicht Ihrer Schwester?«

»Ich musste Martha begreiflich machen, dass ich in Gefahr schwebe.« Er flüsterte und schirmte seine Augen ab. »Sie dachte, ich würde sie verlassen. Sie wollte mir nicht glauben, dass ich sie liebe. Es heißt doch immer, dass wir Franzosen hinter jedem Rock her sind.«

Er fing wieder an zu weinen.

»Sie wusste, dass Sie sie lieben, Thierry«, versicherte Mr. Arrowood ihm mit sanfter Stimme. »Sie hatte zugestimmt, sich mit uns zu treffen, aber der Mörder war eine Minute vor uns bei ihr. Sie hielt die Kugel in der Hand, als sie im Sterben lag.«

Mr. Arrowood trat zu Thierry, nahm ihn in die Arme und strich ihm über das Haar, als würde er ein Kind und keinen jungen Mann trösten.

»Es ist schon gut, Junge«, murmelte er.

Als sich Thierry wieder beruhigt hatte, fuhr Mr. Arrowood fort. »Warum versucht Ihre Schwester, Informationen über Cream zu sammeln?«

»Sie ist nicht meine Schwester, sondern eine Freundin. Ich habe ihr bei der Flucht geholfen, damit sie hierher zurückkommen konnte.«

»Zurückkommen?«

Endlich hob Thierry den Kopf. Seine Augen sahen gerötet und verquollen aus.

»Sie ist Engländerin. Als sie noch ein kleines Mädchen war, hat ihre Mutter eine Anzeige gesehen, in der Mädchen gesucht wurden, die als Dienstmädchen in Frankreich arbeiten wollten. Aber als sie in Rouen ankam, steckte man sie in ein Bordell. Eine Frau namens Milky Sal steckt hinter der ganzen Sache. Sie arbeitet für Cream. Caroline war dreizehn, als sie in Frankreich ankam, und konnte erst elf Jahre später entkommen. Ich habe ihr bei der Flucht geholfen.«

»Wie haben Sie sie kennengelernt?«

»Ich habe als Lieferant einer Patisserie gearbeitet. Das war, bevor ich mit dem Backen angefangen habe.«

»Aber warum hat sie uns das alles nicht erzählt?«

»Sie schämt sich sehr dafür, dass sie als Hure arbeiten

musste. Sie hat sich an die Polizei gewandt, doch die ist untätig geblieben. Das konnte sie nicht hinnehmen. Wir wollten Informationen über Cream für die Polizei zusammentragen, damit sie ihn verhaften kann. Aus diesem Grund habe ich die Stelle im Beef angenommen. Ich konnte keine Hinweise auf die Prostitution finden, aber er ist auch Hehler, wissen Sie? Wir dachten, wenn wir genug Beweise zusammentragen, kann die Polizei ihn verhaften. Wir wollen ihn hinter Gittern sehen.«

»Also hat sie uns engagiert, nachdem Sie verschwinden mussten, weil sie hoffte, mehr über Creams Machenschaften herauszufinden«, erkannte Mr. Arrowood bedrückt. »Das hätte sie uns auch einfach sagen können. Sie und Caroline sind Amateure. Wissen Sie überhaupt, wie gefährlich Cream ist?«

»Das weiß ich.« Thierry stützte die Ellenbogen auf die Knie und vergrub erneut das Gesicht in den Händen. »Glauben Sie, das wüsste ich nicht?«

Wir ließen ihn im Hof sitzen, während ein leichter Augustregen einsetzte.

31

Wir sprachen über den Fall, während wir auf den Zug warteten. Ich war es leid, wieder und wieder von Miss Cousture angelogen zu werden, Mr. Arrowood hingegen schien es kaum
etwas auszumachen, was mich nur noch mehr ärgerte. Aber so
war es immer: Ich konnte nie vorhersagen, wie sein Stolz reagierte. Bei manch einer geringfügigen Beleidigung explo-
dierte er, während er nun die Erkenntnis, dass Miss Cousture
die ganze Zeit über gewusst hatte, wo sich Thierry aufhielt,
nur als weiteres Puzzleteil betrachtete. Möglicherweise lag es
an der Aussicht auf das bevorstehende Treffen mit Isabel, dass
er so milde gestimmt war.

Auf der Rückfahrt nach London war der Zug voller, und
wir ließen uns gegenüber einer nervösen jungen Frau in einem
leichten Sommerkleid nieder. Zu ihren Füßen stand ein Pick-
nickkorb, und ein schmales bernsteinfarbenes Häubchen
reichte ihr bis über die Augen. Sie saß in der Ecke und hatte
ein ramponiertes Magazin aufgeschlagen auf dem Schoß liegen. Als sie weiterblätterte, konnte ich erkennen, dass sie den
Bericht über einen von Holmes' älteren Fällen las. Mr. Arrowood bemerkte es ebenfalls und stöhnte laut genug auf, dass
sie es hören konnte. Die junge Frau hob den Kopf und musste
feststellen, dass er sie kopfschüttelnd anstarrte. Ihre blassen

Wangen bekamen Farbe, und sie senkte den Blick erneut.

»Darf ich fragen, was Sie da lesen, Miss?«, erkundigte er sich.

»Einen Artikel über einen alten Fall von Sherlock Holmes, Sir: ›Ein Skandal in Böhmen.‹«

»Ah, ja. Und wie gefällt Ihnen der Artikel?«

»Er ist unterhaltsam. Ich lese ihn jedoch nicht zum ersten Mal.«

»Ist das der Fall mit Irene Adler?«

»Ja. Sie hat den König von Böhmen erpresst.«

»Das weiß ich«, erklärte er. »Es handelte sich um von Ormstein, den amtierenden König von Böhmen und Mähren, nicht wahr?«

Die Dame nickte. »Sie will ihn in den Ruin treiben, weil er die Affäre beendet hat.«

»Ja, ja«, stimmte Mr. Arrowood ihr zu und verschränkte die Arme. »Von Ormstein gedenkt zu heiraten, aber Miss Adler droht, der Familie der Braut eine kompromittierende Photographie zu schicken. Er befürchtet, der Skandal könnte seine Verlobte dazu bewegen, die Hochzeit abzusagen, daher hat er Holmes siebenhundert Pfund geboten, damit er die Photographie stiehlt.«

»Eintausend, Sir«, korrigierte sie ihn und beugte sich vor. Der Zug wackelte auf einmal so heftig, dass sie sich an der Armlehne festhalten musste. »Siebenhundert in Banknoten und dreihundert in Gold.«

»Aber natürlich!« Mr. Arrowood sah mich angewidert an. »Eintausend Pfund! Holmes bricht sofort auf, um Miss Adlers Haus zu überwachen, und hat ein oder zwei Tage später das Bild beschafft.«

»Er hatte das alles geplant, Sir. Er ist wahrlich ein Genie.« Nun sah die junge Dame mich an, während sie den Fall erläuterte. »Sherlock Holmes hatte eine Menschenmenge zu Irene Adlers Haus geschickt, die dort für einigen Aufruhr sorgte. Dann tat er so, als wäre er verletzt, damit Miss Adler ihn in ihr Haus ließ. Sobald er sich Zutritt verschafft hatte, warf Watson eine Rauchbombe durchs Fenster. ›Feuer, Feuer!‹, riefen alle sofort. Miss Adler lief los, um die Photographie aus dem Versteck zu holen. Aber bevor sie dazu kam, rief Holmes, dass es ein falscher Alarm sei.« Sie sah erneut Mr. Arrowood an. »Doch er nahm die Photographie nicht an sich, Sir. Irene Adler begriff, dass sie es mit Sherlock Holmes zu tun hatte, und ließ ihn von einem Kutscher überwachen, damit er nicht an die Photographie gelangen konnte. Sie ging mit ihrem neuen Ehemann nach Amerika und hinterließ einen Brief, in dem sie versprach, die Photographie nie zu veröffentlichen.«

»Und der Fall ist Ihrer Meinung nach gelöst, Miss?«, fragte Mr. Arrowood freundlich.

»Ja. Der König hat den Skandal verhindert. Er glaubt, dass Irene Adler ihr Wort halten wird.«

»Das tut er in der Tat. Aber verraten Sie mir doch bitte, Miss, ob Ihnen an der ganzen Sache nicht etwas seltsam vorkommt.«

»Ich weiß nicht, was Sie meinen.«

»Nun, Sie sagen ja selbst, der König glaubt, dass sie ihr Wort halten wird. Was wiederum bedeutet, dass er ihr vertraut. Aber wie ist es möglich, dass eine derart ehrenwerte Frau, deren Wort man völlig vertrauen kann, eine Erpressung überhaupt in Betracht gezogen hat? Sind das nicht zwei gegensätzliche Charakterzüge?«

»Ja, ich schätze schon«, gab sie zu und sah ihm fragend ins Gesicht. »Darüber habe ich noch gar nicht nachgedacht.«

»Was glauben Sie, aus welchem Grund sie den König erpresst hat?«

»Sie wollte ihn in den Ruin treiben.«

»Aber wieso?«, flüsterte er und beugte sich auf seinem Sitz vor.

»Weil er die Affäre beendet hat«, erwiderte sie achselzuckend. »Das steht doch in der Geschichte.«

»Doch sie ist doch jetzt frisch verheiratet. Tatsächlich sogar erst seit einem Tag. In ihrem Brief schreibt sie, dass sie diesen Mann liebe und dass er ein besserer Mann als der König sei.«

Die junge Frau nickte und kniff die Augen zusammen. »Das hat mir auch nicht eingeleuchtet. Wenn sie das alles hat, warum interessiert sie sich dann überhaupt noch für den König und bringt ihr Glück in Gefahr?«

»Genau das habe ich mich auch gefragt!«, rief Mr. Arrowood triumphierend. Er rückte noch weiter nach vorn, sodass seine Knie beinahe die ihren berührten. Die junge Dame rutschte auf ihrem Sitz nach hinten und schien vor seiner Unrast zurückzuschrecken. Seine Stimme klang immer eindringlicher. »Irene Adler war eine erfolgreiche Opernsängerin. Sie besitzt ein beeindruckendes Haus. Jeder, der ihr begegnet, bewundert sie, und sie hat die Liebe gefunden. Diese Handlungsweise passt nicht zu einer Frau in ihrer Position. Was schreibt sie in ihrem Brief an Holmes? Dass der König grausam gewesen sei und sie misshandelt habe. Er hat sie grausam misshandelt, Miss. Wäre ich anstelle des Detektivs gewesen, hätte ich mich gefragt, was das zu bedeuten hat. Ich hätte den Fall nicht einfach als gelöst eingestuft und zu den Akten gelegt, vielmehr hätte ich weiter nachgeforscht.«

»Was hat das denn Ihrer Meinung nach zu bedeuten, Sir?«, fragte sie. Auf ihrem Gesicht spiegelten sich widersprüchliche Gefühle, da sie diesen dicken Fremden einerseits nicht noch weiter anstacheln wollte, andererseits jedoch ihre Neugier befriedigen musste.

»Die Sache ist die, Miss.« Er wackelte mit einem Finger über seinem fettigen Kopf herum. »Und das ist eine sehr interessante Geschichte. Der König hatte Miss Adler zwei Jahre zuvor die Ehe versprochen. Sie trug sogar seinen Ring. Doch sie hatte keinerlei Kenntnis davon, dass er etwa zur gleichen Zeit noch eine andere Dame umwarb und sich mit ihr verlobte.«

»Dann wollte sie sich rächen?«

»Nein«, entgegnete Mr. Arrowood. »Vergessen Sie bitte nicht, dass sie jetzt mit einem besseren Mann verheiratet ist. In Wahrheit ging es bei diesem Fall darum, dass sie den Betrug des Königs ans Licht bringen wollte. Sie wollte seine Verlobte davor warnen, was für ein Mann er wirklich war.«

Die junge Dame presste die Lippen aufeinander. Ich konnte ihr ansehen, dass sie nicht überzeugt war. »Aber er hatte doch seine Wahl getroffen. Er hat nur seine Meinung darüber geändert, wen er heiraten wollte. Das ist doch nicht so schlimm. Vor der Hochzeit kann es sich doch jeder noch einmal anders überlegen.«

»Das ist eine sehr moderne Ansicht, würde ich behaupten«, sagte Mr. Arrowood und rümpfte missbilligend die Nase. »Aber hinter der Sache steckt noch mehr, Miss. Bevor sich der König von Miss Adler trennte, hatte sie bereits Verdacht geschöpft. Sie ließ ihn von einem Detektiv verfolgen. Dieser Mann fand heraus, dass der König zur gleichen Zeit noch mit zwei weiteren Frauen verkehrte, von denen eine Schauspielerin war.«

»Eine Schauspielerin!«

»Und zwar zur selben Zeit. Während er sich auf die Hochzeit mit der Prinzessin vorbereitet, ist er noch mit drei anderen Frauen liiert. Aber passen Sie gut auf, das ist noch nicht alles. Bei der anderen Frau handelte es sich um ein Zimmermädchen des Langham-Hotels, in dem er eine Suite gemietet hatte. Nach einigen Monaten stellte das Mädchen fest, dass es ein Kind erwartet. Als das arme Ding ihm von ihrer Lage berichtete, wandte er sich an den Hoteldirektor und ließ sie hinauswerfen.« Mr. Arrowood hielt kurz inne und senkte die Stimme. »Sie hat sich noch in derselben Nacht von der Waterloo Bridge gestürzt.«

Die junge Frau keuchte auf und starrte mich entsetzt an.

»Das hat der Detektiv im Hotel von den Freundinnen der jungen Frau erfahren. Aus diesem Grund wollte Irene Adler ihn bloßstellen. Sie wollte seiner Verlobten zeigen, was für ein Mann er wirklich war: ein grausamer, betrügerischer Mann. Und dies war der einzige Weg, der ihr eingefallen war, der nicht mit einer Anklage wegen Verleumdung enden würde.«

»Dann war Irene Adler eigentlich gar nicht die Schuldige?«, fragte die junge Frau, während der Zug langsamer wurde.

»Nein, sondern der König. Irene Adler wollte ihre Rivalin sogar beschützen. Und alles, was seither geschehen ist, beweist, dass sie damit richtig getan hat. Es ist allseits bekannt, dass der König eine Cousine seiner Frau in einer Villa in Prag beherbergt. Er betrügt sie direkt vor ihrer Nase, und es ist ihm völlig gleichgültig, wer davon weiß. Seine arme Frau leidet schrecklich darunter.«

Die junge Dame schlug ihr Magazin kopfschüttelnd zu und legte es neben sich auf den Sitz. Der Zug fuhr in den Bahnhof ein. Ein alter Mann mit einer Arzttasche stieg in unseren Waggon.

»Aber warum hat Sherlock Holmes denn nicht erkannt, dass der König ihn betrogen hat?«, fragte sie, als wir uns wieder in Bewegung setzten.

»Möglicherweise sind ihm die Hinweise entgangen. Vielleicht wurde seine berühmte Auffassungsgabe von dem Status des Mannes, der ihn um Hilfe bat, beeinflusst. Schließlich ist Sherlock Holmes nicht der Einzige, der davon ausgeht, Adlige seien vertrauenswürdiger als der Rest der Gesellschaft. Oder, und ich zögere, das anzudeuten, es könnte durchaus sein, dass die außerordentlich hohe Belohnung den großen Detektiv vorübergehend mit Blindheit geschlagen hat. Er sieht Frauen als emotionale Geschöpfe an, wie er sehr häufig bei seinen Fällen verkündet. Er nimmt sie nicht ernst.«

»Ach herrje«, murmelte die Dame. »Aber warum verspricht Miss Adler in ihrem letzten Brief, den König nicht bloßzustellen?«

Mr. Arrowood zuckte mit den Achseln. »Zweifellos ist sie eingeschüchtert, weil sie es mit dem berühmten Sherlock Holmes zu tun hat. Er hat immerhin ein großes Spektakel veranstaltet, um in ihr Haus zu gelangen, und die ganze Welt weiß, dass er von hochrangigen Persönlichkeiten respektiert wird. Oder ihr fehlt schlichtweg die Kraft für eine Auseinandersetzung. Ich weiß es nicht.«

Die Dame hob ihren Korb hoch und stellte ihn neben sich auf den Sitz. Dann musterte sie Mr. Arrowood misstrauisch.

»Woher wissen Sie das alles?«

»Ich weiß es nicht.« Mr. Arrowood lächelte und faltete die Hände auf dem Bauch. »Das habe ich mir gerade ausgedacht.«

Ihr fiel die Kinnlade herunter. Ich konnte nicht anders und musste lachen, da sie so unglaublich verblüfft wirkte.

»Aber es könnte der Wahrheit entsprechen, Miss«, fuhr er fort und wirkte gleich wieder lebhafter. »Genau darum geht es doch. Dieser Fall ruft noch so viele Zweifel hervor, dass man gar nicht anders kann, als weitere Nachforschungen zu verlangen. Holmes stellt nie die Frage, wer hier der eigentliche Übeltäter ist. Er vertraut einfach auf den Rang und ignoriert alle Hinweise darauf, dass man noch einer ganz anderen Geschichte auf die Spur kommen könnte. Der einzige Teil meiner Geschichte, der der Wahrheit entspricht, betrifft den König, der sich nach der Heirat tatsächlich die Cousine seiner Gattin als Mätresse genommen hat, was allseits bekannt ist. Seine arme Frau ist zur wahren Einsiedlerin geworden.«

Der Zug fuhr in den nächsten Bahnhof ein. Die junge Frau schüttelte den Kopf, als wäre ihr der Tagesausflug soeben verdorben worden, erhob sich und griff nach ihrer Tasche und ihrem Korb.

»Hier muss ich aussteigen«, murmelte sie.

»Guten Tag, Miss«, sagte Mr. Arrowood so fröhlich, wie es nur möglich war. Als sich die Tür hinter ihr schloss, wurden die Seiten des Magazins, das sie zurückgelassen hatte, aufgewirbelt.

Sobald wir uns Croydon näherten, griff Mr. Arrowood in seine Manteltasche und zog ein kleines, mit rotem Samt bezogenes Kästchen hervor.

»Das habe ich heute Morgen gekauft«, sagte er. »Denken Sie, sie wird Isabel gefallen?«

Darin lag eine dünne Goldkette, an der ein tränenförmiger Opal befestigt war.

Ich blickte in Mr. Arrowoods hoffnungsvolles Gesicht.

»Sie wird ihr gefallen«, erwiderte ich.

Er lächelte und steckte das Kästchen wieder ein.

»Was werden Sie tun, wenn sie nicht zurückkommt?«, wollte ich wissen.

»Wir waren früher einmal glücklich und können es wieder sein.«

»Sie haben ihr das Leben nicht gerade leicht gemacht. Möglicherweise hat sie einen anderen Mann gefunden. Einen wohlhabenderen als Sie.«

»Ich habe meine Lektionen gelernt, mein Freund.« Er legte einen Ellenbogen auf das Fensterbrett und blickte auf die kleinen Häuschen mit ihren grauen Dächern und den verrußten Schornsteinen, an denen der Sommerregen funkelte, hinab. »Dieses Mal werde ich mich anders verhalten.«

»Wie denn?«, erwiderte ich erbitterter, als ich es beabsichtigt hatte. »Sie sind noch immer derselbe und besitzen auch nicht mehr Geld.«

»Ich habe das Gefühl, dass wir an einem Wendepunkt angelangt sind, Norman, nach allem, was wir getan und was wir über diesen Beruf gelernt haben. Wenn wir an die Öffentlichkeit bringen, wie Cream an die Gewehre der britischen Armee gelangt ist, werden wir Helden sein.«

»Aber wir wissen noch gar nicht, woher er die Gewehre hat.«

»Wir sind ganz nah dran. Es muss etwas mit Venning und Longmire zu tun haben. Wir müssen die Puzzleteile nur zusammenfügen. Und wenn uns das gelingt, werden die Zeitungen monatelang über nichts anderes schreiben. Die Menschen werden begreifen, dass Sherlock Holmes nicht der einzige Privatdetektiv in London ist, und dann bekommen wir auch bessere Fälle. Sie könnten es sogar wie Watson machen und eigene Geschichten schreiben.« Er lachte auf. »Wenn Sie denn schreiben könnten, alter Freund.«

»Isabel ist nicht nur des Geldes wegen gegangen«, gab ich zu bedenken und ignorierte seinen Witz.

»Aber der Geldmangel war unser Hauptproblem. Sobald sie sieht, dass ich erfolgreich bin und dass wir ein gutes Leben führen können …« Sein Blick fiel auf seine Schuhe. »Dass sie stolz auf mich sein kann …«

»Ich hoffe es für Sie.«

»Was soll ich denn sonst tun?«

Als ich Mr. Arrowood so vor mir sah, wie er auf der Sitzkante saß und sich das so sehr wünschte, dass ich es beinahe spüren konnte, tat er mir beinahe leid.

»Aber Sie müssen die Augen offen halten, William. Ich möchte nicht, dass Sie verletzt werden.«

Er sah mich durch seine Brille an und blinzelte mehrmals, als müsse er die Tränen zurückhalten. Ich bot ihm ein Toffee an.

»Danke«, sagte er und steckte ihn sich in den Mund.

Wir kauten eine Weile. »Was denken Sie eigentlich über Miss Coustures gestrige Reaktion, Norman?«

»Ich gehe davon aus, dass sie Longmire erkannt hat.«

Er nickte. »Ihr Gesicht hat sie verraten. Mr. Darwin schreibt, Gesichtsausdrücke wären für die Leidenschaften das, was die Sprache für die Gedanken ist. Sie ist eine gute Lügnerin, daher konnte sie nur eine sehr starke Emotion derart verraten. Aber warum hat sie sie verborgen? Und was genau haben Sie in ihrem Gesicht gesehen?«

»Ich weiß es nicht. Möglicherweise weiß sie nicht mehr weiter?«

»Es war Hass. Das konnte ich ihr deutlich an den Augen ansehen.«

»Bei allem Respekt, Sir, ich bin mir nicht sicher, ob Sie etwas in den Augen eines Menschen erkennen können. Ich weiß nicht, ob so etwas möglich ist.«

»Sperren Sie die Ohren auf, dann erkläre ich es Ihnen.« Er schüttelte den Kopf. »Fontaines Geschäft ist sehr schlecht beleuchtet. In der Dunkelheit vergrößern sich die Pupillen, da sie nach dem wenigen Licht gieren. Das ist ganz einfache Physiologie. Haben Sie ihr in die Augen gesehen?«

Ich verneinte.

»Zu Beginn unserer Unterhaltung hatte sie die Augen weit geöffnet, ebenso wie Sie und zweifellos auch ich. Aber in dem

Augenblick, in dem ich Longmire und seinen Leberfleck beschrieb, kniff sie die Augen zusammen. Ihre Pupillen wurden kleiner als Pfefferkörner. Es geschah so schnell, wie man eine Hand von einer heißen Herdplatte wegziehen würde.«

»Ist das einer Ihrer neuen Tricks?«

»Es ist kein Trick. So deutet man Emotionen. Ich habe ihrem Verstand ein Bild beschrieben, und ihre Augen haben versucht, es nicht in ihren Kopf eindringen zu lassen. Doch dann verschwand der Hass, und etwas Seltsames geschah. Ist Ihnen aufgefallen, dass sie sich mehrfach geräuspert hat? Bitte verraten Sie mir doch, was Sie in diesem Moment gespürt haben?«

»Daran kann ich mich kaum noch erinnern.«

»Mir wurde ein wenig übel«, sagte er. »Und mich beschlich das merkwürdige Gefühl, dass sich ihre Emotionen auf mich übertragen hatten. Es war fast schon unheimlich, Barnett. Halten Sie so etwas für möglich?«

»Ich weiß es nicht. Wahrscheinlich ist alles möglich.«

»Wenn dem so wäre, warum sollte sie dann so reagieren?«

»Vielleicht aus Angst? Vor Furcht kann einem schon mal speiübel werden.«

»Angst?« Er runzelte die Stirn. »Interessant. Das sollten wir uns besser merken. Vielleicht wird sie uns ja jetzt, wo wir Thierry gefunden haben, mehr verraten. Möglicherweise wird sie nun endlich ehrlich zu uns sein.« Er schüttelte seinen großen Kopf und seufzte. »Der halbe Fall scheint allein daraus zu bestehen, aus Miss Cousture schlau zu werden.«

Wir kauten weiterhin auf unseren Toffees herum und sahen, wie die Häuser der Vorstadt an uns vorbeisausten. Erst als wir Victoria erreichten, sprach Mr. Arrowood weiter.

»Wir haben Thierry zwar gefunden, aber dieser Fall ist noch nicht gelöst, Barnett. Das wissen Sie doch?«

»Ja, William.«

»Wir müssen Marthas Mörder finden und der Gerechtigkeit überführen. Ich könnte es nicht ertragen, wenn wir scheitern.«

Der Zug hielt an. Wir stiegen aus und ließen uns mit der Menschenmenge über den Bahnsteig zum Ausgang schieben.

»Und wenn wir Miss Cousture bei ihrer Aufgabe helfen und Cream bloßstellen können, wäre das umso besser für uns«, sagte er, sobald wir ins Freie getreten waren. »Den morgigen Tag werde ich mit Isabel verbringen. Gehen Sie bitte zum Alexandra Park. Dort findet mittags ein Rennen statt. Nehmen Sie Gullen mit und bieten Sie ihm dafür ein paar Schillinge an. Vielleicht entdeckt er dort einen der Einbrecher. Sie haben die Beschreibung von Paddler Bill doch noch im Kopf, nicht wahr? Ein großer rothaariger Mann mit amerikanischem Akzent. Er ist der Anführer. Folgen Sie ihm. Finden Sie heraus, wo er wohnt. Wenn er nicht dort ist, kann Gullen vielleicht einen der anderen identifizieren. Nehmen Sie auch Neddy mit, dann sieht es aus, als würden Vater und Sohn einen Ausflug machen.«

»Wird erledigt, Sir.«

»Und, Norman … Seien Sie bitte vorsichtig. Meine Schwester und ich können von Glück reden, dass wir noch am Leben sind. Falls sich Gefahr andeutet, bringen Sie Neddy sofort von dort weg. Lassen Sie sich von diesen Leuten ja nicht erwischen.«

32

Neddy und Gullen stimmten beide begeistert zu, mich in den Frying Pan zu begleiten, und so stiegen wir drei am nächsten Morgen in den überfüllten Zug zum Alexandra Park. Vor dem Bahnhof protestierte die National Anti-Gambling League in Form von zwei Männern und einem Dutzend Frauen, die Schilder hochhielten, auf denen stand: *Wetten verringert die Männlichkeit!*, *Rennen führen zu Ruin!*, sowie allerlei weitere gut gemeinte Halbwahrheiten. Als wir an ihnen vorbeigingen, pöbelte mich ein Mann mit buschigem Schnurrbart an.

»Wie können Sie es wagen, ein Kind dorthin mitzunehmen, Sir!«, bellte der Mann, der einen neuen Zylinder aus Satin und auf Hochglanz polierte Schuhe trug.

Neddy starrte den wütenden Gentleman ängstlich an.

»Sie werden Ihrem Sohn noch dieselbe Verkommenheit anhängen, die all diese Abertausend Narren befallen hat, die hierherkommen, um ihr Geld zu verspielen«, fuhr der Mann fort und hielt mich am Arm fest. »Seien Sie verantwortungsbewusst, Sir. Setzen Sie einen beeinflussbaren Geist nicht diesem Laster aus.«

Drei der Frauen hatten sich nun ebenfalls um uns versammelt.

»Schande über Sie!«, schimpfte die eine.

»Bringen Sie den Jungen nach Hause«, verlangte eine andere.

»Er sollte in der Schule sein!«, rief die Erste.

Ich nahm Neddys Hand und ging mit ihm weiter. Wir betraten das Gelände, als das erste Rennen gerade begann. Es war gerammelt voll. Neddy sprang in der Menge auf und ab und versuchte einen Blick auf die Pferde zu erhaschen, aber es waren einfach zu viele Menschen hier, und der Junge war zu klein. Es erhob sich Gebrüll, als die Pferde auf die Gerade einbogen, und dann war es vorbei. Billetts wurden zerrissen und auf den Boden geworfen, und Männerhorden drehten sich um und strebten zu den Bierständen.

»Wo haben Sie sie das letzte Mal gesehen?«, fragte ich Gullen.

»Ich stand immer dort drüben, rechts neben der Haupttribüne«, antwortete er und deutete auf die andere Seite des Geländes. »Da ist es nicht so voll, und es versperren einem keine Bäume die Sicht. Normalerweise sind sie auch immer da.«

Wir brauchten zehn Minuten, um uns einen Weg durch die Menge zu bahnen. Die meisten Männer waren bereits halb betrunken, unterhielten sich laut oder informierten sich über das nächste Rennen. Endlich erreichten wir die andere Seite der Haupttribüne, wo sich ein langer Bierstand befand. Zwischen dem Tresen und den Häuschen der Buchmacher saßen Männer auf Bänken. Plötzlich merkte Gullen auf.

»Da drüben bei den Mülltonnen«, sagte er und zog sich die Kappe tiefer ins Gesicht, um nicht erkannt zu werden.

Sie sahen genauso aus, wie Ernest sie beschrieben hatte. Bei dem Großen musste es sich um Paddler Bill handeln. Unter seiner schwarzen Kappe lugte ein Schwall roter Haare hervor, die bis zu seinem dichten Bart reichten. Neben ihm stand ein breitschultriger Mann mit ordentlich gestutztem schwarzen

Bart, einer Melone in der Hand und einem dreiteiligen Anzug, der neu aussah. Die beiden unterhielten sich mit einem widerlich aussehenden Kerl mit langem blonden Haar, dessen Hose viel zu lang war und über den Boden schleifte. Bei ihrem Anblick lief mir ein kalter Schauer den Rücken hinunter.

»Was ist?«, fragte Gullen.

»Nichts.«

Ein weiterer Mann trat mit vier Bierkrügen in den Händen zu ihnen. Er trug einen braunen Anzug und hatte sich ein rotes Halstuch in den Kragen gestopft. Bill nahm sein Bier und ging zu den Buchmachern, um eine Wette abzuschließen.

»Wie wäre es mit einem Bier?«, schlug Gullen vor.

Wir holten uns etwas zu trinken und fanden einen Platz auf der anderen Seite, von wo aus wir die Feniers im Auge behalten konnten. Neddy lief los, als das nächste Rennen begann, und wollte sich bis nach vorn durchdrängeln. Wir tranken unser Bier aus.

»Könnte ich jetzt vielleicht die zwei Schillinge haben?«, fragte Gullen.

Ich reichte sie ihm.

»Brauchen Sie mich noch?«, erkundigte er sich dann.

»Nein. Danke, mein Freund. Sie können nach Hause gehen.«

Er schnitt eine Grimasse und schaute zur Bar hinüber. »Ich denke, ich bleibe noch ein bisschen. Möchten Sie noch etwas trinken?«

Die Bande blieb den ganzen Nachmittag da. Hin und wieder ging einer von ihnen zum Tresen, zu einem Buchmacher oder auf die Toilette und kehrte dann zurück. Es war nicht das geringste Problem, sie zu beobachten; sie nahmen uns überhaupt nicht zur Kenntnis. Wir waren nichts weiter als zwei Männer mit einem Jungen unter Tausenden. Gullen blieb bei mir und stellte sich hinter einen Pfosten, sodass sie ihn nicht sehen konnten. Wie sich herausstellte, war er gar kein so übler Kerl, und wir verstanden uns gut.

»Falls Sie mal Hilfe brauchen, springe ich gern ein«, sagte er später am Nachmittag, nachdem wir uns gerade ein neues Bier geholt hatten.

»Ich werde es Mr. Arrowood ausrichten.«

»Sie müssen ein sehr interessantes Leben führen. Ich habe alles über Sherlock Holmes' Abenteuer gelesen. Er ist wirklich äußerst beeindruckend, fast schon ein Genie.«

»Das sollten Sie lieber für sich behalten, wenn Sie noch einmal für uns arbeiten wollen«, erwiderte ich. »Mr. Arrowood kann Sherlock Holmes nicht ausstehen.«

Nach dem letzten Rennen gingen die Feniers zusammen mit den anderen Zuschauern zum Ausgang. Wir folgten ihnen zum Zug, blieben jedoch auf Abstand und stiegen mit als Letzte in ihren Wagen ein. Gullen verließ uns am Bahnhof King's Cross, um mit einer anderen Linie nach Hause zu fahren, während Neddy und ich den Männern in die Metropolitan Line folgten. Dieses Mal waren wir noch vorsichtiger, nahmen den nächsten Wagen und beobachteten sie durch die Verbindungstüren. Sie waren guter Laune, unterhielten sich angeregt, lachten und warfen die Hände in die Luft. Es sah ganz danach aus, als hätte einer von ihnen beim Rennen etwas gewonnen. Sie stiegen zusammen am Westbourne Park aus und überquerten den Kanal, um in einen Pub zu gehen. Ich postierte Neddy vor der Tür und trug ihm auf, dem großen Rothaarigen zu folgen, falls er herauskommen sollte. Dann betrat ich den Pub, bestellte mir ein Bier und setzte mich auf der anderen Seite des Raumes auf eine Bank. Es war früher Abend, und der Raum war mit zwanzig bis dreißig Gästen gefüllt. Ein

Buchmacher drehte seine Runde, und die Feniers platzierten bei ihm noch ein paar Wetten. Dann kam der Schneckenverkäufer, und ich verspeiste etwas Aal in Gelee. Niemand nahm von mir Notiz. Einige Zeit später kamen zwei Damen herein, die beide geblümte Sommerhäubchen und weite Röcke trugen. Sofort drehten sich alle zu ihnen um, und Paddler Bill stand auf.

»Polly! Mary! Kommt hier rüber, damit ich euch einen ausgeben kann!«

Die Damen gingen lachend zum Tisch der Feniers, wo sie mit Umarmungen und Küssen begrüßt wurden. Der Lärm stieg weiter an.

Kurz darauf ging der schwarzbärtige Mann. Ich holte mir noch etwas zu trinken, und als ich mich gerade vom Tresen abwandte, ging die Tür wieder auf. Im Türrahmen erschien der andere Mann, den wir schon seit Wochen suchten. Er trug noch immer denselben verschlissenen Wintermantel. Sein verzerrtes Gesicht war schweißüberströmt, sein öliges graues Haar klebte ihm in der Stirn. In einer Hand hielt er die *Times*. Es war der Mann, der Martha getötet hatte.

Ich wusste nicht, wie gut er mich an jenem Tag, als ich ihm hinterhergejagt war, hatte sehen können, und erstarrte für einen Augenblick. Während ich eine Hand auf den Schlagstock in meiner Tasche legte, versuchte ich, hinter einem großen Kohlenmann zu verschwinden. Der Mörder ließ den Blick durch den Raum schweifen. Als er mich ansah, schien er kurz zu stutzen, und ich war schon drauf und dran, zur Tür zu laufen, doch dann runzelte er die Stirn, wandte den Blick ab und entdeckte endlich die Bande. Ich atmete auf.

Er drängte sich durch die anderen Gäste zu den Feniers durch und warf die Zeitung auf ihren Tisch. Ich konnte ihre Worte nicht verstehen, aber Bill nahm die Zeitung und betrachtete sie. Er runzelte die Stirn, und als er etwas sagte, schien er stinksauer geworden zu sein. Nachdem er die Zeitung auf den Tisch geknallt hatte, stürzten sie alle ihren Whisky herunter, nahmen ihre Hüte und verließen unter Pollys und Marys Protest den Pub.

Ich brachte meinen leeren Bierkrug zur Bar und warf auf dem Rückweg einen Blick auf die Zeitung, die sie liegen gelassen hatten. Die Schlagzeile auf dem Titelblatt lautete: SIR HERBERT VENNING ERMORDET!

Neddy wartete draußen auf mich, und wir folgten der Bande, wobei wir nun einen sehr großen Abstand hielten. Auf den Straßen herrschte dank der zahlreichen Pferdeomnibusse, Kutschen und Fußgänger, die von der Arbeit nach Hause gingen, zwar viel Verkehr, aber es wurde immer wahrscheinlicher, dass sie uns entdeckten. Wenn nur einer von ihnen uns auf der Rennbahn gesehen hatte, würden sie Verdacht schöpfen.

Es dauerte nicht lange, da blieben sie vor einem kleinen Buchladen stehen. Wir verbargen uns in einem Hauseingang ein Stück die Straße entlang, während der Mann, der Martha getötet hatte, seinen Schlüsselbund zückte und die Tür aufschloss. Sie gingen hinein, und die Tür wurde wieder geschlossen. Im oberen Stockwerk ging eine Lampe an. Einige Minuten später kam ein Botenjunge die Straße entlang, und ich fragte ihn, wem der Buchladen gehörte.

»Das ist John Gaunts Laden, Sir«, antwortete der Junge.

»Ist er Ire?«

»Die meisten Leute, die hier leben, sind Iren, Sir.«

»Führt hinter dem Haus eine Gasse entlang?«

»Nicht, dass ich wüsste, Sir«, erwiderte der Junge und ging weiter.

Es wurde dunkel. Wir gingen auf die andere Straßenseite

und versteckten uns unter der Treppe einer Anwaltskanzlei. Eine Stunde später kam Paddler Bill wieder aus dem Haus. Als er am Ende der Straße um die Ecke gebogen war, lief Neddy ihm hinterher und wartete an der Kreuzung auf mich.

»Er ist in die Straße da gegangen«, berichtete er und deutete auf die entsprechende Abzweigung.

»Lauf weiter.«

Er huschte zur nächsten Ecke, wo er wieder auf mich wartete. Wir setzten das fünf Minuten lang fort, bis wir sahen, wie Bill seine Schlüssel hervorholte und ein hohes Haus direkt gegenüber einer Schule betrat.

Inzwischen war die Nacht angebrochen. Wir verbargen uns unter einem großen Torpfosten auf dem Schulhof. In drei der vier vorderen Fenster des Hauses brannte Licht, und schon bald war auch das Flackern eines Gaslichts im Keller zu sehen. Wir warteten noch eine halbe Stunde, aber es tat sich nichts. Vielmehr machte es den Anschein, als hätte sich Paddler Bill für die Nacht zurückgezogen.

Ich stand auf. Den ganzen Tag über hatte ich an Mr. Arrowoods Treffen mit Isabel denken müssen, und ich war zunehmend besorgter, dass er jetzt am Boden zerstört sein müsse und Hilfe benötigen würde.

»Lass uns gehen, Junge«, sagte ich. »Ich muss zurück und nachsehen, wie es Mr. Arrowood geht.«

»Aber der Mann könnte wieder rauskommen, Mr. Barnett«, erwiderte Neddy und blickte zu mir auf. Ich konnte ein leichtes Funkeln in seinen Augen erkennen.

»Das kann durchaus passieren, aber wir müssen nach Hause.«

»Ich werde bleiben, Sir.«

»Nein, Neddy, du kommst mit mir. Ich möchte nicht, dass du ganz alleine hierbleibst.«

»Aber so was habe ich doch schon oft gemacht! Und haben Sie nicht selbst gesagt, dass ich viel gelernt habe?«

»Das stimmt, aber ...«

»Sie können mir vertrauen, Sir.« Er sah mich ernst an und steckte die Hände in die Jackentaschen. »Ich lasse mich auch bestimmt nicht sehen und bringe mich nicht in Gefahr.«

»Das kannst du vergessen.«

»Bitte, Mr. Barnett. Es wird wirklich nichts passieren. Bitte.«

Ich schaute mich um und erinnerte mich, wie Mr. Arrowood gesagt hatte, dass Neddy ihn gern beeindrucken wollte. Es war offensichtlich, wie wichtig dem Jungen das war. Auf der Straße war alles ruhig. Es sah nicht danach aus, als würde in dieser Nacht noch irgendetwas passieren.

»Na gut, Junge«, entschied ich. »Er ist bestimmt zu Bett gegangen, aber du kannst auch hierbleiben und herausfinden, ob er noch Besuch bekommt. Wenn in der nächsten halben Stunde nichts passiert, kommst du nach Hause. Aber du musst sehr vorsichtig sein. Geh kein Risiko ein. Versuch nicht wieder, jemandem zu folgen. Bleib im Schatten verborgen, und achte darauf, dass niemand dich sieht.« Ich hockte mich hin, damit ich ihm in die Augen sehen konnte, und nahm seine Schultern. »Kann ich mich darauf verlassen, dass du kein Risiko eingehen wirst?«

»Ich werde sehr vorsichtig sein, Sir. Er wird nie erfahren, dass ich hier gewesen bin.«

»Versprich mir, dass du niemandem folgen wirst.«

»Ich verspreche es.« Seine Miene war sehr ernst. »Mr. Barnett?«

»Ja?«

»Glauben Sie, diese Männer haben Terry getötet?«

»Nein, mein Junge. Wir haben Terry gestern in Sussex gefunden. Ich habe völlig vergessen, dir das zu erzählen. Er ist in Sicherheit und wohlauf. Jetzt arbeitet er in einer Back-stube.«

»Dann haben wir den Fall gelöst?«

»Fast. Wir müssen nur noch Antworten auf einige Fragen finden.«

Er nickte. Meine Knie fingen an zu schmerzen, und so stand ich wieder auf und schnippte ihm dabei gegen die Kappe.

»Konnten sie keine kleinere für dich finden?«, fragte ich. »Diese ist doch für einen Erwachsenen gedacht.«

»Mir gefällt sie.«

»Sie ist dir viel zu groß. Und sie ist eingerissen.«

»Sie ist besser als Ihre, Sir«, gab er zurück und sah aus, als hätte ich ihn beleidigt.

Ich musste lachen.

»Wir treffen uns morgen in Lewis' Haus«, trug ich ihm auf.

Ich kaufte ihm um die Ecke eine heiße Kartoffel, gab ihm das Busgeld für die Heimfahrt und ließ ihn dann auf dem Schulhof zurück, wo er in seinem Versteck hockte und auf der Kartoffelschale herumkaute.

33

Es war schon nach zehn, als ich in dieser Nacht das Haus erreichte. Lewis öffnete mir die Tür, und Ettie stand hinter ihm in dem kurzen Flur.

»Er ist nicht nach Hause gekommen«, berichtete er und trat beiseite, um mich hereinzulassen. Der Flur wurde von einer einzigen Gaslampe in schwaches Licht getaucht. Obwohl es draußen noch relativ warm war, fing ich im Haus sofort an zu frieren.

»Wann haben Sie ihn das letzte Mal gesehen?«, fragte Ettie.

»Gestern«, antwortete ich. »Als wir aus Sussex zurückkamen.«

»Glauben Sie, dass er noch bei ihr ist?«

Ich schüttelte den Kopf. »Ich wüsste nicht, was sie so lange tun sollten, Ettie. Sie hat in London keine Unterkunft und ist noch nie gern in Pubs gegangen.«

Ettie legte die Hände auf die Brust.

»Oje. Denken Sie, Cream hat ihn gefunden?«

»Ich werde mal im Hog nachsehen«, schlug ich vor. »Wenn Isabel ihm gesagt hat, dass sie nicht zu ihm zurückkommt, ist er bestimmt dorthin gegangen und wird inzwischen halb im Gin ertrunken sein.«

»Soll ich mitkommen?«, bot Lewis an.

»Das ist nicht nötig.«

Ettie nahm meine Hand. »Sie sehen müde aus. Möchten Sie etwas essen?«

»Es geht mir gut. Ich sollte lieber gleich losgehen und ihn suchen.«

»Danke, Norman. Wir werden auf Sie warten.«

In Wahrheit war ich hundemüde. Der Pub lag einen halbstündigen Fußmarsch von Lewis' Haus entfernt, und ich war völlig erschöpft. Zwar war die Schwellung meines Arms größtenteils zurückgegangen, aber abends schmerzte er noch immer stark. Ich brauchte eine weitere Dosis Opiumessig, wusste aber auch, dass ich mich dann nur noch mehr nach meinem Bett sehnen würde.

Im Hog herrschte reger Betrieb. Die Luft stank nach Bier und Rauch. Der Großteil der Gäste kam von einer Trauerfeier, war betrunken und ganz in Schwarz gekleidet, wobei vom Kleinkind bis zu den Großeltern alle Altersgruppen vertreten waren. Zwei Jungen wurden auf Bänken festgehalten und wehrten sich nach Leibeskräften, während sie sich quer durch den Raum fluchend anstarrten. Sie hatten beide rote Gesichter und aufgerissene Hemden und einer eine blutende Nase. Eine winzige alte Frau mit Haaren bis zur Taille stand auf einem Tisch und sang ein Lied, wobei sie ein Quart Gin in der Hand hielt. Ein Junge, der nicht älter als zwölf sein konnte, lag unter einem Tisch in einer Pfütze seines eigenen Erbrochenen.

Die Wirtin, die ich schon beim letzten Mal gesehen hatte, war auch heute wieder da.

»Mr. Arrowood?«, fragte ich.

Ohne ein Wort zu sagen, öffnete sie den Durchgang und deutete auf eine Tür hinter der Bar. Sie führte in einen dunklen Korridor, in dem zahlreiche Kisten und Fässer an den Wänden standen. Ich ging weiter, bis ich in einem Zimmer am Ende Stimmen hörte, und drückte die Tür auf.

Eine Frau mittleren Alters saß in Unterwäsche auf dem Rand einer dreckigen Matratze. Ihr Haar war grau und lockig, ihr Mund rot geschminkt.

»Wir sind beschäftigt, Schätzchen«, sagte sie und musterte mich mit schiefem Grinsen.

Eine einzige Talgkerze flackerte auf einem Waschtisch, auf dem eine halb geleerte Ginflasche stand.

Mr. Arrowood lag auf der Matratze, und ich konnte seinen gewaltigen, mit schwarzen Haaren bedeckten Bauch und seine Brustpartie sehen, die an beiden Seiten der Rippen herabhing. Er hatte die Hose auf dem Boden liegen lassen, seine graue und fleckige Unterwäsche befand sich jedoch noch dort, wo sie sein sollte, wofür ich sehr dankbar war.

Seine Augen waren geschlossen, sein Mund stand offen. Auf dem Boden neben dem Bett stand das mit rotem Samt bezogene Kästchen, das er mir im Zug gezeigt hatte.

»Wenn Sie geschäftlich hier sind, dann müssen Sie vorn warten«, erklärte mir die Frau mit heiserer, aber freundlicher Stimme. »Ich habe mit dem Gentleman hier alle Hände voll zu tun, wie Sie sehen können.«

»Schläft er?«

Als er meine Stimme hörte, grunzte er.

Die Frau stand auf.

»Warten Sie draußen«, sagte sie und wollte mich durch die Tür schieben. »Ich bin in einer halben Stunde fertig.«

»Nein«, widersprach ich. »Ich bin wegen Mr. Arrowood hier und will ihn nach Hause bringen. Ich bin sein Assistent Barnett. Sie sind Betts, nicht wahr?«

»Genau die bin ich, Schätzchen. Hat er über mich gesprochen?«

»Und ob er das hat.«

»Tja.« Sie runzelte die Stirn und dachte nach. »Aber er hat mich noch nicht bezahlt.«

»Wie viel?«

»Eine Krone.«

Ich hob seine Hose auf und entdeckte darin eine Münze.«

»Mr. Arrowood!«, rief ich dann, beugte mich vor und rüttelte ihn an der Schulter. »Ab nach Hause.«

Er stieß ein Geräusch aus, das wie ein Fluch klang, und drehte sich zur Wand um.

»Na los, stehen Sie auf.«

»Er ist seit zwei hier«, sagte Betts und deutete auf den Gin. »Das ist seine zweite Flasche.«

Sie half mir, ihn anzuziehen, dann hievten wir ihn zusammen auf die Füße. Als sie gerade nicht hinsah, steckte ich das Schmuckkästchen ein. Unter großer Anstrengung gelang es uns, ihn durch den Pub und auf die Straße zu schaffen. Sie hielt eine vorbeifahrende Droschke an, und wir quetschten ihn hinein.

Er übergab sich, als wir gerade in Lewis' Straße einbogen, und bekleckerte sein Hemd und den Boden. Der Kutscher schäumte, als wir vor dem Haus anhielten.

»Das ist diese Woche schon das dritte Mal, dass ich alles saubermachen muss, weil sich jemand übergeben hat!«, schimpfte er. »Ich bekomme den verdammten Gestank schon gar nicht mehr von den Händen runter!«

»Das tut mir sehr leid«, erwiderte ich. »Könnten Sie mir vielleicht ein wenig zur Hand gehen, damit er aussteigt, bevor es noch einmal passiert?«

»Ich musste einem Jungen zwei Pence zahlen, damit er das für mich wegmacht. Noch mal ertrage ich das nicht.«

»Helfen Sie mir jetzt, ihn aus der Droschke zu bekommen?«, fragte ich erneut.

Der Kutscher stand ungerührt auf dem Gehweg. Er war alt und drahtig und machte ein Gesicht, als hielte das Leben keine Freude mehr für ihn parat.

»Geben Sie mir zuerst die zwei Pence«, verlangte er.

Erst danach half er mir, Mr. Arrowood aus der Kutsche und bis vor Lewis' Tür zu schaffen.

Als ich am nächsten Morgen zurückkehrte, saß Mr. Arrowood im Salon. Er drückte sich ein Blatt braunes Papier an den Kopf, das nach Essig roch, und hatte eine Rührschüssel auf dem Schoß stehen. Sein Gesicht war bleich, seine Hand zitterte. Lewis hatte mit offener Weste ihm gegenüber Platz genommen und las die Zeitung. Um seinen unverletzten Arm hatte er auf Höhe des Ellenbogens ein elastisches Armband geschlungen, als wäre er ein Croupier.

»Eine Tasse Tee, Norman?«, fragte Ettie. Sie trug ihr Sonntagskleid aus blauer Seide, das an der Taille eng anlag, und hatte ihr Haar frisch gebürstet. Lächelnd berührte sie mich an der Schulter.

»Ja, gern, Ettie.«

»Und für Sie, Lewis?«

»Das wäre perfekt, Ettie. In der Küche müssten auch noch Kekse sein.«

»Extrazucker für mich bitte, Schwester«, sagte Mr. Arrowood leise.

Sie warf ihm einen wütenden Blick zu.

»Ist Neddy schon hier gewesen?«, erkundigte ich mich.

»Wir haben ihn nicht gesehen«, antwortete Ettie. »Vielleicht ist er in der Kirche.«

»Dann aber nur bei den Unitariern. Da bekommen die Bedürftigen an jedem zweiten Sonntag im Monat zwei Pence.«

Das sagte ich recht hoffnungsvoll, während ich mir einzureden versuchte, dass es keinen Grund gab, mir Sorgen zu machen. Dabei war ich eigentlich schon seit dem Vorabend besorgt, als ich mich auf dem Heimweg gemacht hatte und dabei ständig unsicher war, ob es richtig gewesen war, den Jungen allein dort zurückzulassen. Wahrscheinlich war ich in meinem vom vielen Bier und dem Opiumessig benebelten Zustand nicht in der Lage gewesen, eine vernünftige Entscheidung zu treffen, aber Neddy kannte sich aus. Er hatte schon sehr oft für uns Wache gehalten, und wir hatten ihn gelehrt, wie man sich versteckte und keinen Ton von sich gab. Ich warf einen Blick auf die Uhr auf dem Kaminsims: Es war noch recht früh.

Nachdem Ettie das Zimmer verlassen hatte, um Tee zu kochen, wandte sich Mr. Arrowood mir zu.

»Was ist gestern passiert, Barnett?«

Ich erzählte ihm alles. »Sie hätten ihn auf gar keinen Fall dort lassen dürfen«, sagte er mit schwacher Stimme. »Nicht nach dem, was beim letzten Mal passiert ist.«

»Aber er ist doch immer vorsichtig.«

»Beim letzten Mal war er das nicht. Sie hätten selbst bleiben müssen.«

»Das hätte ich auch getan, aber ich musste ja herkommen und Sie aus dem Sumpf ziehen«, fauchte ich.

»Ich habe Ihre Hilfe letzte Nacht nicht gebraucht«, erwiderte er schnippisch.

Wir starrten einander an.

»Er wird bestimmt bald eintreffen«, sagte ich.

»Das will ich doch hoffen, Barnett.«

Wir schwiegen einige Minuten, bis Lewis das Schweigen brach.

»Dann gehört derjenige, der das Mädchen getötet hat, also zu den Feniers?«

»Es sieht ganz danach aus«, bestätigte ich. »Aber da geht noch irgendetwas anderes vor sich. Wissen Sie, dass ich ihn neulich zusammen mit Coyle gesehen habe? Das ist einer der SIB-Detectives, die uns verhört haben. Sie waren sehr freundlich, das kann ich Ihnen versichern.«

»Ist das der, der Sie verprügelt hat?«, fragte Lewis.

»Ganz genau.«

»Oje. Da fragt man sich doch, auf wessen Seite er steht.«

Ettie kam mit einem Tablett herein.

»William hat mir von Ihrem Ausflug nach Hassocks erzählt«, sagte sie und reichte mir eine Tasse Tee. »Und Sie hatten keine Ahnung, dass Miss Cousture eine Hure war?«

»Nein. Weder ich noch William.«

Ettie runzelte die Stirn.

»Dieses Haus, in dem sie lebt, diese Zuflucht für unverheiratete Frauen, wo liegt es doch gleich?«

»An der Lorrimore Road, hinter dem Kennington Park.«

»Befindet sich dort vielleicht eine Plakette an der Tür?«

»Darauf stehen nur die Buchstaben CSJ.«

»Christian Sanctuary and Justice«, rief sie aus und gab Lewis eine Tasse, aber nicht ihrem Bruder. »Erst letzte Woche haben wir ein Mädchen dorthin gebracht. Das ist ein Asyl für gestrauchelte Frauen, das von Reverend Jebb, einem sehr ernsthaften jungen Mann, geführt wird.«

»Um Gottes willen!« Mr. Arrowood schien mit einem Mal lebhafter zu werden. »Warum in aller Welt hast du uns das nicht früher erzählt?«

»Ich wusste ja nicht, dass sie dort lebt.«

»Oh, Ettie!«, schimpfte er. »Diese Information hätten wir schon sehr viel früher brauchen können!«

Sie ignorierte ihn und wandte sich an mich. »Nun, wo wir ihre Geschichte kennen, ergibt das Sinn. Bitte erzählen Sie mir doch, was gestern auf der Rennbahn passiert ist.«

Während ich beschrieb, was wir im Alexandra Park und im Pub gesehen hatten, hörte sie aufmerksam zu.

»Dann war die Nachricht über Vennings Tod also eine Überraschung für sie?«, fragte sie.

»Sie haben sich gut amüsiert, bis er reinkam und ihnen die Zeitung zeigte.«

»Und Sie sagen, sie wären richtig wütend geworden?«

»Paddler Bill hatte einen Wutanfall, als er das sah.«

»Aber natürlich«, warf Lewis ein und nahm sich einige Kekse. »Sir Herbert war ein wichtiger Mann. Die Polizei wird noch mehr Männer an den Fall setzen. Die Zeitungen werden sich darauf stürzen. Die Feniers wollen diese ganze Aufmerksamkeit jedoch auf gar keinen Fall. Das gefährdet ihre Operation.«

»Nolan sagte, sie hätten zuvor schon in Botschaften und dergleichen eingebrochen«, sagte ich. »Das schien kein großes Problem für sie zu sein.«

Lewis steckte sich einen ganzen Keks in den Mund und kaute munter darauf herum.

»Das stimmt«, sagte er, »aber hier geht es um den Mord an einem hohen Regierungsbeamten.«

»Ganz richtig, Lewis«, warf Mr. Arrowood ein und nahm sich eine Tasse Tee vom Tablett. So langsam bekam er wieder ein wenig Farbe. »Aber es gibt noch einen weiteren Grund, warum sie wütend sind. Longmire hat uns über seine Affäre mit Martha angelogen, ebenso wie über die Patrone. Er wollte nicht, dass wir der Sache eine Bedeutung beimessen. Die Gewehre, die Thierry gefunden hat, müssen aus dem Kriegsministerium stammen. Niemand sonst hat diese neuen Enfields. Als wir Longmire die Patrone gezeigt haben, ist er erst zu Cream und dann zu Venning gefahren.«

»Er sagte, er hätte von seinem Freund einen Rat wegen der Erpressung gebraucht«, sagte ich.

»Aber wer wäre denn ein besserer Lieferant der Gewehre als der Generalquartiermeister höchstpersönlich? Wenn das stimmt, meine Freunde, warum sonst sollte Paddler Bill wütend darüber sein, dass Venning tot ist?«

»Dann kaufen die Feniers Gewehre bei Cream?«, mutmaßte Ettie.

»Ganz genau«, bestätigte Mr. Arrowood.

»Aber wie passen die Einbrüche in das Bild?«, wollte ich wissen.

»Das weiß ich nicht, Barnett.«

»Warum kaufen sie jetzt Gewehre?«, fragte Ettie. »Die Sprengstoffanschläge hörten doch vor zehn Jahren auf.«

»Nicht alle sind bereit, sich den Parnelliten anzuschließen«, gab Lewis zu bedenken, der sich eine Zigarre anzündete. »Einige glauben noch immer, dass eine politische Lösung undenkbar ist. Sie haben gesehen, wie die ›Home Rule Bills‹ im Parlament abgeschmettert wurden, und sich aus diesem Grund von der Organisation abgespalten. Und dies ist nicht das erste Mal, dass sie versuchen, an Waffen von der Armee zu gelangen. Denken wir nur an die Kaserne in Chester.«

»Genau«, stimmte Mr. Arrowood ihm zu. »Und an Clerkenwell – diese Waffen waren für Kampftruppen in Irland bestimmt. Wir können davon ausgehen, dass sie bei Cream Gewehre gekauft haben und noch mehr wollen.«

»Sie planen einen Aufstand«, stellte Lewis fest.

»Und durch Vennings Tod ist ihre Versorgungslinie unterbrochen«, fügte Mr. Arrowood hinzu.

Wir saßen eine Weile schweigend da und dachten nach. Ettie schenkte sich noch mehr Tee ein und kaute auf einem Keks herum.

»Ist Cream Fenier?«, fragte sie dann.

»Cream ist unpolitisch«, antwortete Mr. Arrowood. »Er interessiert sich nur für Geld. Dieser Mann ist ein Erbverbrecher, Ettie. Vor vier Jahren habe ich es mir zur Aufgabe gemacht, mehr über ihn herauszufinden. Sein Vater hat seine Mutter wegen einer Versicherungspolice getötet, als er noch ein Kind gewesen ist. Der Mann wurde dafür gehängt. Cream wuchs bei dem Bruder seiner Mutter, einem Geistlichen, auf, aber er hat das Verbrechen im Blut.«

»An diese Theorie glaube ich nicht«, entgegnete Ettie. »In der Bibel steht, dass jeder seinen eigenen Weg wählt.«

»Nein, Ettie. Das Verbrechen ist derart tief in Cream verankert, dass er einfach nicht anders kann, und er besitzt ein großes Talent dafür. Für ihn ist das Verüben von Verbrechen ebenso natürlich, wie es das Töten eines Hasen für einen Adler ist.«

»Aber das würde doch bedeuten, dass er dafür nicht verantwortlich ist«, erwiderte Ettie.

»Ich will damit nicht sagen, dass er dafür nicht bestraft werden soll, Schwester.«

Es klopfte an der Tür.

Ich sprang auf in der Hoffnung, dass es sich um Neddy handelte. Aber als ich die Tür öffnete, war die Straße bis auf einen Jungen, der in Richtung Synagoge rannte, leer. Auf der Fußmatte lag ein an Mr. Arrowood adressierter Brief.

Als ich ihm den Brief reichte, wusste ich bereits, dass er schlechte Nachrichten enthielt. Mr. Arrowood riss den Umschlag auf, und während er die Zeilen las, wurde seine Miene immer ängstlicher. Er stöhnte und zerknüllte den Brief in einer Faust.

Ich nahm ihm den Brief ab und las ihn selbst.

Mr. Arrowood,

ich hoffe, Sie haben sich von der Feuersbrunst erholt. Wenn Sie den Jungen zurückhaben wollen, dann bringen Sie den Franzosen morgen um Mitternacht zu Isslers Lagerhaus. Park Street. Neben Potts Essiggeschäft. Wenn Sie nicht kommen, wird der Junge sterben. Schalten Sie die Polizei ein, stirbt der Junge ebenfalls.
Respektvoll, Ihr getreuer Freund

Ich ließ mich in meinen Sessel fallen und fühlte mich meiner Kraft beraubt. Um mich herum drehte sich alles.

»Was ist?«, fragte Ettie. »Was ist passiert?«

»Sie haben Neddy«, hörte ich Mr. Arrowood sagen. Seine Stimme schien aus weiter Ferne zu kommen.

»Wer hat Neddy?«

»Cream.«

Ettie keuchte auf. »Schon wieder? Aber wie konnte das passieren?«

»Die Feniers müssen ihn auf der Straße eingefangen und an Cream weitergereicht haben.«

Ich stützte den Kopf in die Hände. Das war alles meine Schuld. Was hatte ich mir nur dabei gedacht, den Jungen einfach so dort zu lassen? Welcher törichte Narr würde denn so etwas tun? Der Opiumessig und das Bier hatten dafür gesorgt, dass ich nicht anständig auf den Jungen aufgepasst hatte. Ich war schwach. Es war meine Schuld.

Totenstille hatte sich auf den Raum herabgesenkt. Ich konnte sie nicht ansehen, und ich wäre dankbar dafür gewesen, wenn mich der Herrgott in diesem Augenblick mit einem Blitz niedergestreckt hätte.

»Das ist meine Schuld«, murmelte ich und ließ den Kopf hängen. Ich wollte nicht, dass mich Mr. Arrowood vor dem beschützte, was ich getan hatte. »Es ist meine Schuld. Ich habe ihn zurückgelassen, damit er Wache halten konnte.«

»Ach, Norman«, sagte Ettie. »Das haben Sie wirklich getan? Wie konnten Sie das Kind nur dieser Gefahr aussetzen?«

Ich konnte ihr keine Antwort geben. Daher starrte ich einfach den Teppichrand an und war angeekelt vor mir selbst. Gleichzeitig wurde ich immer wütender.

»Aber was wollen sie?«, fragte Lewis.

»Sie wollen Thierry«, antwortete Mr. Arrowood. Er stellte die Schüssel auf den Boden, stand auf und nahm sich das Papier von der Stirn.

»Wir müssen Inspector Petleigh rufen«, verlangte Ettie. »Er kann das Barrel of Beef durchsuchen lassen.«

»Sie werden Neddy nicht dort festhalten«, erwiderte Mr. Arrowood. »Und auch nicht in der Böttcherei oder bei Milky Sal. Cream weiß, dass wir überall dort suchen würden.«

»Werden sie ihm wehtun?«

Mr. Arrowood schwieg. Ich stand auf, während ich vor meinem inneren Auge die schrecklichen Bilder von der Leiche des Polizisten sah.

Als ich das Wort ergriff, hörte ich selbst, wie meine Stimme zitterte.

»Ich brauche eine Pistole, Lewis.«

Lewis nickte und trat vor den Schrank.

»Nein, Norman«, sagte Mr. Arrowood. »Was wollen Sie denn mit einer Pistole?«

»Er wird mir sagen, wo er Neddy festhält, wenn sein Leben davon abhängt.«

»Wer? Cream? Diese Männer würden Sie töten, ehe Sie auch nur im obersten Stock angekommen sind.«

»Es ist meine Schuld, und ich werde es wieder in Ordnung bringen.«

»Geben Sie ihm keine Pistole, Lewis.«

Lewis schaute zwischen mir und Mr. Arrowood hin und her.

Ich stürmte aus dem Zimmer und in die Küche. Dort griff ich nach einem Brotmesser. Sie standen alle drei auf dem Flur, als ich wieder zurückkehrte.

»Bleiben Sie stehen, Norman!«, verlangte Mr. Arrowood und versuchte mich am Mantel festzuhalten. Ich drängelte mich an ihm vorbei zur Haustür.

»Norman!«, rief Ettie. »Bitte warten Sie!«

Ich ignorierte sie. Sobald ich draußen war, wollte ich losrennen, aber noch bevor ich den ersten Schritt gemacht hatte, wurde mir der Fuß weggezogen. Ich ging zu Boden und landete auf meinem verletzten Arm. Liegend blickte ich zu Ettie auf, die einen Regenschirm in der Hand hielt und das gebogene Ende des Griffs um meinen Fuß gehakt hatte. Ich befreite mich, so schnell ich konnte, und wollte mich gerade aufrappeln, als sie sich auf mich stürzte.

»Hören Sie auf, sich zu wehren«, ordnete sie mit entschlossener Stimme an. »Wenn Sie das tun, bringt man Sie um, und das hilft dem Jungen auch nicht.«

Ich lag da, und mir war speiübel, weil mein Arm derart schmerzte und ich mich so schämte wegen dem, was ich getan hatte.

»Sie haben eine Dummheit begangen, Norman«, sagte Ettie, die der Länge nach auf mir lag. »Aber Sie machen die Sache nicht besser, wenn Sie eine noch größere Dummheit begehen.«

Als sie sah, dass mein Kampfgeist erloschen war, nahm sie mir das Messer ab und stand auf. Lewis half mir auf die Beine.

»Ich werde Neddys Mutter aufsuchen«, erklärte Ettie. »Sie ist gewiss krank vor Sorge.«

»Danke, Schwester«, sagte Mr. Arrowood. »Kommen Sie, Norman. Wir machen einen Spaziergang, um wieder einen klaren Kopf zu bekommen.«

Er nahm seinen Gehstock in die Hand und setzte sich seinen Hut auf.

»Wir müssen ihn zurückholen, William«, murmelte ich, als wir auf der Straße waren. Ich hielt den Blick stur auf meine Füße gerichtet, da ich vor Scham nicht aufblicken konnte.

»Ich weiß, Norman.«

Es war Sonntagvormittag. Alle Geschäfte und Pubs hatten geschlossen. Das Läuten der Kirchenglocken hallte durch die Luft, als würden sie einen freundschaftlichen Wettstreit abhalten. Familien im Sonntagsstaat marschierten durch die Straßen und kehrten vom Gottesdienst zurück oder waren auf dem Weg in die Kirche. Abgesehen vom Keuchen gab Mr. Arrowood keinen Ton von sich.

Die Erinnerung an den armen Kerl aus dem Betsy-Fall überkam mich, an diesen Unschuldigen, der in etwas verwickelt worden war, das ihn gar nichts anging, ihn jedoch ein Bein kostete. Ich dachte an Neddys schmutziges Gesicht und seinen Übereifer, uns unbedingt helfen zu wollen, und hatte mich in meinem ganzen Leben noch nie erbärmlicher gefühlt. Wir gingen die Blackfriars hinauf und am Fluss entlang zu den Kränen der Bankside, wo die Schuten und Frachtkähne ankerten. Auch die Besatzungen hatten ihren freien Tag.

Endlich richtete Mr. Arrowood wieder das Wort an mich.

»Neddy muss ihnen erzählt haben, dass wir wissen, wo sich Thierry aufhält.«

»Und das hätte er ihnen nur erzählt, wenn …« Ich brachte es nicht über mich, die Worte auszusprechen.

Mr. Arrowood seufzte. »Wir müssen ihnen Thierry ausliefern. Es gibt keinen anderen Weg.«

»Er wird auf gar keinen Fall wieder nach London kommen. Das wäre Selbstmord.«

»Wenn wir ihn davon überzeugen können, dass er nicht in Gefahr ist, würde er es vielleicht tun. Wir bringen Petleigh dazu, uns mit einigen seiner Männer zu begleiten. Wie könnte er sich weigern, wenn es um das Leben eines Kindes geht?«

Wir gingen schweigend weiter. Als wir zur Southwark Bridge kamen, fuhr er fort.

»Miss Cousture muss ihn zurückholen. Wir dürfen nicht vergessen, dass dieser Fall noch nicht abgeschlossen ist. Sie will Cream der Gerechtigkeit überführen. Vielleicht ist das ihre Gelegenheit.«

»Aber wir haben nichts gegen Cream in der Hand. Thierry ist der Einzige, der etwas gesehen hat, und auch er weiß nur, dass da Gewehre im Keller gelagert wurden. Wir haben keine Beweise.«

»Cream hat Neddy entführt. Petleigh kann ihn aus diesem Grund verhaften. Und eines der Mädchen von Milky Sal sagt möglicherweise aus, dass es dort gegen seinen Willen festgehalten wurde.«

»Dann klagen sie Long Lenny, Boots oder Milky Sal an, aber nicht Cream. An Cream kommen sie nicht heran.«

Wir gingen die Southwark Bridge Road hinunter. Auf dem Freizeitgelände am Newington Causeway spielten Kinder. Männer verkauften Gewürzkuchen und Sorbet. Vor dem Bahnhof in Elephant and Castle hatte ein Zeitungsjunge einen Stapel *Daily News* vor sich liegen. Mr. Arrowood war tief in Gedanken versunken.

»Das Neueste über den Venning-Mord!«, rief der Junge mit schriller Stimme. »Lesen Sie alle Neuigkeiten.«

Mr. Arrowood nahm eine Münze aus der Tasche.

»Vielleicht finden wir darin neue Informationen«, sagte er und kaufte eine Zeitung.

Wir gingen schon weiter, da schrie der Junge erneut los.

»Alle Neuigkeiten über den Venning-Mord! Sherlock Holmes unterstützt die Polizei! Alle Neuigkeiten über den Venning-Mord!«

Mr. Arrowood reagierte instinktiv. Er wirbelte herum und hob seinen Gehstock, wobei seine Brille zu Boden fiel.

»Hör auf zu schreien, du kleine Kröte!«, schrie er. Sein Gesicht, das bisher ganz blass ausgesehen hatte, lief puterrot an. Die Venen an seinen Schläfen traten hervor. »Halt den Mund! Denkst du etwa, wir würden uns alle für Sherlock Holmes interessieren?«

Der Junge hockte sich hinter seinen Zeitungsstapel und bedeckte den Kopf mit den Armen. Mr. Arrowood schlug gegen die Zeitungen und schleuderte die obersten auf die Straße. Er hob erneut den Gehstock. Ein Baby in einem Kinderwagen fing an zu weinen.

»Reißen Sie sich zusammen, Sir!«, verlangte ein Gentleman, der gerade aus einer Droschke stieg. »Und lassen Sie den Jungen in Ruhe!«

Ich nahm zwei Pence aus der Tasche und gab sie dem Jungen. »Steh wieder auf, Kleiner. Entschuldige, dass wir dich erschreckt haben. Der Herr leidet unter Kopfschmerzen und schreit heute jeden an.«

Kaum hatten wir die Straße überquert, drehte sich Mr. Arrowood zu mir um.

»Wie können sie es wagen, diesen Scharlatan hinzuzuziehen! Wir bearbeiten diesen Fall jetzt seit Wochen. Wenn ich Petleigh sehe, erwürge ich ihn. Ich bringe ihn um, das schwöre ich Ihnen, Barnett. Aber wir werden Sherlock Holmes zuvorkommen, dafür sorge ich!«

Wir durchquerten den Park, und Mr. Arrowood schien sich langsam wieder beruhigt zu haben.

»Was hat Isabel gesagt, William?«, erkundigte ich mich.

Er schwang erneut seinen Gehstock und ließ ihn auf ein Geländer niederfahren.

»Sie will einen Anwalt heiraten, den sie in Cambridge kennengelernt hat«, antwortete er deutlich und gut artikuliert. »Sie verlangt die Scheidung und dass ich meine Zimmer verkaufe, um ihr die Hälfte des Ertrages zu geben.«

»Du liebe Güte. Können Sie sie nicht davon abbringen?«

»Wir werden sehen«, erwiderte er und schlug erneut auf das Geländer. »Wir werden sehen.«

34

Als wir uns dem Haus näherten, in dem Miss Cousture untergebracht war, ging ein Geistlicher vor uns her. Er traf vor uns
am Gebäude ein und steckte den Schlüssel ins Türschloss.

Als er uns sah, lächelte er.

»Guten Tag, Gentlemen. Gehe ich recht in der Annahme,
dass Sie Mr. Arrowood und Mr. Barnett sind?«

Er war ein junger Mann, dünn und ernst, mit einem abge-
nutzten alten Zylinder und einem weißen Kragen an seinem
langen Hals. In einer Hand hielt er eine mit einer Messing-
klemme verschlossene Bibel.

»Ja, Sir«, erwiderte Mr. Arrowood. »Und wer sind Sie?«

»Ich bin Reverend Josiah Jebb. Wir haben Sie schon erwartet.« Er öffnete die Tür und trat zur Seite. »Kommen Sie bitte
herein.«

»Dann hat Miss Cousture mit Ihnen gesprochen?«

»So ist es.«

Er führte uns in den Salon und bat uns, Platz zu nehmen.

»Ich hole Caroline. Sie kann es kaum erwarten, mit Ihnen
zu sprechen.«

Der Himmel zog sich immer weiter zu, und durch die
schweren roten Vorhänge drang nur wenig Licht herein. Das
Klavier stand noch immer in der Ecke, das Sofa an der Wand,

und das silberne Kruzifix hing darüber. Wir setzten uns in dieselben schäbigen Sessel.

Dann kam Miss Couture herein und begrüßte uns. Sie trug ein schlichtes schwarzes Kleid und darüber eine weiße Latzschürze. Ihr Haar war unter einem weißen Schal verborgen.

Der Geistliche folgte ihr und stand aufrecht und bedeutsam neben dem Kamin, während sie wie bei unserem letzten Besuch auf den orangefarbenen Ohrensessel sank.

»Darf ich nach dem Namen Ihrer Kirche fragen, Reverend?«, begann Mr. Arrowood.

»Wir sind keine Kirche, sondern eine Mission namens ›Christian Sanctuary and Justice‹. Wir retten Frauen, die schlecht behandelt wurden. Hier bekommen sie die Gelegenheit, ein neues Leben im Licht des Herrn zu beginnen.«

»Ich habe noch nie von Ihrer Mission gehört.«

»So ist es uns auch am liebsten, Sir. Einige der Frauen, die wir beherbergen, sind sehr gefährlichen Personen entronnen, die sie gern wieder zurückhätten.«

Er sah erst mich und dann Mr. Arrowood an.

»Ich hoffe, es macht Ihnen nichts aus, Reverend, aber wir müssen sehr dringend mit Miss Couture über sehr persönliche Dinge reden«, sagte Mr. Arrowood. »Würden Sie uns bitte einige Minuten allein lassen?«

»Reverend Jebb weiß alles«, erklärte Miss Couture. Ihr französischer Akzent machte sich kaum bemerkbar. »Sie können vor ihm offen sprechen.«

Mr. Arrowood nickte bedächtig. »Wie Sie wünschen, Miss Couture. Wir haben Ihren Bruder gefunden.«

Sie senkte den Blick auf ihre Hände, mit denen sie ihre weiße Schürze umklammerte.

»Ich weiß«, sagte sie leise. »Er hat mich gestern aufgesucht.«

»Sie haben uns eine Lüge nach der anderen aufgetischt, Miss Cousture. Warum haben Sie uns nicht von Anfang an gesagt, was Sie sich tatsächlich von diesem Fall erhoffen? Das hätte alles sehr viel einfacher gemacht.«

»Weil Sie den Fall dann nicht übernommen hätten«, gestand sie und sah ihm ruhig in die Augen. »Jeder weiß, wie gefährlich Stanley Cream ist. Wer hätte es gewagt, sich mit ihm anzulegen? Sogar die Polizei lässt ihn in Ruhe. Ich gestehe, dass ich Sie benutzt habe, Mr. Arrowood, aber was hatte ich denn für eine andere Wahl?«

»Wir hielten es für das Beste«, warf Reverend Jebb ein.

»Josiah wollte, dass ich zu Sherlock Holmes gehe, aber ich habe mich stattdessen für Sie entschieden.«

Das besänftigte Mr. Arrowood, und seine ernste Miene wurde etwas freundlicher. Er warf mir einen Blick zu, als wolle er sich vergewissern, dass ich das auch gehört hatte, lehnte sich zurück und schlug seine kurzen Beine übereinander.

»Meine werte Dame, ich fühle mich sehr geschmeichelt, dass Sie Ihr Vertrauen in mich gesetzt haben.«

Sie fuhr fort, als hätte er überhaupt nichts gesagt. »Ich war besorgt, dass Holmes Thierry zu schnell finden und dadurch nicht genug über Stanley Cream und seine Geschäfte herausfinden würde.«

Zuerst schien Mr. Arrowood gar nicht zu begreifen, was sie da gesagt hatte, aber dann verzog er das Gesicht und sprang auf.

»Wollen Sie damit sagen, Sie haben uns engagiert, weil Sie dachten, wir würden ihn nicht finden?«, rief er.

»Nein, nein, Mr. Arrowood«, erwiderte der Reverend. »Sie wollte nur darauf hinweisen, dass Ihnen weniger Mittel zur Verfügung stehen und Sie deshalb weitere Informationen über Creams Netzwerk herausfinden mussten, bevor Sie Thierry finden konnten. Und das sind genau die Informationen, auf die wir es abgesehen haben.«

Mr. Arrowood beäugte Miss Cousture misstrauisch.

»Genau so war es«, stimmte sie dem Geistlichen zu. »Bitte setzen Sie sich wieder, Mr. Arrowood.«

Er verschränkte die Arme vor dem Bauch und dachte darüber nach, wobei er aussah wie ein Baby, das kurz davor stand, in Tränen auszubrechen.

»Warum haben Sie Thierry nichts von Marthas Tod erzählt?«, fragte er schließlich.

»Ich war besorgt, dass er dann zurückkommen würde, um sich zu rächen«, antwortete sie. »Das wäre sein Tod gewesen. Aber jetzt ist er wütend auf mich, weil ich es ihm verschwiegen habe.«

»Wir haben ein Problem, Miss«, schaltete ich mich ein. »Cream hat unseren Jungen Neddy in seiner Gewalt. Er will ihn gegen Thierry austauschen, und er hat für morgen Nacht ein Treffen anberaumt. Er droht damit, den Jungen umzubringen.«

Sie runzelte die Stirn und warf dem Reverend einen Blick zu.

»Wer ist Neddy?«, fragte sie dann. »Ihr Sohn?«

»Das ist ein Junge, den wir einsetzen, um Menschen zu observieren«, erläuterte ich. »Wir müssen ihn zurückholen, Miss. Er ist erst zehn Jahre alt.«

»Sie setzen ein Kind ein, um Verbrecher auszuspionieren?«, fragte Reverend Jebb.

»Ich kann Ihnen versichern, dass dieses Vorgehen völlig normal ist«, beruhigte Mr. Arrowood ihn. »Sherlock Holmes hat eine ganze Bande aus Kindern, die für ihn arbeiten.«

»Aber wie konnten Sie zulassen, dass er erwischt wird?«, verlangte Miss Cousture zu erfahren.

»Es ist einfach passiert«, antwortete ich. »Dies ist kein einfacher Fall.«

»Ich bezahle Sie nicht dafür, dass Sie ein Kind auf Verbrecherjagd schicken!«, rief sie aus und starrte uns zornig an. »*Mon Dieu!* Wie konnten Sie so etwas nur tun?«

»Hören Sie mir jetzt bitte zu«, bat ich und ärgerte mich immer mehr darüber, dass sie nach all den Lügen, die sie uns erzählt hatte, noch immer glaubte, auf dem hohen Ross sitzen zu können. »Wir machen uns große Sorgen um ihn. Es ist wenig hilfreich, uns vorzuwerfen, dass wir einen Fehler gemacht haben. Das wissen wir selber. Wir haben einen großen Fehler begangen, und jetzt brauchen wir Ihre Hilfe, um den Jungen zu retten.«

»Miss Cousture«, fuhr Mr. Arrowood mit fester Stimme fort. »Wir möchten Sie bitten, nach Sussex zu fahren und Thierry zu bitten, sofort nach London zurückzukehren. Das Treffen soll morgen um Mitternacht stattfinden. Sagen Sie ihm, dass keine Gefahr für ihn besteht: Wir werden nur so tun, als würden wir ihn ausliefern. Inspector Petleigh wird mit seinen Constables in der Nähe warten und eingreifen, sobald Neddy wieder frei ist. Aber Sie müssen ihn überreden herzukommen. Sagen Sie ihm, dass wir Marthas Mörder hinter Gitter bringen wollen. Wir müssen Cream nur dazu bringen, dass er zugibt, den Mord angeordnet zu haben, während Petleigh zuhört. Dann hat er genug Beweise, um ihn vor Gericht zu bringen.«

»Und was ist, wenn er es nicht zugibt?«, fragte Jebb.

»Dann ermutigen wir ihn, über die Gewehre zu sprechen, über Sir Herbert oder über die Mädchen, die er verkauft. Wenn er vor Zeugen, die der Polizei angehören, etwas gesteht, kann es vor Gericht als Beweis genutzt werden. Selbst wenn er nichts sagt, kann man ihn wegen Neddys Entführung verhaften.«

»Ich kann das nicht tun!«, verkündete Miss Cousture auf einmal.

»Was?«, rief Mr. Arrowood. »Aber Sie müssen es wenigstens versuchen!«

Sie schüttelte den Kopf.

»Thierry hat heute Mittag die Fähre genommen. Er ist auf dem Weg zurück nach Frankreich. Für Martha wäre er geblieben, aber für mich tut er es nicht. Nicht nach allem, was ich getan habe.«

Mr. Arrowood schlug sich stöhnend vor die Stirn. Er ging im Zimmer auf und ab und runzelte nachdenklich die Stirn.

»Wir müssen sofort ein Telegramm schicken«, entschied er schließlich.

»Er reist nicht nach Rouen«, erwiderte sie. »Er will nach Paris. Ich weiß nicht, wo er dort wohnen wird.«

»Dann müssen Sie ihm folgen.«

»Ich würde ihn niemals finden. Wo sollte ich denn anfangen?«

»Verdammt!«, schimpfte Mr. Arrowood und stampfte mit dem Fuß auf.

»Mr. Arrowood«, tadelte ihn der Geistliche. »Ich muss Sie bitten, in diesem Haus nicht zu fluchen.«

»Aber wir brauchen ihn! Wie sollen wir Neddy denn sonst retten?«

»Ich begreife einfach nicht, warum er Thierry unbedingt in seiner Gewalt haben will«, gab ich zu und sah Miss Cousture an in der Hoffnung, in ihrem traurigen Gesicht einen Hinweis zu finden. »Er hat die Waffen doch nur gesehen. Danach ist er verschwunden und hat keinen Ärger mehr gemacht. Das will mir einfach nicht in den Kopf. Er weiß nicht genug, um eine Gefahr für sie darzustellen. Es muss da noch etwas anderes geben, das Sie uns verschwiegen haben, Miss.«

Sie riss den Mund auf, sodass ihr abgebrochener Zahn zu sehen war, und schüttelte den Kopf.

»Ich weiß nicht, warum er Thierry haben will.«

»Cream will auf Nummer sicher gehen, Barnett«, sagte Mr. Arrowood. »Ich vermute, dass er jeden beseitigen will, der von den Gewehren weiß. Das würde den Tod von Martha, dem Mann vom SIB und von Sir Herbert erklären.« Seine Nase zuckte, und er sah beunruhigt aus. »Thierry ist der Nächste.«

»Und wir?«, fragte ich.

Mr. Arrowood nickte. »Wir alle drei, Barnett. Und wir werden morgen alle dort sein.«

»Wollen Sie damit andeuten, dass er versuchen wird, Sie alle morgen zu töten?«, fragte der Geistliche.

Mr. Arrowood holte tief Luft. »Ich gehe davon aus«, flüsterte er.

»Sie dürfen dieses Risiko nicht eingehen.«

»Wir müssen Neddy retten.«

»Aber was sollen wir ohne Thierry anfangen?«, wollte ich wissen.

Mr. Arrowood wanderte erneut hin und her, hatte den Kopf gesenkt und murmelte etwas Unverständliches vor sich hin. Er starrte mich an, dann den Geistlichen und schließlich Miss Cousture. Wir hielten alle drei den Mund. Hin und wieder blieb er stehen, machte den Mund auf, schüttelte den Kopf und ging weiter.

Endlich richtete er sich zu voller Größe auf.

»Sie müssen morgen auch zum Treffpunkt kommen, Miss Cousture. Sie müssen so tun, als hätten Sie Thierry ganz in der Nähe versteckt. Sagen Sie ihnen, dass Sie ihn holen werden, sobald Neddy in Sicherheit ist.«

»Aber dadurch bringt sie sich in Gefahr«, gab Reverend Jebb zu bedenken.

»Das geht schon in Ordnung, Josiah«, beruhigte sie ihn. »Ich habe alle anderen in Gefahr gebracht, und jetzt bin ich an der Reihe.«

»Ich werde Longmire und Paddler Bill auch dorthin bestellen«, erklärte Mr. Arrowood. »Je größer die Verwirrung ist, desto besser ist unsere Chance, nicht getötet zu werden und ihnen etwas zu entlocken, das sich als Beweis verwenden lässt.«

»Oder es ist umso gefährlicher für uns«, stellte ich fest.

»Jetzt heißt es, alles oder nichts, Barnett.«

»Ja«, stimmte ihm Miss Cousture zu. »Das ist unsere einzige Chance.«

Mr. Arrowood drehte sich zu ihr um. »Woher kennen Sie Colonel Longmire?«, fragte er unvermittelt.

»Ich kenne ihn nicht.«

»Warum leugnen Sie es?«

Er hielt inne, und sie betrachtete ihn ruhig.

»Das Spiel ist zu Ende, Miss Cousture. Sind Sie uns jetzt nicht Aufrichtigkeit schuldig?«

Sie schwieg weiterhin.

»Wir könnten morgen Abend sterben«, flüsterte er.

Noch immer war sie nicht bereit, ihm zu antworten.

»Verstehe«, stellte Mr. Arrowood fest. »Sie werden es uns also nicht sagen.«

»Nein, Sir.«

Mr. Arrowood nahm seinen Gehstock und seinen Hut.

»Wir holen Sie morgen um Viertel nach neun ab. Seien Sie bereit.«

Nachdem wir in Lewis' Haus zurückgekehrt waren, erklärte mir Mr. Arrowood, was er plante. Er schrieb zwei Nachrichten. Die Botschaft an Longmire lautete:

Bringen Sie morgen um zehn Minuten nach Mitternacht fünfundzwanzig Pfund zu Isslers Lagerhaus in der Park Street. Reden Sie mit niemandem darüber. Kommen Sie allein. Wenn Sie nicht erscheinen oder in Begleitung kommen oder wenn wir erfahren, dass Sie Cream über dieses Treffen informiert haben, liegen unsere Informationen bis zum Mittag der Pall Mall Gazette *vor.*

Er unterschrieb mit: *Locksher.*
An Paddler Bill schrieb er:

Sie haben einen SIB-Informanten in Ihrer Organisation. Seien Sie morgen um zehn Minuten nach Mitternacht in Isslers Lagerhaus an der Park Street. Bringen Sie all Ihre Männer mit, aber sagen Sie ihnen nichts über den Grund für dieses Treffen. Wenn Sie fünfundzwanzig Pfund bezahlen, wird der Verräter entlarvt.

Ich begab mich selbst in die Park Street, um mir das Lagerhaus genauer anzusehen. Da sämtliche Geschäfte sonntags geschlossen hatten, war es ruhig in der Straße. Das Lagerhaus lag zwischen einer Essigfabrik und der *Crosse-and-Blackwell-*Manufaktur. Es sah verfallen aus, und an den Türen und Fenstern zeichneten sich relativ frische Brandspuren ab. Das breite Eingangstor war verschlossen, die Fenster hatte man zugenagelt. Auf der Gebäuderückseite verlief eine Gasse vom Schlot der *Barclay-Perkins*-Brauerei durch die Höfe aller Lagerhäuser. Ich schwang mich über den Zaun in den Issler-Hof. Hier standen einige Nebengebäude – Lagerschuppen und Werkstätten –, und mehrere große Tore, groß genug für ein Pferd mit Wagen, führten ins Lagerhaus.

Wie betäubt stand ich in diesem Hof und fühlte mich, als

wäre die Welt ein Stück von mir weggerückt. Ich wusste, dass ich eine Aufgabe zu erledigen hatte, aber meine Gedanken kehrten immer wieder zu Neddy zurück, und ich fragte mich, was sie ihm angetan hatten und wie es ihm jetzt ging. Allein der Gedanke daran rief Übelkeit in mir hervor und raubte mir die Kraft. So stand ich eine Weile da, starrte zum grauen Himmel hinauf und kämpfte dagegen an.

Ich zückte meinen Dietrich und hatte das Schloss schnell geknackt. Die Luft im Gebäude roch nach Rauch. Nachdem ich meine Laterne angezündet hatte, sah ich vor mir einen riesigen offenen Raum, in dem Hunderte von Fässern in unterschiedlichen Größen standen, von kleinen Fässchen über Bierfässer, Bütten und Zuber bis hin zu Tonnen in der Größe von Heuhaufen. Über meinem Kopf befand sich ein Balkon, der sich an allen vier Wänden entlangzog. Dort oben waren weitere Fässer gestapelt. In einer Ecke hatte man unter dem Balkon einige Büroräume mit offenen Fenstern errichtet, durch die man in den Lagerraum blicken konnte. Tauben nisteten hoch oben in den Deckenbalken, und durch Löcher im Dach fiel schwaches Mondlicht herein. Die Wände waren voller Rußflecken, und auf dem Boden lag eine dicke Ascheschicht. Die Fässer mussten nach dem Brand hier eingelagert worden sein, da sie alle unversehrt aussahen.

Obwohl ich mehrfach Neddys Namen rief, hörte ich nichts als das Rascheln der Tauben unter dem Dach. Als ich umherging, hallten meine Schritte von den hohen Wänden wider. Ich suchte nach Stellen, an denen sich Petleigh und seine Männer verstecken konnten. Vielleicht eigneten sich die Nebengebäude oder die dunklen Ecken zwischen den Fassstapeln dazu. Auf einer Seite, vom Hauptbereich des Lagerhauses durch einen mit schalem Wasser gefüllten Graben abgetrennt, standen mehrere Reihen aus Tonnen, die groß genug waren, um einigen aufrecht stehenden Männern Platz zu bieten.

In der Nähe der Büros entdeckte ich eine Luke im Boden. Darunter führte eine Leiter in den Keller. Wenn es eines gab, was ich nie gemocht hatte, dann waren das Keller, aber ich wusste, dass ich um Neddys willen hinunterklettern musste. Ich holte noch einmal tief Luft und stieg die Leiter nach unten. Der Raum, in den ich gelangte, war lang, niedrig und kalt. Es war stockdunkel und roch feucht. Auf dem Boden lagen verrottende Lumpen zwischen Ölflecken. Das gefiel mir gar nicht. Bevor ich weiterging, verharrte ich und lauschte. Außer dem Scharren der Nager und einem langsamen Tropfen in der Ferne war nichts zu hören. Als ich mich vergewissert hatte, dass alles ruhig war, schritt ich rasch die Länge des Kellers ab und leuchtete mit meiner Laterne in jeden Winkel und jede Ecke, um sicherzustellen, dass Neddy nicht hier unten festgehalten wurde. Aber alles sah so aus, als wäre seit Jahren niemand mehr hier gewesen.

»Wir bringen Petleigh hinein, bevor Creams Leute eintreffen«, sagte Mr. Arrowood, als ich zurück in Lewis' Haus war. »Cream wird schon früh vor Ort sein, also müssen wir noch früher aufbrechen. Bitten Sie Sidney, uns um neun abzuholen. Er wird in der Nähe warten müssen, falls wir gezwungen werden, die Flucht zu ergreifen.«

»Das ist zu gefährlich«, erklärte Lewis. »Es sind zu viele, William. Sie können sich nicht darauf verlassen, dass die Polizei Sie beschützt.«

»Wir haben keine andere Wahl, Lewis. Die Polizei könnte Cream verhören, aber er wird schwören, nichts von der ganzen Sache zu wissen, und ich würde darauf wetten, dass sie Neddy nicht erneut in der Böttcherei festhalten. Machen Sie sich keine Sorgen, mein Freund. Petleigh hat uns versichert, dass er sehr viele Männer mitbringen wird.«

Lewis seufzte. Er stand mühsam aus seinem Sessel auf und ging durch den Salon zu einem Schrank. Nachdem er eine Schublade aufgezogen hatte, nahm er eine Schachtel aus Kirschbaumholz heraus, die er mit einem kleinen Schlüssel, der an seiner Uhrenkette befestigt war, aufschloss.

»Haben Sie schon einmal eine Pistole abgefeuert?«, fragte er mich.

Ich schüttelte den Kopf.

Er nahm eine silberne Waffe heraus und reichte sie mir. Sie war schwer und fühlte sich kalt an, und mir war nicht wohl dabei, sie in der Hand zu halten. Nachdem er Mr. Arrowood auch eine in die Hand gedrückt hatte, erklärte er uns, wie man sie lud, in der Hand hielt, zielte und feuerte.

Dann bat er uns, so zu tun, als wollten wir auf die Büste Alexanders des Großen schießen, die neben der Tür stand.

»Das gefällt mir nicht, William«, bekannte er und wischte sich den Schweiß von der Stirn. »Sie sind schon zu lange mein Freund, und ich möchte Sie nicht verlieren.«

Mir gefiel es ebenfalls nicht, aber das tat ich nicht kund. Ich wusste ohnehin nicht, was wir anderes hätten tun können.

»Wir müssen Neddy zurückholen«, erklärte Mr. Arrowood.

Lewis nickte und wandte sich an mich.

»Beschützen Sie ihn, Norman.«

Ich konnte nur hoffen, dass mir meine Furcht nicht ins Gesicht geschrieben stand.

35

Als wir vor Isslers Lagerhaus ankamen, waren die Türen noch immer geschlossen. Abgesehen von der Brauerei am Ende der Straße, in der Licht brannte und aus deren Schornstein Rauch aufstieg, waren alle anderen Fabriken und Lagerhäuser über Nacht geschlossen. Sollte es eine Schießerei geben, wäre niemand in der Nähe, der es hören konnte.

Wir ließen Sidney am Schlot zurück und gingen durch die Gasse zu dem Treffpunkt, den Mr. Arrowood mit Petleigh vereinbart hatte. Reverend Jebb hatte darauf bestanden, uns zu begleiten, da er anscheinend darauf hoffte, Cream würde sich in der Gegenwart eines Geistlichen beherrschen. Ich bezweifelte das zwar, war aber dennoch froh über seine Anwesenheit. Je mehr Köpfe wir zählten, desto besser.

Miss Cousture war wie ein Mann gekleidet und trug einen verschlissenen schwarzen Anzug, den der Reverend ihr besorgt hatte. Er glaubte offenbar, dass sie so sicherer wäre. Da Mr. Arrowood nicht über den Zaun in den Hof klettern konnte, musste ich einige Bretter herausstemmen, damit er sich durch das Loch zwängen konnte. Im Lagerhaus zündete ich ein paar Kerzen an, damit sie sich alles einprägen konnten. Während wir herumgingen und unsere Schritte in dem großen dunklen Raum widerhallten, behielt ich eine Hand auf dem kalten Revolver in meiner Tasche.

»Wir nutzen die Fässer da drüben in der Ecke für die Polizisten«, sagte Mr. Arrowood und trat auf die auf der Seite liegenden Tonnen zu. »Zwei Mann pro Fass. Selbst wenn Creams Männer hier alles durchsuchen, werden sie nicht sämtliche Fässer aufstemmen. Weitere Männer können sich im Keller verstecken.«

Die Dunkelheit im Inneren des Lagerhauses hatte Miss Cousture und den Reverend verstummen lassen, und sie sagten erst wieder etwas, als wir ins Freie traten.

»Und was machen wir jetzt?«, wollte Miss Cousture mit zittriger Stimme wissen.

»Sie beide gehen zu Sidney zurück und warten dort«, bestimmte Mr. Arrowood. »Wir kommen zu Ihnen, sobald Petleigh eingetroffen ist.«

Wir blieben in der Gasse stehen, während sie fortgingen.

»Haben Sie Ihren Revolver geladen?«, wollte Mr. Arrowood von mir wissen, sobald sie außer Hörweite waren.

»Ja.«

»Lewis hat meinen auch geladen. Hier, nehmen Sie diese Zusatzmunition für den Notfall.«

»Ich hätte nie gedacht, dass wir bei unserer Arbeit einmal Schusswaffen einsetzen würden, William.«

»Ich wünschte nur, wir hätten sie im Betsy-Fall schon gehabt«, erwiderte er.

»Selbst dann hätten wir John Spindle nicht mehr retten können.«

Er drehte sich zu mir um. Seine kleine Melone sah auf seinem unförmigen Kopf völlig deplatziert aus, und im Mondlicht wirkte es, als würde sein Schnurrbart wie ein Nebel vor seinem Gesicht schweben. Sein Atem roch nach Wein. Er furzte.

»Norman, ich möchte Ihnen noch sagen, wie sehr ich mich auf Sie verlasse und wie ich mich immer auf Sie verlassen habe. Ich wollte Ihnen noch sagen, wie sehr ich Sie schätze, bevor …« Er zögerte. »Wir sind ein gutes Team, wir beide.«

Ich legte ihm eine Hand auf die dralle Schulter.

»Ich weiß, William. Sie müssen überhaupt nichts sagen.«

Er bot mir eine Zigarre an, die wir rauchten, während wir warteten. Ein streunender Hund kam vorbei und bettelte um etwas zu fressen. Es schlug zehn Uhr.

»Wo zum Teufel steckt er?«, fragte Mr. Arrowood.

»Sind Sie sicher, dass er zehn gesagt hat?«

»Selbstverständlich bin ich das.«

Es wurde Viertel nach zehn, dann halb elf. Von Petleigh war nichts zu sehen. Mr. Arrowood ging seit einer halben Stunde auf und ab.

»Was in drei Teufels Namen hat das zu bedeuten?«, schimpfte er, riss sich dann jedoch zusammen und flüsterte: »Wenn er nicht bald kommt, bleibt nicht mehr genug Zeit, um ihre Positionen einzunehmen.«

Reverend Jebb kam durch die Gasse auf uns zugelaufen und hielt dabei seinen Hut fest.

»Gibt es ein Problem?«, fragte er atemlos.

»Sie sind noch nicht hier«, antwortete ich.

»Ach herrje. Was machen wir, wenn sie nicht rechtzeitig kommen?«

»Sie werden kommen«, versicherte Mr. Arrowood ihm. »Petleigh hat es mir versprochen. Und jetzt gehen Sie zurück und warten Sie zusammen mit Miss Cousture in der Kutsche.«

Um Viertel vor elf war es noch immer ruhig in der Gasse.

»Irgendetwas muss passiert sein, Norman. Ich begreife einfach nicht, warum er noch nicht da ist.«

»Vielleicht gab es einen Unfall.«

Wir starrten beide die verlassene Gasse entlang.

»Er hat mir versichert, dass er kommen würde.«

»Was machen wir, wenn sie nicht kommen?«, flüsterte ich.

»Dann wird es keine Beweise geben.«

»Und wir haben keinen Schutz, was noch viel schlimmer ist.«

»Diese Revolver werden uns nicht weiterhelfen. Wir haben es mit zu vielen Gegnern zu tun.«

Er nickte, und seine Miene wirkte grimmig. »Verdammt, Barnett! Wir haben keine andere Wahl, als ohne sie weiterzumachen.«

»Wie werden sie reagieren, wenn sie herausfinden, dass wir Thierry nicht haben?«

Mr. Arrowood atmete die kühle Nachtluft tief ein und zündete sich noch eine Zigarre an.

»Schlimmstenfalls …«, begann er, »werden sie versuchen, aus uns herauszuprügeln, wo er sich aufhält. Um uns dann zu töten.«

Ich hatte mich zuvor schon gefürchtet, aber diese Worte aus seinem Mund zu hören, machte alles nur noch schlimmer. Mr. Arrowood griff in seine Tasche und reichte mir seinen Flachmann. Ich trank einige Schlucke. Meine Hand zitterte, als ich ihm die Flasche reichte, ebenso wie seine, als er sie entgegennahm.

»Verdammt!«, sagte er auf einmal, und die Worte hallten durch die dunkle Gasse.

Der Hund kehrte zurück, setzte sich vor mich und sah mich mit traurigen Augen an.

»Wir werden uns etwas einfallen lassen«, sagte ich.

»Und wenn uns das nicht gelingt, müssen wir eben schießen«, fügte Mr. Arrowood hinzu.

Um kurz nach elf hörten wir, wie die großen Tore vor dem Lagerhaus aufgezogen wurden und Schritte durch das Gebäude hallten. Cream und seine Männer waren eingetroffen. Mr. Arrowood nahm meinen Arm, und wir gingen ein Stück die Gasse entlang und verbargen uns hinter einem Kistenstapel. Auch um halb zwölf war von Petleigh nichts zu sehen. Ich wusste, dass die Polizei nicht mehr kommen würde. Mr. Arrowood und ich schwiegen schon seit einiger Zeit. Ich dachte über den Tod nach und vermutete, dass es ihm ähnlich ging. Dabei stellte ich fest, dass ich bereit war, falls ich in dieser Nacht sterben sollte. Man weiß nicht, dass man tot ist, wenn man tot ist, sagte ich mir immer wieder. Wozu lohnte es sich denn noch zu leben? Für einen Körper, der die Prügel in letzter Zeit immer schlechter verkraftete, und ein kaltes, leeres Zimmer, das ich eigentlich gar nicht mehr betreten wollte. Das war alles, was mir noch geblieben war. Dennoch wusste ich, dass ich in dieser Nacht nicht sterben wollte – nicht an diesem Ort und nicht durch Creams Männer.

Als die Kirchenglocken um uns herum Mitternacht schlugen, gaben wir das Warten auf Petleigh auf. Wir holten einige Laternen aus der Droschke und gingen zusammen mit Miss Cousture und Reverend Jebb die Park Street entlang. Mr. Arrowood hatte ihnen angeboten, bei Sidney zu bleiben, und ihnen gesagt, dass es ohne Petleigh und seine Männer viel zu gefährlich wäre, aber Miss Cousture hatte nichts davon hören wollen. Sie war fest entschlossen, uns dabei zu helfen, Neddy zu retten. Der Geistliche hatte ebenfalls zugestimmt, uns zu begleiten, war jedoch außer sich vor Angst. Er bestand darauf, dass wir an der Ecke anhielten, um zu beten. Als er wissen wollte, wie wir vorzugehen gedachten, konnten wir ihm das nicht sagen.

»Dann werden wir auf den Herrgott vertrauen«, erklärte er.

Von der Autorität, die am Vortag noch in seiner Stimme zu hören gewesen war, schien nichts mehr übrig geblieben zu sein. Der junge Geistliche wusste nicht mehr weiter.

Miss Cousture ging neben uns her, als wäre sie bereits tot. Sie sagte kein Wort. Ihre Miene unter der Stoffkappe sah entspannt aus, und sie schien nicht einmal mehr zu atmen.

Alle Fenster der Fabriken und Lagerhäuser an der Park Street waren dunkel, aber der Mond tauchte die Pflastersteine in ein sanftes Licht. Vor Isslers Lagerhaus stand eine Kutsche. Mr. Arrowood stieß mich an und deutete auf einen Mann, der ein Stück weiter die Straße entlang stand. Ein weiterer hatte sich auf der anderen Straßenseite in einen Hauseingang verkrochen.

Ich klopfte an die große Tür des Lagerhauses. Piser, der seine Kappe tief ins Gesicht gezogen hatte, öffnete uns. Er hielt eine Laterne in der einen und einen Revolver in der anderen Hand. Nachdem er sich in alle Richtungen umgesehen hatte, trat er zur Seite. In der Mitte des riesigen Lagerhauses stand Cream, und im Licht seiner Laterne konnte man seinen weißen Übermantel und den braunen Zylinder deutlich erkennen. In der anderen Hand hielt er einen Gehstock aus Ebenholz. Neben ihm hatten sich Boots und Long Lenny aufgebaut. Boots hielt einen Revolver in der Hand, Long Lenny einen langen Schürhaken, mit dem er sich auf die Hand tippte.

»Wer sind diese Leute, Arrowood?«, verlangte Cream zu erfahren.

»Das ist Thierrys Schwester«, antwortete Mr. Arrowood, dessen Stimme verändert klang, fast so, als hätte er Halsweh. »Und das ist unser Kollege Reverend Jebb.«

»Sie können gehen, Reverend«, sagte Cream.

»Nein, äh, n…nein«, stammelte der Geistliche. »Ich würde … lieber bleiben.«

»Lenny«, murmelte Cream.

Long Lenny trat vor, wobei die Asche unter seinen Stiefeln knirschte.

»Gehen wir, Vater«, forderte er den Geistlichen mit ausgestrecktem Schürhaken auf.

Reverend Jebb war zwar ein großer Mann, aber selbst ihn überragte Long Lenny noch. Der Geistliche wich langsam und protestierend zurück, bis Lenny ihn am Kragen packte und aus der Tür warf, die Piser hinter ihm zuknallte.

»Kommen wir zum Geschäft«, erklärte Cream. »Wo ist Terry?«

»Er ist ganz in der Nähe«, erwiderte Mr. Arrowood. »Wo steckt der Junge?«

Cream nickte Boots zu, der die Laterne nahm und durch das Lagerhaus ging. Er blieb direkt vor dem öligen Graben stehen und stellte die Laterne auf den Boden. Da lag Neddy, machte sich ganz klein und bedeckte den Kopf mit den Händen. Seine Kleidung war feucht und verdreckt. Wir konnten sein Gesicht nicht sehen, aber selbst aus knapp fünfzig Metern Entfernung erkennen, dass er zitterte.

Ich lief hinüber und hob ihn hoch. Er stöhnte auf, als ich sein Bein berührte, und sobald ich ihn in den Armen hielt, drückte er die Nase gegen meine Brust.

»Es wird alles wieder gut, Junge«, flüsterte ich und strich ihm über das Haar. »Ich bin ja da.«

Ich spürte, wie er erschauderte. Er drückte sich noch enger an mich, gab jedoch keinen Ton von sich. Sein Bein hing in einem seltsamen Winkel über meinem Arm.

»Was zum Teufel haben Sie mit ihm gemacht?«, verlangte Mr. Arrowood zu erfahren.

»Wo ist Terry?«, wollte Cream wissen.

»Sobald wir den Jungen hier rausgebracht haben, bringen

wir ihn her«, entgegnete Mr. Arrowood. »Barnett, bringen Sie Neddy zur Droschke.«

»Sie bleiben schön hier!«, fauchte Cream. »Ich habe hier das Sagen und nicht Sie, Arrowood. Die junge Dame wird mit Boots ihren Bruder holen gehen. Wir warten so lange hier.«

»Lassen Sie mich lieber gehen«, schlug Mr. Arrowood vor. »Thierry muss möglicherweise ermutigt werden.«

»Boots wird ihn schon ermutigen«, erklärte Cream und stieß ein gemeines Lachen aus. »Ermutigungen sind seine Spezialität.«

Boots kam mit gezückter Waffe auf uns zu. Miss Cousture warf Mr. Arrowood einen unsicheren Blick zu und schien nicht zu wissen, was sie tun sollte.

»Ich begreife nicht, warum Sie Thierry unbedingt in Ihre Gewalt bekommen wollen, Sir«, sagte Mr. Arrowood und trat zwischen Boots und Miss Cousture. »Er kann Ihnen doch keine Schwierigkeiten machen. Er hat nur eine Kiste voller Gewehre gesehen und hat viel zu große Angst, um zu reden. Wenn Sie ihm schaden, bringen Sie sich nur selbst in Gefahr.«

Cream lachte erneut auf. Er streckte die Arme vor sich aus und ging auf Mr. Arrowood zu.

»Hat er Ihnen das erzählt?«

»Ja, das hat er.«

»Aber er hat nicht erwähnt, dass er mir vor seinem Verschwinden einen Handkoffer gestohlen hat?«

Mr. Arrowood drehte sich zu Miss Cousture um, die den Kopf schüttelte.

Cream schwang seinen Gehstock. »Er hat nichts von einem Handkoffer gesagt, der kanadische Eisenbahnaktien im Wert von über eintausend Pfund enthielt?«

»*Putain!*«, schimpfte Miss Cousture. »Idiot!«

»Wussten Sie davon?«, fragte Mr. Arrowood sie.

»Nein! Das schwöre ich Ihnen, Sir. Er hat mir nichts davon gesagt.«

Mr. Arrowood warf mir einen Blick zu, und ich wusste, dass wir beide dasselbe dachten: Wir wussten beide nicht, ob wir ihr noch glauben konnten.

»Ergreif sie, Boots«, befahl Cream.

Boots packte grob ihren Arm und zerrte sie zur Tür. Ich setzte Neddy ganz vorsichtig ab und trat vor, da ich wusste, dass ich sie aufhalten musste. Aber Boots drehte sich um und bedrohte mich mit der Waffe.

Jemand klopfte an die Tür.

Alle erstarrten.

Cream nickte Piser zu, der die Tür einen Spaltbreit aufzog und mit jemandem sprach. Ich versuchte zu lauschen und hoffte darauf, Petleighs Stimme zu hören, war jedoch zu weit entfernt.

Piser zog die Tür auf, und Paddler Bill trat mit einer Laterne in der Hand ein, dicht gefolgt von dem glatzköpfigen Amerikaner und dem kleinen Blonden. Als Letzter kam Gaunt, der Buchhändler, herein, der Mann, der Martha getötet hatte. Sein zerschlissener Wintermantel stand offen, und er trug keine Kopfbedeckung. Er blieb hinter den anderen stehen, sodass er sich außerhalb des Lichtkreises der Laterne befand. Während alle zu den Feniers hinübersahen, beugte ich mich rasch zu Neddy herunter.

»Versteck dich hinter den Fässern, und lass dich nicht blicken«, raunte ich ihm zu.

Nun konnte ich sein Gesicht besser sehen. Seine Unterlippe war geplatzt und noch schlimmer geschwollen als beim letzten Mal. Ihm klebte getrocknetes Blut am Kinn, und auf seinem Handrücken konnte ich Verletzungen erkennen, die wie Verbrennungen aussahen. Er sah mich an, rührte sich aber nicht.

Piser schloss die Tür wieder.

»Bill?« Cream sah die Neuankömmlinge erstaunt an. »Was machen Sie denn hier?« Zum ersten Mal wirkte er nicht mehr ganz so selbstsicher.

»Ich habe eine Nachricht bekommen«, sagte Bill. Er sprach sehr schnell, so schnell, dass man genau hinhören musste, um ihn zu verstehen. Er war größer als seine Begleiter, mit einem feinen dreiteiligen Anzug bekleidet und hatte einen amerikanischen Hut auf dem Kopf, unter dem sein rotes Haar hervorquoll. »Ich weiß nicht, von wem. Dachte, vielleicht von Ihnen, Partner.«

»Ah«, murmelte Mr. Arrowood. »Ich habe Ihnen geschrieben, wie ich Ihnen gestehen muss.«

»Und wer zum Teufel sind Sie?«, wollte Bill wissen.

»Er ist Privatdetektiv, Bill«, schaltete sich Cream rasch ein. »Er sucht nach dem Kerl, der unsere Eisenbahnaktien gestohlen hat. Ich weiß nicht, warum er euch hergelockt hat. Diese ganze Sache hat nichts mit euch zu tun. Wir haben die Lage unter Kontrolle.«

»Ich will hören, was er zu sagen hat«, verlangte der große Amerikaner.

Es klopfte erneut an die Tür.

»Was zum Teufel ist denn jetzt wieder?«, rief Cream.

Auch jetzt öffnete Piser die Tür einen Spaltbreit, dann drehte er sich verwirrt zu Cream um.

»Es ist Colonel Longmire, Mr. Cream.«

»Lass ihn rein.«

Piser öffnete die Tür, und Longmire erschien. Er musste direkt aus dem Theater hergekommen sein, da er noch seine Abendgarderobe mit Cape und Samthut trug. Auch er blieb außerhalb des Lichtkreises stehen und schien erschrocken zu sein, derart viele Menschen anzutreffen.

»Was hat das alles zu bedeuten?«, verlangte er zu erfahren. »Was ist hier los, Stanley?«

»Sie haben also auch Longmire eingeladen«, stellte Cream fest. »Bravo, Arrowood. Es ist Ihnen gelungen, mich zu überraschen, und das kommt nicht besonders häufig vor. Aber das wird Ihnen auch nicht weiterhelfen.«

Bei Creams Worten rückte Miss Cousture von Boots ab und zog einen Gegenstand, der wie ein Schustermesser aussah, aus ihrem Ärmel. Sie machte kurz einen verwirrten Eindruck und drehte sich zu Cream um, als wollte sie sich auf ihn stürzen. Doch dann wandte sie sich in eine andere Richtung, stieß ein tiefes Knurren aus und attackierte Longmire. Es geschah alles blitzschnell. Er schrie auf, griff sich an den Hals, fiel nach hinten gegen Piser und dann auf den Boden. Blut schoss zwischen seinen Fingern hervor, und er kreischte schrill.

»Haltet sie fest!«, brüllte Cream.

Piser stand völlig benommen und mit offenem Mund da, als könnte er nicht fassen, was er eben hatte mit ansehen müssen.

»Piser!«, schrie Cream.

Miss Cousture fiel auf die Knie, hob den Arm und bohrte das Messer zweimal in Longmires Brust. Bei jedem Stoß wurde er schwächer, und seine Schreie gingen in blutiges Gurgeln über. Endlich kam Piser wieder zu Verstand, packte ihre Hand und entriss ihr das Messer. Boots hielt ihren anderen Arm fest, und sie zogen sie auf die Beine.

Sie blickte mit bebender Brust auf Longmire hinab. Der Colonel stöhnte wie ein Tier und hob eine Hand, als wollte er in der Luft nach etwas greifen. Blut quoll aus seinem Mund und rann ihm über das Kinn, und er kämpfte um jeden Atemzug.

»Fahr zur Hölle!«, fauchte Miss Cousture und spuckte ihm ins Gesicht. Sie war von Blutspritzern übersät; sie bedeckten ihre Wangen, ihren Hals, das weiße Hemd unter ihrem schwarzen Anzug.

Longmire keuchte noch ein letztes Mal und lag dann reglos da.

Piser und Boots zerrten Miss Cousture von der Leiche weg. Sie schien den Blick nicht von Longmire abwenden zu können.

»Was zum Teufel ist hier los?«, fragte Paddler Bill mit seiner dröhnenden Stimme. »Wer ist diese Frau?«

»Das ist Terrys Schwester«, antwortete Cream.

»Terry?«

»Der, der unsere Aktien gestohlen hat.« Cream drehte sich zu Mr. Arrowood um, und seine Stimme klang giftig. »Sie haben zehn Sekunden, um uns zu erklären, was das alles zu bedeuten hat, Arrowood, oder wir fangen an, Ihnen die Finger zu brechen.«

Mr. Arrowood stand mit offenem Mund da und blickte zwischen Longmire und Miss Cousture hin und her.

»Fünf Sekunden.«

»Ich weiß es nicht«, gab Mr. Arrowood kopfschüttelnd zu. Ich sah ihn an und versuchte ihm zu signalisieren, dass wir etwas unternehmen mussten, weil dies sonst unser Ende wäre. Er steckte eine Hand in die Tasche und umklammerte seinen Revolver, wie ich es ebenfalls längst getan hatte. Nun drückte ich langsam den Abzug. Die Venen an meinen Schläfen pochten; mein Herz raste. Ich war mir sicher, dass es gleich einen Schusswechsel geben würde, und mir war völlig schleierhaft, wie wir jemals wieder lebend aus diesem Lagerhaus herauskommen wollten. Großer Gott, Petleigh, wo stecken Sie nur?

»Erkennen Sie mich nicht, Mr. Cream?«, fragte Miss Cousture, während Piser ihr die Arme hinter dem Rücken festhielt.

Cream hob die Laterne, um sie besser sehen zu können.

»Sollte ich das?«

»Sie sollten es, aber natürlich tun Sie es nicht«, entgegnete sie ruhig.

»Verraten Sie mir, warum Sie Longmire getötet haben.«

»Weil er es verdient hat.«

Cream trat vor sie und schlug ihr ins Gesicht. *Komm endlich zum Punkt, Weib!*«, knurrte er. »Woher kennen Sie Longmire?«

Sie holte tief Luft und schloss die Augen, bevor sie antwortete.

»Er hat mir Gewalt angetan«, gab sie schließlich zu.

Einen Moment lang sagte keiner ein Wort.

»Du liebe Güte«, sagte Cream, »ist das alles? Deswegen bringen Sie einen Mann um? Sehen Sie sich doch mal an. Sie sind gesund. Sie haben überlebt.«

»Lassen Sie die Frau sprechen«, zischte Paddler Bill und sah sie an. »Erklären Sie uns das, Missy.«

Sie drehte sich zu dem großen Amerikaner um.

»Danke, Sir.« Dann holte sie erneut tief Luft. »Als ich dreizehn Jahre alt war, hörte meine Mutter, es gäbe in Frankreich Stellen für Dienstmädchen. Sie hatte eine Anzeige in der Zeitung gesehen. Ich hatte vier jüngere Brüder, und Mutter konnte uns nicht alle ernähren. Sie verdiente nicht genug, um uns alle durchzufüttern.«

»Wir wollen keine Geschichten über Ihre Kindheit hören«, schimpfte Cream. »Sie weiß, wo unsere Eisenbahnaktien sind, Bill. Darum sind wir hier.«

»Lassen Sie sie reden, Cream!«, bellte der Fenier, dessen Stimme durch das große Lagerhaus hallte.

»Und so sind wir zu der Dame gegangen, die die Anzeige aufgegeben hatte«, fuhr Miss Cousture fort und drehte sich wieder zu Cream um. »Sie kennen sie, Mr. Cream. Ihr Name ist Sal. Sie arbeitet für Sie. Sie sagte, es gäbe da eine gute Familie in Frankreich, die ein Dienstmädchen wie mich gebrauchen könnte, aber als ich dort ankam, wartete keine Familie auf mich, nicht wahr?«

»Ich fange gleich an zu weinen, Mädchen.« Cream hatte ein gemeines Grinsen auf den Lippen. Selbst im schlecht beleuchteten Lagerhaus schimmerten seine perfekten Zähne. »Großer Gott, wie alt sind Sie denn? Das muss doch Jahre her sein.«

»Lassen Sie sie weitererzählen«, befahl Paddler Bill.

»Man brachte mich am ersten Tag zu einer Hebamme, die mich untersuchte, ob ich noch unberührt war.« Miss Cousture sprach, als wäre sie in Trance. »Dann sperrte man mich in das Haus ein, das ich zehn Jahre lang nicht verlassen durfte und in dem ich Nacht für Nacht misshandelt wurde. In dem mich ein Mann nach dem anderen nehmen durfte. Jede Nacht. Man machte mich zu einer Hure. Sie haben mich an ein Bordell verkauft, Mr. Cream.«

»Das hört sich für mich so an, als hätten Sie lieber ihn erstechen sollen, Miss«, meinte Paddler Bill. Seine drei Männer lachten.

Cream richtete die Waffe auf Miss Cousture und nickte Boots zu, der ihr den rechten Arm verdrehte. Sie keuchte auf und sah im Licht von Creams Laterne fast schon geisterhaft aus mit den zahlreichen Hinterlassenschaften von Longmires Tod.

»Am zweiten Tag haben sie mich gewaschen, mich frisiert und mich geschminkt. Dann haben sie mich festgehalten und mich mit Chloroform betäubt, aber sie gaben mir nur so viel, dass ich nicht mehr klar denken konnte. Ein Mann kam ins Zimmer. Ein reicher Mann aus London. Ich begriff noch immer nicht, was passieren würde.«

»Longmire«, murmelte Mr. Arrowood.

Sie nickte.

»Dann ist es geschehen«, fuhr sie fort. »Und als er fertig war, schlug er mich mit der Faust, als wäre ich es gewesen, die ihm Gewalt angetan hat. Er fing mit meinem Gesicht an.« Sie deutete auf ihren abgebrochenen Schneidezahn. »Dann schlug er mich auf die Arme und die Brust. Wieder und wieder hämmerte er auf meinen Bauch ein und ...« Ihre Stimme wurde zu einem Flüstern. »Er trat mir auf die Beine. Ich war einen Monat lang bettlägerig.«

Sie starrte Mr. Arrowood mit lodernden Augen an.

»Ich habe in meinem ganzen Leben nie so viel Hass in einem Mann gesehen, und das nur wegen dem, das *er* mir angetan hat.«

»Darum ging es bei diesem Fall wirklich, nicht wahr?«, fragte Mr. Arrowood.

»Ich war auf der Suche nach ihm, seit ich in London an Land gegangen bin.« Ihre Stimme klang ausdruckslos, ihre Wut schien verflogen zu sein.

»Verstehe ich das richtig?«, fragte Paddler Bill kopfschüttelnd. »Cream verkauft Mädchen an Männer als Jungfrauenopfer? Das ist einer seiner Geschäftszweige?«

»Nach mir kamen noch andere Mädchen«, flüsterte Miss Cousture. »Ebenso jung wie ich. Aus London.«

»Das reicht!«, protestierte Cream und warf die Hände in die Luft. »Ich bin hier nicht der Bösewicht. Bitte vergessen Sie nicht, dass das Schutzalter, ab dem jemand einwilligungsfähig ist, erst vor zehn Jahren angehoben wurde.«

»Ich hatte aber nicht eingewilligt.«

»Aber, aber, meine Liebe.« Er hatte ein Lächeln auf den Lippen, und seine Stimme wurde schmeichelnd. »Ich bin nur ein Geschäftsmann. Die Sünde begehen die Männer, die ein derartiges Verlangen verspüren.« Er sah Paddler Bill an. »Die

Dame hat Longmire getötet, Bill. Sie hat sich gerächt. Ich wollte immer nur Geschäfte machen.«

»Das ist ein schlechtes Argument, Cream«, sagte ich.

Er wirbelte zu mir herum und sprach vor Wut schneller.

»Hören Sie mir gut zu, wenn ich Ihnen die Sache erkläre, Sie Narr. Mächtige Männer sind wie vollblütige Pferde. Sie führen das Land, weil sie überlegen sind. Wenn man nicht dafür sorgt, dass sie zufrieden sind, können sie ihren Platz in der Gesellschaft nicht ausfüllen. Ich erwarte nicht, dass ein Mann wie Sie das versteht. Diese Männer entstammen guten Familien, aber in ihrem Inneren gibt es ein Labyrinth aus Sehnsüchten und Bedürfnissen, die ebenso animalischer wie zivilisierter Natur sind. Sie benötigen Whisky und Wein zum Nachdenken, und jemand versorgt sie damit. Sie brauchen Laudanum, und jemand versorgt sie damit. Sie brauchen eine Frau und ein Heim. Sie brauchen den Sport.«

Cream marschierte langsam um uns herum und auf Boots und Piser zu, die Miss Cousture weiterhin festhielten. Wir wandten den Blick nicht von ihm ab und waren jederzeit bereit, unsere Revolver zu ziehen. Ich konnte spüren, dass er auf etwas hinarbeitete.

»Sie brauchen gutes Essen, schöne Kleidung, kostbare Möbel. Jemand versorgt sie damit und sorgt dafür, dass es ihnen an nichts mangelt. Dienstmädchen, Butler, Diener, sie alle kümmern sich um sie, damit sie sich um das Land kümmern können. Ich verstehe sie. Colonel Longmire und ich waren auf derselben Schule, wir haben uns in Marlborough ein Zimmer geteilt. Er ging zur Armee, während ich eher für das Geschäftsleben geeignet war. Obwohl er das nicht guthieß, war ich ihm nützlich, wenn er gewisse Dinge benötigte. Ich half ihm, seinem Land zu dienen, das ist alles. Und ich habe seine Gelüste nicht hervorgerufen – das war Mutter Natur.«

Er blickte seinen Männern ins Gesicht, die alle nickten. Als er sich Unterstützung heischend an die Feniers wandte, starrten diese ihn nur mit zusammengepressten Lippen an.

»Was glauben Sie denn, wie ich von Sir Herberts Photographien erfahren habe, Bill?«, fragte er. »Longmire hat mir davon erzählt. Sie hatten dieselben Interessen und haben Photographien ausgetauscht.«

»Das haben Sie mir nie erzählt«, erwiderte Paddler Bill.

»Sie stecken in der Sache ebenso tief drin wie ich, Bill. Sie haben mir die Photographien gegeben.«

»Ich dachte, ich kaufe Gewehre bei Ihnen. Ich hätte nie Geschäfte mit Longmire gemacht, wenn ich das alles gewusst hätte.«

»Longmire hat keinen Penny Ihres Geldes bekommen, Bill. Keinen Penny. Ich bin zu ihm gegangen, weil ich wusste, dass er uns die Gewehre besorgen konnte, und er wusste, dass ich ihn in einen Skandal verwickeln kann. Longmire hat nur kooperiert, weil er Angst hatte, seine Neigungen könnten bekannt werden. Aus diesem Grund hat er auch Venning ermordet. Aber er hat nie einen Penny Ihres Geldes erhalten, Bill.«

Paddler Bill schüttelte den Kopf.

»Haben Sie ihm befohlen, Venning zu töten?«

»Nein!«, rief Cream. »Als diese beiden Narren hier anfingen, sich nach den Gewehren umzuhören, geriet Venning in Panik. Er war bereit, als Kronzeuge auszusagen. Das konnte Longmire natürlich nicht zulassen, da der Mann auch sein Untergang gewesen wäre. Ich habe Longmire nur gesagt, dass er dieses Problem lösen muss, um den Rest hat er sich selbst gekümmert.«

»Mr. Cream, Sir«, schaltete sich Mr. Arrowood ein. »Sie behaupten also, Sie träfe keine Schuld, weil Sie nur Geschäftsmann sind?«

Cream drehte sich zu uns um und schien erleichtert zu sein, dass er die Unterhaltung mit Paddler Bill beenden konnte, sich gleichzeitig aber auch über Mr. Arrowood zu ärgern.

»Ja!«, fauchte er.

»Und Sie wenden dasselbe Argument auf den Verkauf dieser Gewehre an?«, fragte Mr. Arrowood, der dabei näher an die Feniers herantrat und sich weiter von mir entfernte.

»Selbstverständlich ist das dasselbe! Der, der den Abzug betätigt, trägt die Verantwortung, nicht ich. Ich ermorde niemanden. Der Ausgang des Kampfes interessiert mich nicht.«

Der blonde Fenier trat vor und kniff die Augen zusammen. Paddler Bill warf ihm über die Schulter einen Blick zu und schüttelte den Kopf.

Cream verzog das Gesicht. »Und jetzt habe ich die Nase voll, Arrowood ...«

»Sie sind nichts als wertloser Abschaum!«, brüllte Mr. Arrowood in einem plötzlichen Temperamentsausbruch. Er übertönte Cream, und seine Stimme hallte durch das große Lagerhaus. »Sie sind ebenso mitschuldig wie diejenigen, die die Gewehre abfeuern, aber Sie sind sogar noch schlimmer, weil Sie es leugnen! Diese Menschen versuchen wenigstens, etwas für andere zu tun. Aber was machen Sie?«

»Ich töte keine Frauen und Kinder!«, versuchte Cream sich zu rechtfertigen. »Bürden Sie mir nicht diese Verbrechen auf! Ich bin nicht mehr als ein Werkzeug des Marktes. Ich kaufe. Ich verkaufe. Das ist alles. Die Sünde liegt in der Leidenschaft. In dem, was ich tue, liegt jedoch keine Leidenschaft.« Er knallte den Gehstock gegen seinen Stiefel. »Passen Sie gut auf, Arrowood. Ich bin nicht von Hass getrieben. Ich sehe sehr wohl Ihre herablassende Miene, aber Sie haben nicht das Recht, über mich zu urteilen. Ich habe einundzwanzig Menschen in meinen Diensten. Wie viele haben Sie? Das sind einundzwanzig Mäuler, die ich füttere, dazu kommen noch ihre Familien und ihre Kinder. Sehen Sie sich Lenny hier an. Er arbeitet für mich. Ich sorge für seine Frau und seine drei Kinder. Er gibt sein Geld im Puddinggeschäft aus, im Kochhaus, beim Kerzenmacher, auf dem Markt. Er geht in den Pub. Und so zirkuliert das Geld, das ich ihm gebe, weiter. Das Gute vervielfacht sich. Es sind Geschäftsmänner wie ich, die dieses Land ernähren. Ich habe keine weiße Weste, das weiß ich selbst, aber man muss das Schlechte gegen das Gute aufwiegen.«

»Sehen Sie sich wirklich so, mein Freund?«, fragte Paddler Bill und verschränkte die Arme vor der Brust.

»Wie meinen Sie das?« Cream war derart in seine Rede vertieft gewesen, dass er jetzt, wo sich der große Amerikaner einmischte, ganz überrascht wirkte.

»Denken Sie, Sie wären besser als wir?«

Cream zuckte zusammen und schüttelte schnell den Kopf. Ein schmeichelndes Lächeln breitete sich auf seinen Zügen aus. »Nein, nein. Das wollte ich damit nicht zum Ausdruck bringen. Arrowood hat mich provoziert. Sie wissen, dass ich großen Respekt für Sie und Ihre Sache empfinde. Ich wollte damit nur sagen, dass ich ein Mittelsmann bin, Bill. Das ist alles. Menschen wie ich müssen sich aus allem raushalten, sonst könnten wir Ihnen wohl kaum nützlich sein.«

»Aber Sie sind der Ansicht, wir wären nur von Hass getrieben?«, wollte Paddler Bill wissen.

»Aber nein, Bill. Arrowood hat mir diese Worte förmlich in den Mund gelegt. So wollte ich das eigentlich gar nicht ausdrücken.«

Paddler Bill wandte sich an den Mann mit den strähnigen blonden Haaren.

»Nun, wo Sir Herbert und Longmire tot sind, bedeutet das

doch, dass unsere Geschäfte mit Mr. Cream abgeschlossen sind, nicht wahr, Declan?«

»Das würde ich auch so sehen, Bill«, bestätigte der Mann.

»Und würdest du mir auch zustimmen, dass die Dame gerächt wurde?«

Declan sah zu Cream hinüber. »Nein, Bill, meiner Meinung nach noch nicht ganz.«

Paddler Bill drehte sich wieder zu uns um, hatte jetzt allerdings eine Pistole in der Hand.

»Bill!«, kreischte Cream.

Ein Schuss fiel. Cream taumelte nach hinten und fiel zu Boden. Boots und Piser hoben ihre Waffen, aber Declan und der schwarzbärtige Amerikaner zielten nun mit Gewehren auf die beiden Männer. Long Lenny stand einfach nur da und ließ den Schürhaken in der Hand baumeln.

»Wir haben keinen Streit mit euch Männern«, sagte Bill. »Werft die Waffen weg.«

Sie taten, was er verlangte.

»Jetzt verschwindet von hier. Und kommt gar nicht erst auf den Gedanken, euch an uns rächen zu wollen. Wir haben unsere Augen überall. Euer Arbeitgeber ist tot. Ihr seid ihm nicht das Geringste schuldig.«

Long Lenny, Boots und Piser drehten sich um und rannten aus dem Lagerhaus.

Paddler Bill kam auf uns zu.

»Was ist mit Ihnen?«, fragte er. »Gehe ich recht in der Annahme, dass Sie mir die Nachricht geschickt haben? Was haben Sie mir zu sagen?«

Ich deutete auf Gaunt, der hinter Declan stand und ein Messer in der Hand hielt. Er war der einzige der vier Feniers ohne Schusswaffe.

»Dieser Mann arbeitet für den SIB«, sagte ich.

»Das stimmt nicht, Bill!«, rief der Buchhändler mit heiserer Stimme. »Hör nicht auf ihn!« Er sah mich an. »Dafür leg ich dich um, du verlogener Mistkerl!«

Er trat vor und wollte sein Messer werfen, doch der glatzköpfige Amerikaner war schneller und hielt ihn fest. Ich zog meinen Revolver aus der Tasche.

»Nein, Bill!«, kreischte Gaunt. »Das ist eine gottverdammte Lüge!«

Paddler Bill achtete nicht weiter auf ihn. »Woher wissen Sie das?«, fragte er und ließ meine Waffe nicht aus den Augen.

»Ich wurde letzte Woche vom SIB verhört. Als ich Scotland Yard verließ, sah ich Ihren Mann, der sich gerade mit Detective Coyle in einem Kaffeehaus traf. Der Detective arbeitet mit Lafferty zusammen, und sie sind beide beim SIB. Coyle und er schienen sich sehr gut zu verstehen.«

»Nein, nein, Bill!«, rief Gaunt. »Ich habe noch nie von einem Coyle gehört, ganz ehrlich. Der Kerl versucht doch nur, seine Haut zu retten, indem er mich belastet.«

Bill fuhr sich mit den Fingern durch seinen wilden Bart und sah Declan einige Augenblicke lang an.

»Bill! Er lügt dich an!«, behauptete Gaunt. »Das schwöre ich!«

»Du hattest recht, Declan«, sagte Bill schließlich.

»Declan?«, kreischte Gaunt. »Was hast du gesagt?«

Bill ging zu ihm und schlug ihm in die Magengrube. Als Gaunt sich krümmte, durchsuchte Bill seine Taschen. Er holte einen Schlüssel heraus und steckte ihn ein.

»Nein, Bill«, flehte der Buchhändler, der nach Luft rang. »Das ist alles erstunken und erlogen. Ich schwöre es, Bill.«

»Bringt ihn in den Wagen«, ordnete Bill an und wandte seinen Männern den Rücken zu.

Declan und der glatzköpfige Fenier zerrten Gaunt hinaus, der um sich schlug und trat und weiterhin behauptete, unschuldig zu sein. Aber er tat es mit der Stimme eines verzweifelten Mannes, der weiß, dass auf ihn der Galgen wartet, und das machte mich krank. Bill würdigte ihn keines weiteren Blickes. Er wartete, bis sie gegangen waren, bevor er erneut das Wort an uns richtete.

»Wir haben vor einigen Monaten von der Organisation gehört. Einige seiner Geschichten passten nicht zusammen. Seitdem hatten wir ihn im Auge. Declan war von Anfang an skeptisch, was ihn betraf.«

»Der Preis war fünfundzwanzig Dollar«, erklärte ich.

»Das ist korrekt«, bestätigte er. Seine Waffe war weiterhin auf mich gerichtet. Meine auf ihn. Dies wäre die richtige Zeit für Mr. Arrowood, seine Waffe zu ziehen, doch er tat es nicht.

Die Tür des Lagerhauses wurde wieder geöffnet, und der glatzköpfige Amerikaner kam herein. Er bedrohte Mr. Arrowood mit einem Gewehr.

»Die Hände auf den Kopf, Fettwanst«, verlangte er.

Mr. Arrowood drehte sich um und hob die Hände.

»Nehmen Sie die Waffe runter«, forderte mich Paddler Bill auf.

Ich überlegte kurz, ob ich schießen sollte, begriff jedoch schnell, dass ich eigentlich keine Wahl hatte. Während ich die Waffe sinken ließ, verfluchte ich Mr. Arrowood innerlich dafür, dass er nicht im richtigen Augenblick seine Waffe gezogen hatte.

»Eines müssen Sie uns verraten«, bat Mr. Arrowood und sah Paddler Bill fragend an. »Warum hat Gaunt die Kellnerin getötet?«

»Ich weiß nichts von irgendeiner Kellnerin.«

»Dann haben Sie das nicht angeordnet?«

»Ich sagte doch gerade, dass ich nichts davon weiß.«

»Was ist mit dem Polizisten in Zivil? Haben Sie ihn umgebracht?«

Paddler Bill zuckte mit den Achseln.

Ein seltsames Schweigen senkte sich auf uns herab, und es war, als wollte niemand den nächsten Zug machen. Ich blickte auf meine Waffe hinab, die am Boden lag, und überlegte, dass wir vielleicht noch eine Chance gehabt hätten, wenn Mr. Arrowood seine Waffe rechtzeitig gezogen hätte.

»Werden Sie uns töten?«, fragte ich schließlich.

Paddler Bill seufzte.

»Ich möchte eines klarstellen, mein Freund. Unser Ziel ist es, Irland aus der Sklaverei zu befreien. Die Unabhängigkeit wird früher oder später kommen, so viel ist sicher, aber momentan scheint Blutvergießen die einzige Sprache zu sein, die Ihre Regierung versteht. Parnell könnte sie nie auf friedlichem Weg überzeugen.«

»Ich bin für ein freies Irland«, sagte Mr. Arrowood. »Ebenso wie viele andere Engländer.«

»Tja, die, die das Sagen haben, sind es leider nicht. Aber die Sache ist die: Wir haben die Gewalt nicht erfunden. Vielmehr haben die Engländer sie uns gelehrt. Wir töten nur Menschen, wenn es der Sache dient.«

»Unschuldige Menschen«, warf Mr. Arrowood ein.

»So ist es in jedem Krieg«, erwiderte Paddler Bill. »In jedem.«

Der große Amerikaner hob Miss Coustures Messer auf, das Piser fallen gelassen hatte. Er zerrte Creams Leiche zu Longmires und schob sie dort über den blutbedeckten Boden, bis sich der weiße Überzieher mit Blut vollgesogen hatte. Danach legte er die beiden Leichen nebeneinander und ließ das Messer neben Creams Hand fallen, um Longmire seinen Revolver in die Hand zu drücken. Zu guter Letzt hob er meine Waffe auf, steckte sie in die Tasche und ging zur Tür, an der noch immer der Glatzkopf stand und sein Gewehr auf uns richtete.

»Ihr Tod wäre der Sache nicht dienlich«, sagte Paddler Bill. »Man würde ihn mit Creams Operation und nicht mit unserer Bewegung in Verbindung bringen. Außerdem haben wir nicht vor, London noch länger zu terrorisieren. Es wird einen Aufstand geben, und zwar direkt in Irland. Jeder weiß, dass es so kommen wird.«

In der Tür drehte er sich noch einmal zu uns um. Mir ging erst jetzt auf, dass er uns tatsächlich nicht töten würde, und ich fing am ganzen Körper an zu zittern.

»Sie werden der Polizei nicht verraten, was hier geschehen ist, weil Sie dann auch zugeben müssten, dass die Dame Longmire getötet hat. Dann würde sie am Galgen enden, und ich bezweifle, dass einer von uns denkt, sie hätte das verdient. Daher werden Sie den Mund halten. Aber ich warne Sie: Halten Sie sich aus unseren Angelegenheiten heraus. Wenn ich einen von Ihnen jemals wiedersehe, werde ich nicht mehr so großzügig sein.«

36

Ich hob Neddy auf, während Mr. Arrowood Longmires Taschen nach den fünfundzwanzig Pfund durchsuchte, die er uns schuldete. Draußen auf der Straße blieb es ruhig. Die Feniers waren fort. Ich blickte zum dunklen Himmel, dem Mond und den Sternen hinauf. Sie alle waren noch da. Reverend Jebb trat aus einem Hauseingang und kam uns entgegen, und wir gingen alle zusammen zurück zu Sidneys Droschke.

Ich hielt Neddy auf dem Schoß, als wir zur Mission fuhren. Er war ganz still und hatte das Gesicht an meiner Brust vergraben.

»Du bist jetzt in Sicherheit, Neddy«, sagte Mr. Arrowood. »Und du warst sehr tapfer. Haben sie dir wehgetan?«

Mit sehr, sehr zaghafter Stimme flüsterte Neddy: »Es tut mir leid.«

»Was tut dir leid?«, fragte ich. »Da gibt es nichts, das dir leidtun müsste.«

Er drängte sich weiterhin fest an mich. »Ich habe ihnen verraten, wo Mr. Arrowood jetzt wohnt. Und ich habe ihnen gesagt, dass Sie Terry gefunden haben.«

»Wir machen dir keinen Vorwurf, Neddy«, versicherte Mr. Arrowood ihm. »Das sind böse Männer.«

Er wollte Neddys Bein streicheln, aber sobald er es berührte, stöhnte der Junge und zog es weg. Das Geräusch klang so tief, als wäre da ein erwachsener Mann in seinem Inneren, und es nagte an mir.

»Was ist mit deinem Bein?«, wollte ich wissen.

Neddy schniefte und presste die Nase in meine Jacke. Wir konnten seine Worte kaum verstehen.

»Sie haben meinen Fuß zertrümmert.« Er gab sich die größte Mühe, es zu verhindern, aber als er weitersprach, fing er doch an zu weinen. »Sie hatten einen Hammer.«

»Ich befürchte, sie haben ihn auch an den Händen verbrannt«, sagte ich.

»Du bist ein Held, Junge«, erklärte Mr. Arrowood, dessen Stimme beinahe brach. »Wir werden dich gleich zu einem Arzt bringen, der dir etwas gegen die Schmerzen geben kann.«

Der Geistliche, der in einer Ecke hockte, musterte den Jungen schweigend. Miss Cousture, die neben mir saß, strich Neddy über das Haar. Ich fragte mich, ob sie das, was man ihr angetan hatte, jemals überwinden würde. Als sie durch das Fenster in die Nacht hinausblickte, loderte Zorn in ihren Augen, aber ich hatte den Eindruck, dass die Kraft, die sie seit unserer ersten Begegnung angetrieben hatte, verschwunden war. Mr. Arrowood schaute ebenfalls hinaus, und in seinen blutunterlaufenen Augen schimmerten Tränen, die im Licht der Gaslaternen funkelten. Wir fuhren benommen und schweigend weiter.

Nach einiger Zeit ergriff Mr. Arrowood das Wort.

»Miss Cousture, es gibt da eine Sache, die ich nicht verstehe: Wie haben Sie die Anstellung in Fontaines Photographiestudio denn nun wirklich erhalten?«

»Eric hatte nichts mit alldem zu tun«, erklärte sie und ließ die Hand sanft auf Neddys Rücken ruhen. »Thierry hatte zuerst die Stelle im Beef. Er musste für Cream Pakete in der ganzen Stadt austragen. Da er wusste, wie er sie wieder versiegeln konnte, ohne dass jemand etwas merkte, hat er sie alle aufgemacht. Einige der Pakete kamen aus Erics Studio. Sie können sich gar nicht vorstellen, was für Bilder er da anfertigte. Ich meine …« Sie hielt inne, blickte auf Neddy hinab und senkte die Stimme. »Intime Bilder. Männer mit Männern, ganze Gruppen, junge Mädchen, alles, was Sie sich nur ausmalen können. Cream verkaufte die Bilder oder hat die Leute damit erpresst. Wir dachten, dass der Mann, den wir suchen, möglicherweise auch derartige Photographien kaufen würde. Sein Geschmack würde sich nicht verändert haben. Aber wir waren uns nicht sicher, daher hat mir Josiah geholfen, die Stelle im Studio zu bekommen. Er schlug ihm vor, mich für ein sehr geringes Gehalt für ihn arbeiten zu lassen, und so hat Eric seinen Assistenten entlassen und mich eingestellt. Aber Longmire und Venning haben Eric nie aufgesucht. Es kamen viele andere Männer wie sie, die beiden jedoch nicht.«

»Dann waren Sie von Anfang an in alles eingeweiht, Reverend?«, fragte Mr. Arrowood.

»Das ist Teil unserer Missionsarbeit«, erläuterte Jebb. »Wir bieten Erlösung, aber wir versuchen auch, jenen, die unsere Frauen misshandelt haben, Gerechtigkeit widerfahren zu lassen. Auge um Auge, Mr. Arrowood.«

»Bitte verzeihen Sie meine offenen Worte, Reverend, aber ich glaube nicht, dass Sie für diese Aufgabe geeignet sind.«

»Ich werde es lernen, Sir.«

Wir hielten vor dem Missionshaus.

»Was werden Sie jetzt tun, Miss Cousture?«, erkundigte ich mich.

Sie überlegte kurz und sah mich mit trauriger, ernster Miene an. Das Blut, das sie überall bedeckte, schien sie nicht weiter zu stören.

»Ich glaube, ich werde nach Paris gehen und versuchen,

Thierry zu finden. Meiner Ansicht nach schuldet er mir die Hälfte dieser Eisenbahnaktien.«

»Dann sollten Sie lieber gleich morgen früh aufbrechen«, schlug Mr. Arrowood vor. »Die Polizei wird wegen der Todesfälle ermitteln. Aber seien Sie versichert, dass wir Ihre Beteiligung nicht erwähnen werden.«

»Vielen Dank, Mr. Arrowood.«

»Sie wussten wirklich nicht, dass er die Aktien gestohlen hat?«

Sie schüttelte den Kopf.

»Viel Glück, Miss«, sagte ich.

»Falls Sie Hilfe brauchen, um ihn zu finden …«, begann Mr. Arrowood.

Sie musterte ihn überrascht.

»… dann wenden Sie sich bitte nicht an uns.«

Dies war das erste Mal, dass ich sie lachen sah.

Ettie und Lewis warteten bereits auf uns. Wir schickten nach dem Arzt und brachten Neddy zu Bett. Mr. Arrowood holte eine Flasche Brandy heraus, und Lewis spendierte einen Laib Brot und Schinken. Wir saßen im Salon und sprachen über das, was passiert war.

»Dann hat Longmire gar nichts von dem Geld abbekommen?«, fragte Lewis, der ob seines fehlenden Arms Schwierigkeiten hatte, das Brot zu schneiden.

»Offenbar nicht«, antwortete Mr. Arrowood. »Ich war davon ausgegangen, dass er beim Verkauf der Gewehre Creams Partner gewesen ist, aber Longmire war ebenso wie Venning zur Kooperation gezwungen worden. Cream hatte gedroht, ihn zu verraten, wenn er die Waffen nicht besorgte. Zweifellos hatten Cream und Milky Sal schon seit Jahren dafür gesorgt, dass Longmires Perversionen befriedigt wurden.«

Ich erhob mich, um Lewis zu helfen.

»Es war dumm von Longmire, ihnen zu vertrauen«, erkannte Ettie.

»Longmire und Cream waren zusammen in Marlborough«, erklärte Mr. Arrowood. »Wahrscheinlich hat er darauf vertraut, dass alte Schulfreunde einander nicht betrügen.«

»Und Sir Herbert?«, hakte Ettie nach.

»Longmire konnte die Waffen nicht allein beschaffen. Er brauchte die Hilfe seines Freundes Sir Herbert, und da sie dieselben Interessen hatten …« Mr. Arrowood hielt inne und drehte sich zu Ettie um. »Damit meine ich sexuelle Interessen, Schwester.«

»Ich weiß ganz genau, was du damit meinst, William!«

»Nun, wie dem auch sei«, fuhr er fort und sah ein wenig bestürzt aus. »Er wusste, wie man ihn am besten erpressen konnte.«

»Du beziehst dich auf das Jungfrauenopfer«, erkannte sie.

Er nickte. »Bilder von minderjährigen Mädchen. Zweifellos dieselbe Art von armen Mädchen, um die du dich kümmerst, Ettie. Vor zwanzig Jahren wäre das nicht unbedingt ein Skandal gewesen, aber inzwischen werden Männer wie Sir Herbert nicht länger stillschweigend geduldet. Als wir anfingen, Fragen zu stellen, bekam Venning es mit der Angst zu tun und war bereit, sich als Kronzeuge zur Verfügung zu stellen. Das konnte Longmire natürlich nicht zulassen. Er versuchte, es nach Selbstmord aussehen zu lassen, vergaß dabei jedoch Sir Herberts missgebildete Hand.«

»Sie haben Glück, dass Sie noch am Leben sind«, stellte Lewis mit vollem Mund fest. »Ich kann das alles immer noch nicht glauben.«

»Das haben wir jedoch nicht diesem Schwachkopf Petleigh zu verdanken«, sagte Mr. Arrowood. »Mir war klar geworden, dass unsere einzige Chance darin bestand, so viel Verwirrung wie nur irgend möglich hervorzurufen. Darum wollte ich die Fenier auch dort haben, ebenso wie Miss Cousture und Longmire. Aber es war nur zum Teil Glück, mein Freund. Dies war ein langer Fall, und derartige Fälle werden nicht gelöst, sondern zum Abschluss gebracht. Wir haben im Laufe der Zeit einiges getan, was uns hierhergeführt hat.«

»Und, sind Sie mit dem Abschluss zufrieden?«, wollte Lewis wissen.

»Für Miss Cousture ist der Fall abgeschlossen. Sie hat, was sie haben wollte. Und wir haben Marthas Mörder zur Strecke gebracht. Das war unser Fall. Ihr Tod wäre ansonsten in Vergessenheit geraten. Ich kann nur hoffen, dass wir auf gewisse Weise Wiedergutmachung geleistet haben.«

»Hättet ihr ihn nicht einfach der Polizei übergeben können?«, fragte Ettie.

»Wie denn das, Schwester?«

»Norman hat doch alles gesehen. Gaunt wäre überführt gewesen.«

»Du vergisst, dass er Freunde beim SIB hat. Sie hätten ihn gewiss geschützt.«

Ettie schüttelte den Kopf. »Das weißt du nicht mit Sicherheit. Dass du ihn Paddler Bill gegenüber als Spitzel bloßgestellt hast, war sein Todesurteil. Stürzt dich das nicht in Gewissensbisse?«

»Ich habe die Gesetze ihrer Welt nicht aufgestellt, Ettie. Diese Männer leben darin. Sie wissen, auf was sie sich einlassen.«

Wir saßen noch einige Zeit gedankenverloren beieinander. Als die Uhr zur vollen Stunde schlug, wandte sich Ettie an mich.

»Hatten Sie Angst, Norman?«, fragte sie und legte den Kopf leicht schief. Ihr Kragen reichte ihr bis zum Kinn, und ich konnte ihr die Müdigkeit deutlich ansehen.

»Ich hatte in meinem ganzen Leben noch nicht so große Angst«, gab ich zu. »Sie waren in der Überzahl. Und als William anfing, Cream anzuschreien, dachte ich, es wäre um uns geschehen. Hätte Bill Cream nicht erschossen, würden wir jetzt auf dem Grund des Flusses liegen.«

»Oh, William.« Sie seufzte schwer. »Warum kannst du dein Temperament denn nicht im Zaum halten?«

»Es war ein Versuch, Ettie«, erwiderte Mr. Arrowood. Er stellte seinen Teller ab und beugte sich vor. »Cream wollte uns töten. Ich habe verzweifelt nach einem Ausweg gesucht. Bill war erzürnt, weil Cream die Waffen mithilfe von Prostitution und Erpressung beschafft hatte. Außerdem war er wütend über Vennings Tod, durch den die Nachschublinie unterbrochen war. Das allein reichte zwar noch nicht, war aber immerhin ein Anfang. Während Creams Rede habe ich die Feniers beobachtet und sah meine Chance. Als er behauptete, dass ihn keine Schuld träfe, und er die Feniers als Mörder bezeichnete, trat Declan wütend vor. In einer Gruppe gibt es immer unterschiedliche Naturelle. Die einen genießen die Gewalt und sinnen auf Rache. Manche sehnen sich nach einem besseren Status. Aber manche, und dazu gehören zweifellos Bill und Declan, greifen zu den Waffen, weil sie schlichtweg keinen anderen Weg sehen. Das hat Cream nicht verstanden, und aus diesem Grund habe ich ihn provoziert, damit er noch mehr sagt. Dass Cream sich als etwas Besseres ansah, war ihnen zutiefst zuwider. Bills Freunde von den Invincibles wurden verurteilt und exekutiert, weil sie der Bewegung angehörten. Bill war der Einzige, den sie nicht erwischt haben. Ihm nun vorzuwerfen, er würde keine Moral besitzen, war, als hätte man in seinem Herzen eine Bombe platziert, erst recht, wenn es aus dem Mund eines so abscheulichen Menschen wie Cream kam. Ich habe den Auslöser gesehen und betätigt.«

Er nahm seine Pfeife vom Tisch und stopfte sie.

»Aber warum hat Cream nicht gemerkt, was er da tat?«, fragte Ettie.

»Wenn du schon mal eine Rede gehalten hast, dann wirst du wissen, wie schnell man dabei seine Sensibilität verliert. Die Aufmerksamkeit der Zuhörer ist wie ein Rausch, und man bekommt nicht genug davon.« Er hielt kurz inne, um die Pfeife anzuzünden. »Und manchmal sind böse Menschen auch überzeugt davon, sie würden zu den Guten gehören.«

»Aber das bedeutet ja, dass du versucht hast, sie dazu zu bringen, Cream zu töten«, murmelte Ettie.

Mr. Arrowood erwiderte nichts.

»Oh, William. Du hast zu viele Entscheidungen getroffen.«

»Das war Gerechtigkeit, Ettie. Für all die jungen Mädchen. Für Miss Cousture. Für den Polizisten. Aber selbst, wenn du anderer Meinung bist, wirst du zugeben müssen, dass es unsere einzige Chance gewesen ist. Andernfalls wären wir jetzt tot, und Neddy auch.«

Kurz darauf hämmerte jemand an die Tür. Ich sah aus dem Fenster, da ich befürchtete, es könnten Boots und Piser sein, aber es war nur Petleigh.

»Ich komme soeben von Isslers Lagerhaus«, berichtete er, sobald er im Flur stand. Obwohl es spät war, duftete er nach Parfum, und sein pechschwarzer Schnurrbart war vor Kurzem gewachst worden. »Was in aller Welt hat sich dort abgespielt?«

»Wo in drei Teufels Namen haben Sie gesteckt?«, rief Mr. Arrowood, ohne aus seinem Sessel aufzustehen. »Wir wären beinahe getötet worden!«

Petleigh betrat den Salon.

»Das war nicht meine Schuld, William. Der Stellvertretende Commissioner hat in letzter Sekunde, als wir gerade aufbrechen wollten, angeordnet, dass wir Sherlock Holmes bei einer Razzia begleiten sollen. Ich hatte Ihnen doch erzählt, dass man ihn gebeten hat, uns im Venning-Fall zu assistieren?«

»Ganz London weiß davon«, entgegnete Mr. Arrowood und paffte hektisch an seiner Pfeife. Um ihn herum hatte sich bereits eine große Rauchwolke gebildet.

»Der Minister hat persönlich verlangt, dass wir Holmes jede nur denkbare Unterstützung gewähren. Anscheinend wusste das Kriegsministerium von den gestohlenen Waffen, und man hatte Venning bereits in Verdacht. Er war an dem Tag, an dem er getötet wurde, in dieser Angelegenheit verhört worden. Es wurden alle Hebel in Bewegung gesetzt, um die Waffen zu finden, bevor sie in die falschen Hände geraten.«

»Sie wussten, dass wir in Gefahr schweben!«, schimpfte Mr. Arrowood. »Und der Junge! Was ist mit ihm?«

»Wo ist der Junge? Konnten Sie ihn retten?«

»Er ist in Sicherheit, aber wäre er getötet worden, hätte ich Sie dafür verantwortlich gemacht.«

Jetzt wurde Petleigh richtig wütend. Er steckte die Hände in die Taschen.

»Ich wollte ja kommen, William, aber es gelang mir einfach nicht. Der Commissioner hat mich und zwanzig Constables zu dieser Razzia geschickt. Es war zu spät, um Sie noch zu benachrichtigen, und ich besitze ganz einfach nicht die Autorität, einen solchen Befehl zu verweigern. Wenn mir meine Vorgesetzten sagen, was ich tun soll, dann muss ich das auch tun. Aber Sie haben die Sache ja unbeschadet überstanden.«

Mr. Arrowood schnaufte und stürzte ein ganzes Glas Brandy herunter.

Ettie betrat das Zimmer, und Petleigh verbeugte sich und küsste ihr die Hand.

»Was für eine Freude, Sie wiederzusehen, Ettie«, sagte er. »Sie sind aber sehr spät noch auf den Beinen. Gehe ich recht in der Annahme, dass Sie auf William gewartet haben?«

»Warum sind Sie ihnen nicht zu Hilfe gekommen, Inspector?«, verlangte sie zu erfahren. »Sie hatten versprochen, dass Sie da sein würden.«

»Ich hatte vom Stellvertretenden Commissioner den Befehl, Holmes zu helfen, und es war mir schlichtweg unmöglich, mich dem zu verweigern.«

Sie runzelte die Stirn und setzte sich neben mich aufs Sofa.

»Gehe ich recht in der Annahme, dass Holmes den Fall gelöst hat?«, fragte Mr. Arrowood.

»Er ist wahrlich brillant«, erklärte Petleigh, stützte sich mit einem Ellenbogen gegen den Kaminsims und beäugte Lewis' Brandykaraffe. »Zu unserem Glück ist er auch nach den Bombenanschlägen über die Feniers und ihre Verbündeten auf dem Laufenden geblieben. Er verfügt über ein höchst umfangreiches Informationssystem, müssen Sie wissen. Ich hörte, er habe Aufzeichnungen über jedes bedeutende Verbrechen, das in den letzten zwanzig Jahren in London verübt wurde. Mir ist zwar völlig schleierhaft, wie er das angestellt hat, denn der Mann ist einfach ein Genie, aber es ist ihm gelungen, den Weg der Waffen quer durch ganz London nachzuvollziehen.«

»Dann wurden sie also zwischen seinen eigenen Büchern versteckt?«, murmelte Mr. Arrowood.

»Wie meinen Sie das?«

»Im Buchladen.«

Petleigh erstarrte. »Aber woher wissen Sie, dass die Waffen in einem Buchladen gefunden wurden?«

»In Gaunts Buchladen, wenn ich mich nicht irre, Petleigh?«

»Sie wussten, wo sich die Waffen befinden?«

»Wir bearbeiten diesen Fall jetzt schon seit Wochen«, erwiderte Mr. Arrowood herablassend.

»Und warum in aller Welt haben Sie mir das nicht gesagt?«

»Wir waren ziemlich beschäftigt, falls Sie das vergessen haben, Inspector.«

»Mit diesen Waffen hätten britische Soldaten getötet werden können!«

»Wir haben gerade das Leben eines Jungen gerettet!«, konterte Mr. Arrowood. »Und außerdem benutzen wir selbst keine …«

»Halt den Mund, William«, warnte Ettie ihren Bruder. »Sonst landest du noch selbst hinter Gittern.

Petleigh, der nicht begriff, was sich da gerade zwischen den Geschwistern abspielte, wartete auf eine Erklärung, die er jedoch nicht bekam.

»Jedenfalls werden Sie erleichtert sein zu erfahren, dass wir alle sechzig Gewehre sicherstellen konnten sowie ein Dutzend Munitionskisten und eine beträchtliche Menge Nitroglyzerin. Der Minister ist hocherfreut. Bedauerlicherweise konnten wir den Besitzer des Buchladens nicht antreffen, aber dann nehmen wir ihn eben morgen in Gewahrsam.«

Mr. Arrowood schnaubte.

»Was gibt es da zu schnauben?«, fragte Petleigh.

»Suchen Sie lieber auf dem Grund des Flusses nach ihm.«

»Ich verlange zu erfahren, was sich im Lagerhaus abgespielt hat.« Petleigh starrte Mr. Arrowood erbost an. »Dort liegen zwei Leichen.«

»Bitten Sie doch Holmes, dieses Rätsel zu lösen.«

»Sagen Sie es mir, William. Zwei Menschen wurden getötet.«

»Ich komme morgen in Ihr Büro und erkläre Ihnen alles«,

versprach Mr. Arrowood müde. »Aber Barnett und ich haben heute Nacht eine Menge durchgemacht. Wir sind viel zu müde, um noch klar denken zu können.«

Trotz seines Zorns musste Petleigh zugeben, dass das der Wahrheit entsprach.

Er wollte schon gehen, blieb aber in der Tür noch einmal stehen.

»Sollen wir auch gleich einen Termin für das Mittagessen vereinbaren, das Sie erwähnt haben, William?«

»Das muss warten, bis wir zurück in unseren eigenen vier Wänden sind, Petleigh.«

»Ah, ja.« Der Inspector wirkte ein wenig enttäuscht und sah zu dieser späten Stunde recht alt aus.

Er wünschte Ettie und Lewis eine gute Nacht, verbeugte sich und ging.

»Woher wussten Sie, dass die Waffen in Gaunts Buchladen gelagert werden?«, fragte ich, nachdem wir uns alle wieder gesetzt hatten.

»Bill hat Gaunt einen Schlüssel aus der Tasche genommen, bevor sie ihn weggebracht haben«, antwortete Mr. Arrowood. »Erinnern Sie sich nicht mehr? Das musste der Schlüssel zum Buchladen gewesen sein.«

»Er hätte auch zu einem anderen Versteck gehören können.«

»In diesem Fall hätten sie ihn wohl kaum einem Mann anvertraut, den sie in Verdacht hatten. Der Schlüssel musste zu Gaunts Laden gehören, und der Lagerraum eines Geschäfts ist das ideale Versteck für Diebesgut. Ich hatte das schon vermutet, als Sie mir von diesem Laden erzählt haben.«

Mit lautem Stöhnen erhob er sich aus seinem Sessel und durchquerte den Salon. »Ich werde jetzt auf den Abort gehen und mich dann ins Bett zurückziehen.«

»William ...«, begann Ettie. »Sherlock Holmes ist ein bemerkenswerter Detektiv. Niemand außer ihm wäre in der Lage gewesen, die Waffen innerhalb von zwei Tagen zu finden. Wann gibst du es endlich zu?«

Mr. Arrowood stand in der Tür, und mit einem Mal sah es so aus, als würde die ganze Anspannung von ihm abfallen. Er ließ die Schultern hängen, entspannte die Gesichtszüge und lächelte. Für einen kurzen Augenblick glaubte ich schon, er würde Holmes Respekt zollen.

Er machte den Mund auf, schien es sich dann jedoch anders zu überlegen. Stattdessen schüttelte er den Kopf, nahm die Lampe und begab sich nach draußen.

Kurz darauf verabschiedete ich mich. Mr. Arrowood brachte mich zur Tür und reichte mir einen Fünfer, der noch feucht und mit Longmires Blut bedeckt war.

»Hier ist Ihr Anteil, Norman.«

Ich starrte den Geldschein einige Zeit an, kaute auf der Unterlippe herum und gab mir die größte Mühe, ein möglichst skeptisches Gesicht zu machen.

»Ach, um Himmels willen«, gab er schließlich nach, zog noch einen Fünfer aus der Tasche und drückte mir beide Geldscheine in die Hand. »Es ist viel zu spät, um sich zu streiten.«

37

Ich schlief beinahe den ganzen Tag. Als ich aufwachte, war es später Nachmittag. Es gab noch eine Sache, die ich erledigen musste. Ich fuhr mit dem Pferdeomnibus durch die Stadt zu Scotland Yard, stellte mich zum Warten vor den Pub und beobachtete den Eingang und die Polizisten, die kamen und gingen. Die Nacht brach an, und es wurde kühler. Mein Arm fing wieder an zu pochen. Es war schon dunkel, als Coyle endlich herauskam. Ich verfolgte ihn entlang des Victoria-Ufers, bis er sich nach Norden wandte. Dann lief ich noch weitere zehn Minuten hinter ihm her, bis er in einen leeren Park abbog und ich meine Chance witterte. Er gehörte zu der Sorte Mann, die sehr von sich überzeugt ist, und so sah er sich nicht einmal um, als er mich kommen hörte. Das erleichterte mir die Sache. Ich schlug mit aller Kraft zu, und es fühlte sich gut an. Sehr gut sogar. Seine Beine gaben in dem Augenblick nach, in dem ihn der Schürhaken traf, und er stieß ein Geräusch aus, das eher an ein rülpsendes Pferd erinnerte. Ich stürzte mich sofort auf ihn, bohrte ihm ein Knie in die Brust, legte ihm die Hände um den Hals und würgte ihn. Er krallte sich in meinen Mantel und zuckte mit den Beinen, aber ich war zu schwer für ihn. Ihm lief der Speichel aus dem Mund, als ich fester zudrückte. Seine Augen traten aus den Höhlen und tränten.

Sobald ich aufhörte, röchelte und hustete er und versuchte, wieder zu Atem zu kommen. Ich stand auf und stellte ihm einen Fuß auf ein Handgelenk und den anderen auf eine Schulter. Dann hob ich den Schürhaken hoch in die Luft und ließ ihn auf seinen Arm herabsausen – auf exakt dieselbe Stelle, an der er mich mit seinem Schlagstock getroffen hatte.

Er jaulte auf.

Ich ließ mich mit dem Knie auf seinen Bauch fallen.

»Das tut weh, nicht wahr, Coyle?«

Nun hustete er wieder, schlug mit den Armen nach mir und rang nach Luft.

»Das war ich Ihnen schuldig. Jetzt will ich noch eine Sache wissen, und wenn Sie mir nicht antworten, mache ich weiter. Warum hat Ihr Mann die Kellnerin getötet?«

»Fahren Sie zum Teufel«, stieß er keuchend aus.

»Wie Sie wollen.« Ich stand wieder auf und hob den Schürhaken.

»Nein!«, rief er. »Nein. Ich werde es Ihnen sagen.«

Er röchelte eine Weile. Ich wartete, bis er wieder sprechen konnte. Er setzte sich auf und hielt sich mit dem unverletzten Arm die Kehle. »Er dachte, die Feniers wären ihm auf die Schliche gekommen«, sagte er mit rauer, heiserer Stimme. »Er musste seine Treue beweisen. Sie waren besorgt wegen dem, was Ihr Franzose herausgefunden und was er seiner Freundin erzählt hat. Sie hatten gehört, dass Sie beide sie aufgesucht und ihr Fragen gestellt hatten, daher beschloss er, sie zu töten. Er dachte, dass sie ihn dann nicht mehr für einen Spitzel halten würden.«

»Sie haben es ihm befohlen«, beschuldigte ich ihn.

Coyle schüttelte den Kopf.

»Wir haben erst hinterher davon erfahren. Das schwöre ich. So arbeiten unsere Leute nun einmal. Sie treffen Entscheidungen. Manchmal gute und manchmal schlechte.«

»Aber Sie haben ihn nicht verhaftet. Sie wussten, was er getan hatte, und haben ihn laufen lassen.«

Er blickte zu mir auf, und sein hässliches Gesicht sah schwach und besiegt aus.

»Er ist zu wertvoll. Er hat uns im Laufe der Jahre viele Informationen geliefert. Wenn sie einen Bombenanschlag planen, würde er uns warnen.«

»Das bezweifle ich.«

»Sie haben ja keine Ahnung.«

Ich zog einen Sovereign aus der Tasche und warf ihn Coyle in den Schoß.

»Gute Nacht, Coyle.«

Ich lief durch die Stadt zurück und überquerte die Waterloo Bridge, an der die Frachtkähne und Jollen für die Nacht ankerten. Da unten gab es einen Pub, der noch lange geöffnet hatte, und dort kannte mich niemand. Ich wollte noch nicht zurück nach Hause. Dort würde mich wie an jedem Abend seit Mrs. Barnetts Tod ein kaltes, dunkles, leeres Zimmer erwarten. Die beiden Silhouetten, die wir kurz nach unserer Hochzeit angefertigt hatten, hingen wie Geister neben dem Fenster und wirkten kontur- und leblos. Ich konnte ihren Anblick nicht länger ertragen. Die Erinnerung an sie war in diesem leeren Raum einfach übermächtig.

Mr. Arrowood würde davon erfahren, wenn ich bereit dazu war. Vorerst musste ich mich beschäftigen und so lange wie möglich diesem Zimmer fernbleiben. Was ich brauchte, war ein neuer Fall, und zwar möglichst bald. Mr. Arrowood und ich konnten beide dringend eine neue Aufgabe gebrauchen.

Dank

Ich danke Vince dafür, dass er so freundlich war, im Laufe der Jahre mehr als nötig zu lesen; Jo, Sally und Lizzie, weil sie mir geholfen haben, diesem Buch Leben einzuhauchen; und meinen Freunden für die vielen Gespräche. Für die Hintergründe habe ich mich auf viele Bücher und Online-Quellen verlassen, darunter (unter anderem) »The Invention of Murder and The Victorian City« (Judith Flanders), »War in the Shadows« (Shane Kenna), »The Suspicions of Mr. Whicher« (Kate Summerscale), »London's Shadows« (Drew D. Gray), »How to be a Victorian« (Ruth Goodman), die georeferenzierten Karten der National Library of Scotland (maps.nls.uk/geo), Lee Jacksons »The Dictionary of Victorian London« (victorianlondon.org) und Booths Karten über die Verteilung der Armut (booth.lse.ac.uk/mapallein).

Sandy Taylor
Du und ich und das Meer
€ 14,00, Taschenbuch
ISBN 978-3-95967-074-6

Brighton 1954: Mary und ich sind 8 Jahre alt. Nichts kann uns auseinanderbringen. Dank einer Tüte Süßigkeiten haben wir uns kennengelernt – und gemeinsam sind wir unbesiegbar.

Brighton 1963: Mit 17 teilen Mary und ich alles miteinander: Höhen und Tiefen, Familiendramen, Hoffnungen und Träume. Wir arbeiten im selben Kaufhaus, tanzen in unserer Freizeit auf dem Palace Pier und haben uns in zwei miteinander befreundete Männer verliebt ... Umso weniger kann ich es fassen, dass Mary mich nun so betrügen konnte – und dass sie mir auf die schmerzhafteste Weise die zwei Menschen genommen hat, die ich am meisten auf der Welt liebe ...

www. harpercollins.de

Harper
Collins

Martine McDonagh
Familie und andere Trostpreise
€ 12,99, Taschenbuch
ISBN 978-3-95967-195-8

Sonny Andersons Vater ist ein Guru, seine Mutter verschollen – und alles, was er über zwischenmenschliche Beziehungen weiß, hat er aus seiner Lieblingszombiekomödie gelernt!

Man könnte sagen, er ist kein normaler 21-jähriger. Man könnte auch sagen, dass er eine Menge Neurosen hat und körperlich leidet, wenn Menschen in seiner Gegenwart diese seltsamen Knutsch- und Sauge-Geräusche mit ihren Mündern machen. Und auf jeden Fall hat Sonny eine Riesenangst vor Briefumschlägen! Doch als er an seinem Geburtstag ein Vermögen erbt, weiß er, was zu tun ist: nach England reisen, um endlich seine Mutter zu finden. Dabei ahnt Sonny nicht im Geringsten, was er auf der chaotischen Suche nach seinen Wurzeln alles aufdecken wird.

www. harpercollins.de

Tödlicher als Bourne,
kompromissloser als Reacher

Rau, pur, schottisch ...

Denzil Meyrick
Tödliches Treibgut
€ 9,99, Klappenbroschur
ISBN 978-3-95967-104-0

Zerklüftete Felsen reichen bis in die Brandung hinein, ein entstellter Körper liegt verdreht dazwischen im Sand. Dieser Anblick bietet sich DCI Jim Daley, den es von den rauen Straßen Glasgows an die sonst beschaulichen Strände der Kintyre-Halbinsel verschlägt: Mit seinem Partner DC Scott wird er in das Fischerdorf Kinloch beordert, da sich die örtliche Polizei mit der dort angespülten Frauenleiche überfordert zeigt. Während sie innerhalb der verschworenen Dorfgemeinschaft ermitteln, müssen die beiden feststellen, dass jemand bereit ist, dafür zu töten, dass bestimmte Fragen ungestellt bleiben ...

Denzil Meyrick
Der Pate von Glasgow
€ 9,99, Klappenbroschur
ISBN 978-3-95967-190-3

DCI Jim Daley von der Mordkommission Glasgow sitzt in dem kleinen Küstenort Kinloch fest, seit er die Revierleitung dort übernehmen musste. Doch vergessen hat man ihn im Hauptquartier offenbar nicht – er bekommt das Video eines brutalen Mordes geschickt.

Der Täter: James Machie, der Pate von Glasgow, von Daley persönlich hinter Gitter gebracht. Das Opfer: der damalige Kronzeuge. Den zweiten Kronzeugen und ehemalige rechte Hand des Paten, Frank MacDougall, soll Daley nun beschützen. Nur, wie beschützt man jemanden vor einem Geist? Denn Machie wurde vor fünf Jahren ermordet ...

www. harpercollins.de